# Au vent fou de l'esprit

Hortense Dufour

# Au vent fou
# de l'esprit

*À Georges,*

*À mes mousquetaires les plus chers et qui sont deux :*
*Thierry Billard et Guillaume Robert,*

*À mes parents et amis, les vivants et les morts,*
*de mon pays natal, la Saintonge,*

*À Silvia et Victoria.*

## AVERTISSEMENT

Toute ressemblance avec des personnages existant ou ayant existé serait une pure coïncidence.

Ce roman est une fiction, en dépit de l'authenticité des lieux et des rituels du cognac. Les Borderies existent, bien sûr, mais j'ai entièrement inventé la « maison Breuillet » et son histoire. Le nom « Breuillet » pourrait soulever la confusion d'une homonymie. Ce serait un pur hasard. Le « cognac Jean Breuillet » est une fiction. J'ai choisi ce nom en souvenir du village de Breuillet, près de Royan, où, enfant, j'ai passé de radieuses vacances dans une propriété dont les hôtes bien-aimés, familiaux, hélas, ne sont plus. La douceur et la tendresse d'un tel souvenir m'ont donné envie d'appeler « Breuillet » cette famille fictive et le roman de leur vie. L'attachement à ma terre natale, ma foi catholique, ont fait le reste.

H.D.

# PREMIÈRE PARTIE

# 1

> *On a le droit de glaner*
> *après le coucher du soleil*
> *et avant son lever.*

Le mot le plus dur à prononcer, impossible à écrire, et que ma pensée conçoit avec la plus grande peine, est *mésalliance.* Je suis née d'une mésalliance. Je n'eusse jamais conçu, en ces étés et automnes flamboyants, ces hivers au ciel toscan de Saintonge, le joug d'une mésalliance. La mutilation que l'on m'infligeait venait du silence, plus accablant que l'insulte, du regard détourné au seul prénom de ma mère : Léonora. Il s'inscrivait, ce prénom, en tatouage fleurdelisé que l'on imprimait jadis au fer rouge à l'épaule du voleur, et qui faisait fuir les bien-pensants. Issue de cette sève obscure et empoisonnée de la mésalliance, j'allais voyager telle une graine, sourdre en un surgeon rebelle, armé des ronces nécessaires.

Je n'avais pas imaginé ce dilemme. L'entourage s'en était chargé. Le verdict pesait, silencieux et ravageur.

Je m'appelle Marie Breuillet, « Breuillet », puisque mon père avait épousé la passante qu'il aimait. Je suis née en août 1879 à La Burgandière, nom de la maison et du domaine où mon père, Jean Breuillet, fabrique du cognac. Son domaine est situé entre les villages Javrezac et Richemont, dans les Borderies, aire au nord-ouest de la ville de Cognac.

À cette époque, ma mère survivait, égarée, recluse volontaire dans la chambre bleue, celle de la tourelle qui flanque l'aile droite de la demeure.

Je suis née au paroxysme de son deuil. Elle avait perdu dans des conditions tragiques son premier enfant. Peu à peu, j'ai appris à démêler les rumeurs.

*
* *

Tout avait commencé par une belle histoire.

Léonora, la fille des glaneurs, modeste engeance entre toutes, avait été épousée par Jean Breuillet, fils et petit-fils de maîtres du cognac. Il y a autant de sortes de cognacs en Saintonge que de fabricants, et Jean Breuillet était l'un d'eux, et des plus subtils.

À cause de Léonora, il avait dérogé aux us et coutumes, et commis l'impardonnable. En ce chaud terroir règnent l'obligation du silence, l'apparente pureté de mœurs, le goût sévère de l'équilibre en tout, la suspicion du mot « passion ». Une indécence, une incohérence, une menace pour l'homme et ses moissons de trahir ses racines, de bafouer ses origines, pour épouser une fille de glaneurs !

Ce qui pouvait expliquer la folie de Jean Breuillet le condamnait : la trop grande beauté de Léonora.

Un excès de lumière, un raisin d'élite dans une fine gaze. Nul ne commentait sa chevelure de fée, annelée, d'un or rouge. On lui en voulait d'aller ainsi parée d'une munificence trop évidente. Un tribunal invisible l'accusait d'avoir dérobé cette beauté à laquelle on imputait les frasques de la reine Aliénor. La beauté devenait, au corps et au visage de Léonora, la pire des impostures. On se scandalisait de son regard à la limite du violet profond, frangé de soie sombre. On se détournait de sa bouche si suave qui faisait songer à l'amour, au plus charnel des amours. On se détournait d'une gorge parfaite, d'une taille très fine, évasée dans la promesse des hanches.

Jean Breuillet ne se détourna pas. Il osa graver cet amour dans sa chair et dans son âme, le ravir derrière les murs épais de sa demeure.

Léonora ne lui était pas inconnue. Sa mère, la mère La Fourve, avait nourri de son lait abondant les fils Breuillet. Le pays et sa famille frémissaient. Passe encore qu'elle fût une sœur de lait, cela était fréquent au monde des riches de confier l'enfant à une nourrice. Cette parenté du lait n'en impliquait aucune autre et surtout pas la moindre familiarité. Nomme-t-on la vache dont on trait le lait, la poule dont les œufs et la chair nourrissent ? Le lait de la nourrice était au rang des abondances d'étable. La nourrice avait un nom, il est vrai, mais les bêtes domestiques en avaient aussi. La Blanche, la Noire, la Brune, la Marguerite, étaient des vaches ou des poules… ou des servantes. Quelle idée d'aller marier une telle engeance ? La mère La Fourve avait qualité de sevrer les nouveau-nés et la famille Breuillet avait proposé une rente à vie pour ce service. Sa fille aînée, la massive Passerose, lavait le linge à La Burgandière. Chaque chose et chacun étaient donc à sa place. Que Jean Breuillet fît alliance avec sa cadette trop éblouissante relevait du scandale.

Léonora se serait vite évanouie aux ombres des roseaux du fleuve, sans l'accident de sa beauté. Sans l'encombrement de la beauté. Sans l'obscénité de la beauté. On ne parlait jamais de la beauté de la reine Aliénor. Mariée deux fois, qui fut de France et d'Angleterre, répudiée, emprisonnée, adulée. Aliénor de Fontevrault, dite d'Aquitaine. On ne parlait jamais de cette beauté excessive, rivée au niveau du sillon des terres, parce qu'elle choquait ce pays pudique, bannissant l'excès en tout, si proche de l'escargot étendard, dit « la cagouille », cet escargot lent à déplier ses antennes, à livrer la trace argent de son passage.

Pour tous Léonora était une menace. Une irradiance mortelle accrochée aux dentelles de ses cheveux, de son sourire.

*<br>*　*

Je suis sa fille. La fille de Léonora et de Jean Breuillet.

À mesure des saisons, gonfleront les raisins et s'incli-neront les vrilles de ces vignes. Il y aura la cendre fine et tiède, le souvenir, léger au creux de la main. La brû-lure enfin apaisée. La mémoire qui efface. Mais la beauté de Léonora la glaneuse sera toujours le tour d'écrou à la geôle de Jean Breuillet.

Nul ne parlait jamais d'elle parce que la réprobation était générale. Sa pauvre famille ? « Des gens de rien. »

On n'eût pas dit « des gens de rien » si elle n'était pas entrée dans la famille d'un maître du cognac. Si elle était restée à sa place, fille de la nourrice, fille des noirs glaneurs, si elle était restée courbée aux champs, on l'eût tolérée, elle et les siens, en fin de moisson, à ra-masser et glaner les épis. À glaner le reste des raisins blettis, déshonorés, écartés de la vendange qui se doit d'être la plus pure du monde pour créer le cognac. Aux glaneurs, ces coupeurs de paille, on accorde la permis-sion de survivre de ces restes, d'aider, contre quelques sous, aux cueillettes diverses, c'est leur place au même titre que le gros panier en osier, le sécateur, le seau en bois, le rat argenté sont leurs outils. Déroger à la bien-séance, sortir de son rang par provocation autant que par amour, était une impudence impardonnable.

*<br>*　*

Personne n'osait plus parler de Léonora devenue l'épouse de Jean Breuillet. Les ouvriers agricoles, les gabarriers se taisaient eux aussi. Vivien Lelindron, le viticulteur aux terres détruites, qui l'avait aimée secrètement, attendait sans un mot on ne savait quelle issue. Léonora la Belle, que le plus chanceux d'entre eux s'estimait en droit d'entraîner au bouge d'une couche obscure, Léonora avait trahi. Elle tenait désormais de ces métis, nés d'un hasard de désir, de ces frontaliers qu'aucun monde défini ne reconnaît.

De tant de forces contrariées, j'allais tresser mes propres moissons. Mésalliance, tatouage bohémien, sangs croisés de torrents divers, carambolage d'hérédités variées. À mesure, les choses se diront, se feront, se déferont. Il y avait eu Sedan en 1870, il y aurait d'autres guerres. À chaque guerre, je ferai la sourde oreille, quand le héraut clamera sa nécessité, louera son sacrifice. J'entendrai pour toujours que j'étais née de la passion de Jean Breuillet et de la glaneuse Léonora.

Jean Breuillet avait osé, follement, choir aux rets de la passion. C'était au temps où son cognac, sa gloire intime, traversait l'enfer d'un démon dévastateur : le *phylloxera vastatrix*. On assimila le cauchemar des vignerons, le cauchemar de la vigne torturée, boursouflée, pustulée, détruite, avec Léonora. Un malheur ne pouvait jamais arriver seul dans l'esprit des simples.

# 2

La maison, La Burgandière, ressemble à ses propriétaires et à ce pays volontairement paisible. On y parle une langue sobre, aux accents chantants. Le ton monte en courbe sur les voyelles. On s'attarde sur les accents, on insiste sur les dentales. Croisement, depuis le Moyen Âge, de la langue d'oc et de la langue d'oïl. Croisement, au milieu des Charentes, de la terre prospère et du fleuve lent, nappé de vase. La lumière d'un ciel italien sublime la vase et son eau. Le fleuve est une moire vert sombre, vert clair, argent. Un fleuve en coulée de plomb, sous la gaze du brouillard, quand s'amoncellent les nuages. Jean Breuillet est issu de ce peuple de la Charente, plus amène que l'âpre Charente maritime, conque gutturale, côte râpeuse, piège immobile et silencieux du marais. Dans la Charente de Jean Breuillet, entre Saint-Jean-d'Angély et Barbezieux, les hommes, les vignes, les maisons se ressemblent. Les goûts du quant-à-soi, des créations lentes, du labeur bien fait, des solitudes, de tout ce qui conserve au mieux les hommes et leurs biens y sont terriblement ancrés. Les plus précieux des biens y sont la vigne et l'alcool lentement élaboré. L'image de l'escargot se met à nouveau en place. Jean Breuillet et les gens d'ici se retirent aisément dans leur coquille, à l'abri de leurs lèvres fermées. Le premier qui parle est celui qui a tort.

À l'abri du portail et de la cour cernée de murs, où s'étayent le chèvrefeuille à parfum de jasmin, le bougainvillier d'un pourpre forcené, la glycine mauve gorgée d'abeilles, tout le monde s'enferme dans le silence. Dehors, une hampe de roses trémières crée une suave mais ferme frontière entre le chemin, le mur et le portail. On n'a ni à escalader le mur, ni à outrepasser du regard l'intérieur de la cour. En apparence, il ne se passe rien. Tout est silence. « Garde le silence et le silence te gardera » est la devise inscrite dans le pollen des fleurs, des vignes, des lumières satinées.

La maison de Jean Breuillet est isolée derrière ses hauts murs de pierres sèches et chaudes. Scellée dans le sel de la pierre, lointain hommage de l'Atlantique qui cogne entre Oléron et la côte sauvage. Le visiteur, ici, est bien reçu. Il est attendu, il le sait. On se hasarde rarement à l'improviste, ce qui serait le signe d'un désordre. D'une mauvaise nouvelle. D'un rapt inavoué. La cloche du portail a tintinnabulé. Le portail s'ouvre, tel celui d'un couvent. On ne verra pas la tourière, confondue à l'ombre noire de la servante furtive, liée à ces murs, ce toit, ce sol. Née avec eux, consacrée à eux et à l'histoire de ses maîtres. Dans le chai reposent les fûts. Un alambic distille le cognac. Tout est feutré. Le blâme, l'enthousiasme, la blessure de mort, la passion d'amour, tout est feutré.

On se risque dans la cour, si l'on est digne de ce particulier monastère voué au culte, celé, protégé, du bel alcool. Qui pénètre ici atteint le comble de la civilité, abandonne la barbarie naturelle. On avance à pas respectueux, on ne brise rien, on ne jette aucune clameur et on retient son souffle. On ôte le chapeau ou on ferme l'ombrelle. Les pas sont mesurés, légers sur le gravier blanc, gris par moments, poudrés de ce sel invisible, constant. Le murmure s'intensifie. Le visiteur, le passant, l'invitée, le client frappe à la porte du chai. La porte de la maison, arrondie, présente un marteau en fonte ouvert en patte de lion. Le visiteur n'attendra pas ; on sait qu'il est là. Quelquefois, en plein été, quand la canicule embrase La Burgandière, le familier toque au contrevent mi-clos afin de ménager l'ombre qui protège les meubles. Le maître ouvre sa maison, ou la servante au visage caprin, la chevelure toilée d'un chaste bonnet en coton blanc. On s'empresse, la servante glisse sur les patins de laine. Une exhalaison de cire, de linge repassé caresse les sens avec celle du soleil, de l'herbe chaude, de la vanille.

Celui qui entre ne s'en ira pas sans avoir goûté le vin neuf, la galette plate et dorée, les fruits rafraîchis dans les coupes en cristal, cerclées de vermeil. Une visite contient son protocole où tout honore la demeure, ceux qui la servent comme ses maîtres. La mauvaise visite n'est pas exempte du même souci d'honorer sans servilité. La mauvaise visite, c'est le pas sonore du cheval et son corbillard qui mènent au cimetière de Richemont la dépouille d'un des habitants défunt auparavant installé dans la chambre dont les volets seront clos pendant plusieurs jours. La mauvaise visite, c'est le pas pesé du médecin, l'odeur de son gros manteau qui sent le chien mouillé, la vision de sa sacoche noire d'où sortent les instruments brillants qui signent une chance de vie, ou l'accueil d'un dernier souffle. Ordre immuable, vie et mort entrelacées, lierre mêlé à la pierre qui se délite, chair qui s'effrite, gémissement retenu, sanglot coincé contre le mouchoir en dentelle, raideur des hommes sombres qui attendent, en silence. La porte, le portail sont ouverts en grand. Indécence de la mort qui est venue et qui s'en va.

Un portail ouvert plus largement encore et ce sont les noces précédées de longues fiançailles. Tout est alors décence. Décence de la visite du pasteur. Décence de l'absoute. Décence de la Bible qui se ferme, en bruit de porte claquée. Le portail et la porte, vite, se referment à nouveau. Le pas des chevaux s'éloigne. La poussière recouvre le chemin, le vent, le soleil, le nuage, la pluie légère, la froide gelure en cristal coupant, ensevelissent les événements. Bienséance, encore et toujours, la bienséance. Ne pas se faire remarquer. Ne plus se faire remarquer. On oubliera l'impureté du portail trop ouvert. On se détournera de l'hydre banale : maladie, décès, abomination des couches de la fille mésalliée au maître. Le portail, la porte, les contrevents sont en bois de chêne du Tronçais. Harmonie de la longue façade blanche, ondée çà et là d'une once de sel, tuilée largement de rose, étayée des deux tours carrées. Harmonie d'une demeure fermée sur elle-même.

*
* *

L'intérieur surprend par un raffinement loin de la sobriété de la façade. Peu de monde pénètre dans les tours carrées, celle notamment de la chambre bleue. Le vieil Émile, valet de Jean Breuillet, se fond dans les murs. Un raclement de gorge signale sa présence. Il vit à l'étage du maître, cire ses chaussures, veille à la provision de savon à barbe. Il brosse les habits de Jean Breuillet, se détourne avec dégoût si un cheveu de femme traîne sur le col d'une chemise, dédaigne les servantes, se détourne avec dégoût aussi de Léonora. Son ombre est celle des rideaux de velours à larges rayures. Un violet profond, des tapis d'orient, des fauteuils Napoléon III cernent les guéridons d'acajou, nappés de dentelles ouvragées.

La chambre bleue, jointe à son boudoir et à un cabinet de toilette blanc et or, est lotie, par une porte tambour, à une seconde chambre, petite et sobre, comme une cabine de bateau. Un lit recouvert de blanc, un bureau, une chaise en cuir cloutée, une table, quelques dossiers, des livres de compte. Jean Breuillet a fait installer là sa retraite qui tient de l'antre modeste d'une vigie. Le vieil Émile l'entretient. Il veille sur le maître qui, de son côté veille, anxieux, sur la chambre bleue.

D'où surgissent les gémissements de Léonora, la recluse depuis tant de mois. Il évite d'attarder sa pensée sur la tour du bout, l'autre espace où il hanta une chambre digne de ses premières noces, celles de Marthe, sa défunte épouse. Une chambre où il était céans de dormir jusqu'à l'aube, d'un vrai repos, lié à cette paix obligatoire. Une chambre où le vieil Émile consentait à saluer avec respect la maîtresse d'alors. Il croisait Maria-la-bègue, la servante de Marthe, sans détourner la tête. Chacun était à sa place mais, depuis, sa rencontre avec Léonora a tout changé. Léonora, elle-même, a tout brisé.

Jean Breuillet vogue désormais dans sa cellule de marin, en proie à des insomnies cruelles. Les nuits, en ce pays, ne sont jamais totalement noires. Un bleu sourd rejoint doucement le rose flambeau de l'aube. Orient des nuits saintongeaises, Orient des demeures et des chambres closes où étouffent les soupirs et les agonies. Les pleurs sont délivrés aux pleureuses et non aux maîtres à qui il convient de garder l'œil sec.

*
* *

Les escaliers – un par tourelle, un autre central –, fleurent le bois du Limousin, la cire miellée. Les rampes, en ferronnerie, hissent une dure et florale rambarde de liserons et d'épis de blé.

Sous le toit, un long grenier où sèchent le tilleul odorant et la verveine en gerbes craquantes. Sous le grenier, le bel étage. Neuf chambres, un long couloir, un large palier converge sur l'escalier central qui tourne en deux anses, de dix-sept marches chacune. Le rez-de-chaussée prévoit une surprenante entrée pavée de mosaïques. Une porte vitrée de bleu, d'orange, de violet, à double battant, laisse entrer le visiteur dans un premier salon. On ouvre rarement, sur le fond, côté du parc, le grand salon, sauf en des circonstances exceptionnelles. Des profusions de tapis, de canapés et de fauteuils cabriolet, blancs, brodés de feuillages perlés. Les fenêtres sont hautes, les rideaux retenus par des cantonnières vertes et jaunes. Au mur en boiserie blonde, des miroirs de Venise, enchâssés de feuille d'or, au tain profond et lumineux. Des tables rondes, au plateau en marbre de Carrare, un piano d'Erard, en palissandre clair, son meuble à musique. Au-dessus, le portrait ovale de l'aïeule de Jean Breuillet, col ruché, longue robe à plis profonds, sourire flottant, boucles celées sous un bonnet noué d'un gros nœud. Un triple rang de perles, blanches et rosées, saisissantes de vérité, cascade le long du buste mince et raide. La main de l'aïeule, si jeune à l'époque où elle fut peinte, tient un bouquet de violettes comme une offrande délicate de sa main de cire, de son regard ardoise semblable à celui de Jean Breuillet. Au plafond à frises, deux vastes suspensions en cristal. Une vitrine étincelle de porcelaines de Limoges bleu de Sienne, de la théière et de la cafetière en argent. La grande salle à manger s'ensuit. Armoire à corniche torsadée, table longue, chaises à hauts dossiers, dessertes. Salon et salle à manger attenante sont réservés aux grandes occasions. Nouvel an, fiançailles, noces, funérailles. On y reçoit les grands clients, Anglais, Hollandais ou Américains. La petite salle à manger est la plus jolie : du merisier, des étoffes claires, de l'intimité, une porcelaine de Limoges blanche. On y prend quotidiennement les repas. Le bureau de Jean Breuillet et la bibliothèque sont les dernières pièces avant le couloir de la tourelle où survit Léonora.

Le bureau de Jean Breuillet arbore un style anglais. Canapé et fauteuils en cuir jaune sont signés Chesterfield. Bureau, secrétaire, buvard, tout est d'acajou foncé. Un meuble à alcool présente les flacons des cognacs de la maison. Les verres ballon s'alignent contre la boîte à cigares en palissandre. Le vieil Émile veille que ne manquent ni cigares ni cognac. Il surveille la pureté des verres, aucune fêlure n'est tolérée. Jean Breuillet invite volontiers ses hôtes à déguster le cognac dans son bureau où une intimité s'approfondit et un accord commercial se discute mieux. On se retrouve aussi dans la bibliothèque, avec sa longue table, ses vitrages, ses livres reliés, sa mappemonde. L'hiver et une partie de l'automne, un feu de bois pétille dans la cheminée. Sur le manteau en marbre veiné est posé un vase de l'époque Ming.

Les clients, longtemps, ont admiré le portrait de Léonora, vêtue d'une robe en nuée de ciel, le sourire et les épaules de chair rose, la chevelure en diadème d'or rouge. À ses oreilles pendaient des girandoles. L'artiste qui avait exécuté le portrait n'avait jamais vu Léonora, Jean Breuillet lui avait passé commande à Angoulême, d'après une photographie. Combien de muettes malédictions la servante Maria-la-bègue avait dû lancer à ce visage reflété dans le miroir ? Jean Breuillet feignait de l'ignorer. Au cœur de son bureau refuge, il contemplait, en cette image, une lointaine fulgurance à laquelle il survivait, brûlé.

*
* *

La seconde tour carrée, aux volets mi-clos et aux rideaux tirés, ne raconte plus rien. On l'appelle « la chambre brune ». C'était celle de Marthe, la première épouse de Jean Breuillet. Ce fut, autrefois, celle de ses propres parents. Les rideaux, longs et lourds, sont couleur puce à rayures noires. Une chambre brune, en effet, du parquet au plafond, aux rideaux, aux meubles immobiles. Sous le cristal d'une cloche gît une couronne de mariée en fleurs d'oranger et perles jaunies, relique d'un mariage impossible à oublier. Il flotte encore en ces lieux le parfum funèbre du laurier des grands deuils. Le lit et les fauteuils sont houssés de blanc. Seule, chaque jour, une ombre se glisse pour entretenir pieusement les lieux. Celle de la servante Maria-la-bègue qui vénérait Marthe et maudit la chambre bleue où vit, recluse, celle qui a cru pouvoir lui succéder.

Le vieil Émile n'est pas loin de partager ses sentiments, lui qui pince une bouche outrée, à dentier, depuis l'arrivée de Léonora. « Quand on n'a rien de bon à dire, on se tait », murmure-t-il à Rose Delageon, la cuisinière, qui n'aime rien tant que bavarder, cancaner et médire. Il aime prendre ses repas seul, en dehors des autres servantes, se pensant un rang au-dessus. Il compte pour rien Passerose, la sœur aînée de Léonora, une vile fille de lessive promue dans la famille du maître par le hasard d'un caprice de la chair ! Son mépris se lit sous ses paupières écailleuses.

*
* *

Dans l'aile basse se trouve la cuisine, domaine incontesté de Rose Delageon. Elle y porte le soin jaloux que le maître donne à son cognac et ne souffre personne pour entretenir cet antre de saveurs, pavé de blanc et de rouge. La cuisinière est une lourde merveille de cuivre, aux multiples « feux » que Rose crochète d'un bras brun et sec. Sur un des feux, ronronne en permanence une cocotte en fonte noire où mijote un plat à cuisson longue. Civet de lièvre, marmelade de canard, anguilles en sauce. Un grand fait-tout cuit la soupe quotidienne aux légumes. Tout rutile : les casseroles de cuivre rose, les bassines à confitures, la « poissonnière » à égouttoir. Le buffet regorge de vaisselles en faïences ornées d'un coq. Assiettes « à calotte » pour la soupe et le bouillon où l'on fait « godaille » en versant une lampée de vin rouge, assiettes plates à bord rouge, assiettes à dessert pour la galette et les entremets. Sous la longue table à trois tiroirs abritant couverts et couteaux se glissent deux bancs lourds.

Rose œuvre debout, au rythme de l'alchimie des mets. Elle sait la place du moindre ustensile, de la planche à découper les viandes au hachoir, des coutelas aux cuvettes en terre brune où enfariner le poisson. Sur une table plus petite, installée sous la fenêtre à rideaux blancs empesés, sont disposés le rouleau en bois, la jatte de farine, celle des œufs, le pot à levure, celui du sucre en poudre brune. Là, Rose pétrit vivement tartes et gâteaux. Le beurre reste au frais, dans le garde-manger de la souillarde, arrière-cuisine jamais chauffée où on lave la vaisselle. Dans cette pièce, au fond d'une caisse grillagée remplie de farine, bavent une centaine de « cagouilles », ces petits escargots gris ramassés à l'aube, à la lampe tempête, quand il pleut, qui dégorgeront durant trois semaines. Cuits au court-bouillon, évidés, dûment conservés en bocaux, ils seront servis en entrée, très chauds, farcis dans leur coquille de beurre salé où l'on a concassé l'ail, le persil et le poivre noir.

Sur les étagères, en bon ordre, des plats à four, des pots en terre. Cornichons, petits oignons au vinaigre, sel gris de l'île de Ré, sel blanc d'Oléron. Une série de terrines vernissées logent les pâtés maison exprimés par l'éloquence de leur couvercle où saillent une tête de cerf, de lapin, de sanglier, de canard. Contre l'évier à pompe au cuveau en pierre, est posé le seau en fer pailleté pour les coquilles d'huîtres. On les sert, ouvertes, dans un plat rond creusé en marques rotatives.

Rose Delageon touille avec amour et longue cuillère en bois ses sauces opiacées d'aulx, de champignons et de vin lourd. Un litre de cognac est renouvelé à mesure. Elle élabore une cuisine lente, goûteuse, réfléchie. Quand vient le soir, Rose glisse dans le four les briques qui, enveloppées de papier, réchaufferont les lits. La cuisinière les préfère à la bassinoire en cuivre, plus ornementale qu'efficace. Dans la cheminée à large hotte, il y a deux escabeaux. Rose s'assoit, quand tout devient odorant, voué à l'attente. Elle trie, dans des paniers, les pommes, les châtaignes, les noix. Elle songe. Au temps qui passe, à l'histoire des lieux, au drame qu'on y a joué et qu'on y donne encore.

## 3

Rose, arrivée en même temps que le vieil Émile qui servait autrefois le père de Jean Breuillet, sait tout de l'histoire de la maison. Elle devine l'indicible, entend le frémissement de l'insecte du toit, le sens du vent, des pollens. Elle devine aux odeurs qu'exsudent les êtres, leurs tensions secrètes, leur félonie, leur agonie ou l'humiliante flamboyance de leur plaisir. Qui oserait mentir à Rose Delageon ou à sa dure comparse, aux parfaites antennes, Maria-la-bègue ?

Rose, en qualité d'aînée, donne des ordres à Maria. Les Delageon, de mère en fille, comptent depuis le premier Empire une dénommée Rose, restée fille, consacrée à la cuisine du domaine. Rose Delageon règne donc, prêtresse des humbles rouages qui font de La Burgandière une maison prospère, où tout est prévu, rangé, étincelant. Sans Rose, sans le vieil Émile et sa propreté tatillonne, sans Passerose au linge, sans Maria-la-bègue, la bâtisse basculerait dans le sordide. Sans Rose, sans Passerose, sans Maria, il y aurait la déchéance, la maison souillon. Sans Rose, sans le vieil Émile, sans Passerose, sans Maria, tout deviendrait le fond envasé du fleuve, quand il perd à mesure de sa profondeur ses moires étincelantes pour devenir les glauques vases putrides où s'enlisent l'imprudent, les herbes molles, mêlées à d'informes viscosités invertébrées.

Maria époussette les meubles, cire les parquets, entretient telle une chapelle la chambre brune et son aile. Elle est aidée par des divinités mineures qui n'ont pas même de noms ; le laveur de carreaux – souvent hélé au monde des glaneurs. Maria voue une détestation farouche à la mère La Fourve et à ses filles. Elle hait Passerose, solide tel un bœuf, qui hisse à pleins poignets les draps lourds. Elle abomine la sœur, la maudite Léonora, qui a usurpé le titre, le lit et le rang. Quelle honte que le même lait ait nourri ces vipères et le maître ! Quelle honte et quel malheur !

À la saison des grands nettoyages, on embauchait autrefois quelques glaneuses, dont la maudite Passerose. Ils recevaient quelque argent et la pitance du jour. Au fil des années, on a été incapable de se passer des services de Passerose la puissante ; elle a assis son pouvoir dans la maisonnée. Avec des lessives durant trois jours, autant pour sécher et encore trois jours pour le repassage, Passerose est devenue, à mesure, familière à La Burgandière. Méfiante, Maria se terrait, se taisait. Autour de Passerose s'élevaient la buée bleuâtre de la lessive, les fumerolles de la chaudière sous les draps bouillants, touillés au cuveau telle une vendange. Maria voyait surtout naître les vapeurs du malheur.

*
* *

Le silence, dans la cuisine, s'épaissit. L'ombre de Léonora les hante. Il est, chevrote le vieil Émile, certaines roses nées d'un fumier qui sont pires que les excréments.

Léonora, la pire que rien. Passerose, puissante tel un charretier attelé vivant à la place de la bête, convenait à ce que l'on attendait du monde couleur de boue des glaneurs. Non à devenir l'égale d'une maîtresse. Par ce geste de folie, cet amour impensable, l'indivis honorable de la maison de Jean Breuillet avait basculé. Léonora avait ensorcelé le maître. La mère La Fourve, plus petite et noiraude qu'une vrille rompue sous le gel, avait sans doute empoisonné son lait, autrefois, avec les herbes, pour qu'il succombe à cette fille de rien et rendre folles les entrailles du mâle qui approcherait la plus belle de ses filles. Le but était atteint et la malédiction avait ouvert toutes grandes ses portes. Tout le monde en était sûr et murmurait.

*
* *

Un parc entoure La Burgandière. Il se divise en deux haies qui s'ouvrent sur le potager et le verger. Derrière les tours carrées, visible des fenêtres côté sud, une seconde maison, plus modeste, basse, tout en longueur s'étaye au mur du fond. Jean Breuillet y installe à demeure ses souffleurs de verre. Un portail, plus petit, loti d'une cloche grêle, ouvre sur un chemin qui descend, sinueux, vers les profonds roseaux où s'écoule, sans hâte, la Charente. Les barques plates des gabarriers glissent avec lenteur. Ils déposent les tonneaux menés au domaine sur des charrettes qui grincent. Leur cri est celui des bateliers dans l'effort de rouler les barriques et les matériaux nécessaires au verre. Le cognac exige ces remue-ménage.

La Burgandière et ses appendices fonctionnent comme une ruche. Chaque geste du gabarrier, du bûcheron menant à la scierie de Tonnay-Charente les bois du Tronçais, chaque cueille du vendangeur, chaque forme en tulipe ou col-de-cygne des flacons du souffleur de verre, tout est au service d'un alcool qui atteint la vertu d'une création. Un alcool qui enivre les sens mais a besoin de la tranquillité de l'âme. La maison Breuillet l'a perdue, disent les mauvaises langues.

## 4

Rien n'a jamais bouleversé en profondeur cette région et ses habitants. La Révolution française ne les toucha pas. Un fief, une féodalité subtile, à part, une hiérarchie gustative. Une région divisée en parcelles, adoubant ses maîtres de chai de père en fils. Ils savaient choisir l'essentiel, ils savaient choisir leurs épouses. La préoccupation n'avait pas été la mort du roi, la Vendée déchaînée et martyrisée, les idées nouvelles, mais la liqueur cognac. Un blason, un drapeau. Du lys au drapeau tricolore, le discret souverain demeurait le cognac.

Les Borderies composent la plus petite aire – quatre mille hectares, au nord de la Grande Champagne. Le ciel blondit la terre, ses limites, son fleuve, ses courbes. Richesse de ces couches profondes et calcaires dont la surface d'argile et de silex renforce le cep et la grappe. Au XVIIe siècle, on déboisa une forêt entière au profit de la vigne. Les borderies étaient nées. Au nord, à l'est, entre Saint-Jean-d'Angély et Angoulême, jusqu'à Blanzac, place aux Fins Bois, ainsi nommés car tout vignoble est séparé par des bois. Les Borderies (La Burgandière) sont encerclées de Fins Bois. Au sud de Cognac ; la Grande Champagne. Plus au sud encore, canton final, Barbezieux : la Petite Champagne. La Grande Champagne fournit les plus hauts crus. Sols gris, bruns, argentés sous les pluies musquées de nénuphars et de grenouilles, puissance perdurante des alcools, arôme relié aux couches calcaires. Des sols où blanchissent, légers, les os des morts. L'alcool est un mélange d'humus et de bois sec, de mûres et de violettes. Un arrière-fond d'épices, une caresse musquée envahit le palais, la langue, l'arrière-bouche, la gorge, le ventre, le sang, l'Esprit.

La Petite Champagne se démarque par un fruité léger, un abricot invisible, battu d'un miel de prunes rouges. Grande Champagne, Petite Champagne, Fins Bois, Borderies, Bons Bois, Bois Communs exsudent à qui mieux mieux leur fougue alcoolisée.

Au nord, ce sont les Bons Bois vers La Rochelle, région venteuse et plus dure qui s'arrête au sud-ouest à la limite de Royan au nom pétri de roses trémières et de blanches villas. Vers Rochefort, ce sont les Bois Communs, que l'on appelle aussi Bois Ordinaires ou Bois à Terroir. Ils mûrissent plus vite que les autres, fouettés de la grande présence de l'Atlantique. Alcools puissants, mûris d'une terre plus lourde, argileuse, riche d'un calcaire humide. Ils frôlent la Gironde et tirent profit d'un sol lourd où les morts se font plantes et pieuvres, humus maritime rejeté au grand fond de l'océan. Ces alcools ont la rusticité entêtante des fruits à la limite d'une généreuse pourriture, d'une généreuse opulence.

*

* *

À La Burgandière, le cognac de Jean Breuillet va quérir le meilleur des baies sauvages, un parfum de cacao amer et un arrière-goût brûlant, exquis, à peine supportable, de violette. Son cognac mûrit dans des fûts en bois du Limousin. On lit sur l'étiquette ovale, brun sur rouge, au ventre du flacon renflé, serré à sa base innervée : « *Les Borderies, Jean Breuillet* ». Avant le premier Empire, les ancêtres de Jean Breuillet étaient des viticulteurs et des bouilleurs et La Burgandière une simple ferme enchâssée au milieu des vignes. De bouilleurs de crus, à savoir des viticulteurs distillant leur propre vin, les Breuillet, à mesure de leurs alliances, de leur génie, de l'accroissement de leurs biens, sont devenus maîtres de chai, engageant des bouilleurs de profession et créant leur propre cognac. Ils respectaient le consensus de gestes nécessaires pour goûter le cognac, y mettaient le temps, la réflexion, celle que l'on trouve au monde des parfums.

Jean Breuillet mon père, dans le grand chai, m'a enseigné, très tôt, ces rites immuables et sacrés.

# 5

Le chai, dit le « magasin », est une cathédrale musquée où vieillit le cognac. Dans ce vaste espace, long, large et profond, les tonneaux s'alignent, couchés sur le ventre, en rangs larges et serrés, par centaines. Une mer ocre dont les vagues sont de bois. Sur l'aire avant, exhaussées sur des estrades massives, les bonbonnes, puissants récipients sertis à mi-ventre de housses de paille, contiennent chacune vingt-cinq litres et conservent les vieux cognacs après la phase de maturation en fûts. Au milieu du chai, il y a une grosse cloche en cuivre. Quand le bouilleur sonne de cette cloche au son grave en trois notes, Jean Breuillet dit que le cognac s'émeut, mélomane à sa manière. Sur une table se trouvent l'entonnoir, le cruchon, la bassinette, le verre à pied. Jean Breuillet verse un peu de cognac dans le verre ballon, fait tourner lentement l'alcool entre ses mains, et l'alliance qui orne la belle main arrondie en coque sur le verre retient un éclair de lumière. J'entends encore les mots murmurés, feutrés. Craignait-il, en haussant le ton, de troubler le cognac ? Refusait-il de perturber le silence opiacé du chai, des fûts alignés, de déranger un tel trésor ? Les cris stridents, une clameur de femme, tourneraient en lie le majestueux équilibre des arômes.

— Le cognac ne se boit jamais, il se déguste. Pour la soif, il y a l'eau du puits, dit-il.

Je ferme à demi les yeux. Les prunelles ardoise de mon père, ses paupières longues, frémissant à peine, la force ombrée de ses cils, les méplats de sa joue, le nez busqué se montrent sensibles aux plus lointaines moiteurs de cette particulière alchimie. Monopoliser ses sens, tenir en éveil, aux aguets, la moindre glande gustative. Les lèvres, la langue, le palais, l'arrière-bouche, la gorge, tout le corps. Ses gestes ont la douceur sacrée d'un officiant. C'est une messe. Le cognac, lentement réchauffé entre les doigts, est « chambré », gagnant ainsi quelques degrés de température pour libérer des harmonies nouvelles.

La main de mon père autour du verre a quelque chose de suave, d'intime, qui assoupit les doutes, les peines. Resteront à jamais fichés dans ma mémoire, la silhouette en costume sombre, cravatée serrée, la bouche ourlée de mauve, les mains aux ongles courts, les doigts incurvés, la passion qu'il met dans ce geste quasi religieux. Son regard, adouci de blanc bleuté, voit à travers l'alcool ses finesses cachées.

Un regard qui sut déchiffrer dans celui de Léonora la permission d'aimer. *Avant l'amour, ils avaient, sans le savoir, bu à la même source de feu.*

*
* *

Je n'ai jamais vu mon père habillé autrement que de ce costume correct de tissu anglais. Rien, dans sa tenue, ne parlait d'abandon. L'éclair du regard, la belle lèvre humide contre le verre en disaient plus long que les ragots qui traînaient, sans oser l'affronter, au sujet de son amour. Des ragots qui glissaient, telles les araignées d'eau qui remontent sans bruit de la Charente jusqu'à la mer.

Il m'emmenait au chai voir de près le cognac, ce dieu sophistiqué, créé, honoré, servi par l'homme. Divinité à part entière, sans laquelle Jean Breuillet perdrait sa raison d'être. Léonora, ma mère, incarnait à la fois la saveur et sa chute, le don et le sacrifice. Léonora s'était retrouvée entre ses mains d'homme faites pour les usages les plus délicats, les plus obstinés.

Au chai, Jean retrouve sa paix, réconcilié avec la terre blonde, le ciel ocre, la vigne vert tendre, le fleuve, ses reflets micacés. Réchauffer le cognac tel le nourrisson au sein de sa mère le rassure. Le cognac est l'enfant des hommes d'ici, porté au sein des mâles, relié ombilicalement à leur gorge et à leurs entrailles.

Réchauffer Léonora la glaneuse, serrer éperdument son corps grelottant au gel d'une secrète terreur. Apaiser la plainte. Comment libérer désormais en cette âme déchirée les précieux arômes de l'espoir ? Autrefois, le père de Jean Breuillet avait trouvé une méthode personnelle : il ne réchauffait pas le cognac entre ses mains mais le passait au-dessus d'une bougie. Parfois, il se brûlait. Comme son fils avec ma mère ?

Prendre son temps. Le temps d'un grand amour. Ainsi la passion, le cognac se déploie, se déroule, flamme sublimée au fond du ventre, au fond de l'âme. Un feu avec ses reflets bleus, verts, orange, roses, rouges, mauves, jaunes, et encore rouges.

Léonora est comme le cognac avec sa personnalité multiple, ses facettes d'ambre et ses brusques ténèbres. Léonora, pourtant, indigne du cognac, ombre amère au regard de mon père.

*
* *

Sa sérénité revient quand il m'initie, si jeune, au cognac :

— Applique-toi. Hume d'abord, à distance. T'approcher trop vite, trop près, c'est t'étourdir sans discernement. Réfléchis à ce que tu sens, et ressens. Décèle, l'une après l'autre, les délicatesses variées des arômes. La cannelle, derrière, très loin, puis, entêtant, un musc boisé, et, enfin, une insoupçonnable violette. Trop de girofle amènerait sous la langue un incendie. Tâtonne vers cette indicible amertume de cacao.

Jean savoure un quart de gorgée.

— On sent une trace de « rancio ». Ne confonds pas « rancio » avec la vulgarité du rance. Le « rancio » est la saveur engendrée au bout de plusieurs années de fût. Je te parle d'un bon cognac. Le « rancio » remplit la bouche d'un exquis repoussoir, très vague, lié à tout ce qui macère lentement. Avec un goût de champignons. Dans un second temps, il se transforme en soleil qui fait la roue dans la bouche. Il surgit un petit goût de noix, élargi par la violette, le goût violet de la violette. Hume bien.

J'apprends avec lui que certains goûts entraînent la vision d'une couleur fougueuse, chaude, ce fameux goût violet de la violette.

Mon père ferme les yeux pour savourer l'arc-en-ciel qui se déploie à mesure des arômes. L'acajou, l'ambre, le cacao noir, la violette illuminent ses papilles.

J'ai goûté. La première fois, j'ai eu l'impression d'une violence qui m'étourdissait, cognait à mes tempes, chuintait dans mon sang. Mon père souriait. Il n'est point de noble initiation sans le choc, la douleur, me dit-il plus tard.

*
* *

Léonora, le choc et la douleur d'aimer. Une odorante coulée vive dans la bouche, un lait devenu feu, un feu entré en cendre, une cendre ravivée en flammèche.

36

Léonora, à la fois la brûlure et le seau de lait.

— La seconde gorgée anime une lointaine fleur d'acacia. Goûte bien, *écoute* bien.

Jean s'adoucit. Il y a eu Léonora. Il y a eu les saisons et les années. Avant il y avait eu Marthe. Il préfère aujourd'hui ne plus se souvenir de Marthe : il a égaré sa paix lorsqu'elle est morte.

# 6

Je ne puis impunément entrer dans l'histoire de mon père sans rendre hommage au cognac ni raconter les lares nécessaires à sa fabrication. Je ne pourrai impunément parler de Marthe sans m'effacer entièrement de son histoire.

Entre Marthe, Jean Breuillet, Léonora et ma propre existence, il y a le va-et-vient des silences, les pointes aiguës des souvenirs, le jeu déroutant, en souterrain, de la mémoire et des images.

Léonora, dans la chambre bleue, souffre et gémit depuis longtemps. À cause de l'ombre de Marthe, écrasante, sur les murs, le toit, le chemin, omnipotente dans la mémoire farouche de Maria-la-bègue. À cause de ce monde dévolu aux vendanges.

*
* *

Quand mon père m'initiait au cognac, il me racontait les vignes, leur orfèvrerie, leur drame et leur renaissance.

Les cépages portent trois noms : l'ugni blanc, le colombard et la folle blanche. L'ugni blanc a quelque chose du *trabbiano di romana*, l'un des plus anciens cépages d'Italie, composante majeure du *vino nobile di montepulciano* et du *chianti classico*. La terre, ici, était si douce qu'au III<sup>e</sup> siècle, le peuple celte des Santons, qui donna son nom à la Saintonge, planta des vignes. La lointaine Rome avait aimé son climat et Charlemagne comprit la force viticole de cette terre : il y fit planter à son tour de nombreuses vignes. La Charente appartenait en partie seulement à la Saintonge, la vivace Aunis se montrait la voisine plus âpre, mieux desservie par la mer. La Rochelle régnait.

La reine Aliénor dédaignait Bordeaux. Aliénor la scandaleuse, la géniale fille d'Aquitaine, préférait la petite cité de Cognac, qui devint la ville natale de François I<sup>er</sup>. Elle la favorisa après son second mariage avec le comte d'Anjou, futur roi d'Angleterre, Henri II Plantagenêt. Aliénor veillait aux échanges commerciaux de Cognac avec Paris et Londres. Son fils Richard Cœur de Lion, son frère, Jean sans Terre, continuèrent l'œuvre de leur mère en accordant à Cognac de grands privilèges économiques et politiques.

Il y eut une lugubre saison d'oubli. En 1224, Bordeaux obtint les marchés d'Angleterre. La Rochelle et ses entours s'intégrèrent au royaume de France. Les vins de La Rochelle, Taillebourg, Saintes et Angoulême ravirent le roi et sa cour par leur puissance délicate alors que les troupes anglaises dévastaient la France. Des guerres qui fabriquèrent l'avenir de ces vins. Bordeaux entrait en ascension. Les vins d'Anjou, ceux de la Loire, de Montrichard, le Sancerre catapultèrent dans l'oubli le vin des Charentes. Cognac périclita en une petite cité repliée en ses murs noirs, où courait le lierre. Les céréales remplacèrent la vigne, surtout dans les Borderies.

Les guerres de religion meurtrirent la Charente. La Rochelle, huguenote, accueillait les fugitifs persécutés et les vignobles semblaient mourir. La religion réformée avait de puissants ancrages en Europe du Nord : Amsterdam, Copenhague, Londres devinrent les alliés commerciaux de la Charente protestante. De quoi permettre au cognac d'atteindre ses fleurons éclatants.

*
* *

La vigne acquit ainsi au fil du temps son originalité personnelle. Une personnalité aujourd'hui encore formidable. Les grappes de l'ugni blanc et de la folle blanche sont capiteuses. Un miel verdissant, pourvoyeur du cognac. Il y a longtemps que les viticulteurs de la Charente ont abandonné le colombard, ce cépage qui, depuis la moitié du XVIIᵉ siècle, donnait un vin doux, monotone, proche d'un sauternes, sans vertu. On arracha ces vieux ceps noueux pour laisser éclater le solaire ugni blanc.

L'ugni blanc de mon père possède une forte teneur en levure. Maturation lente des raisins, jusqu'à l'explosif engrangement des vendanges. Écraser au cuveau les raisins par centaines, laisser macérer ce moût qui laisse aux mains et aux chevilles sa trace de sang sucré.

Cet amour du cépage, ses fastueuses transformations, ne suffirent pas à Jean Breuillet.

Le cognac ne fut pas assez puissant pour lui tenir lieu de primordiale et ardente préoccupation. On le blâmera pour des siècles et des siècles de s'être abaissé à la passion d'une femme. Scandale et encore scandale : partage-t-on la noblesse des cépages avec une fille ramassée au sillon de ses vignes ? Léonora n'était pas la reine Aliénor. Léonora n'était pas Marthe la décente, Marthe, l'austère garde-fou du scandale. Léonora, c'était un piège à renard, invisible sous le feuillage, soudain éclairée du lointain feu des broussailles.

À la fin de l'été, la fructification de la vigne devient la surabondance, dilemme qu'il convient de gérer en coupant, taillant, triant pour conserver et exiger le meilleur. Jean, lui, n'avait rien fait de tel avec sa passion. La folie de Léonora était désormais un ver dans le fruit, un phylloxéra ravageant l'ugni blanc, souillé, gâté, perdu. Une moisson perdue.

\*

\* \*

Les cépages forment une harmonieuse et monotone plaine vert pâle à larges festons jaunes. Jean Breuillet connaît par cœur l'espace de ses vignes, leurs sillons, leurs bornages, leur fougue recommencée. Il connaît, au gramme près, la teneur en levure qui favorise la fermentation spontanée du vin, le taux d'acidité qui perdure jusqu'aux vendanges, en octobre. Il aime le peuple muet, actif, rieur, qui se penche vers la grappe, la coupe à la fine serpette, la jette dans la hotte en bois. Il préserve la tradition qui permet d'admettre ensuite aux sillons désertés les glaneurs. Celle où on leur abandonne volontiers le raisin « gâs[1] », comme on leur accorde, aux champs de blé et d'avoine, la permission de ramasser les épis au cœur de l'été. À eux, le reste des belles provendes, y compris les fruits tombés des vergers. Les glaneurs se mêlent rarement aux vendangeurs même s'ils participent à la cueillette. Ils sont conviés à partager le casse-croûte, ou le « mijot », à la fin du jour, la tranche de pain trempée dans du vin sucré, repas pris dans la grande cour où sont disposés tables et bancs et de vastes soupières de vin protégées d'un gros tulle. Les glaneurs, sédentaires à allure d'errants, gîtent au flanc des Borderies, contre le fleuve, entre les roseaux et les herbes hautes. Ni gitans, ni intégrés aux milieux agricole et viticole, ils sont à cette terre ce que les fleurs

_____
1. Gâté.

sauvages sont aux champs. Entre la nuisance et l'utilité de détourner le rongeur des sources nobles. Tolérés, tels certains trèfles jetés au bétail, nés d'un hasard migrateur, brouet du marais, de la mer, du chiendent, du hasard d'un diamant. Ils sont tolérés jusqu'au jour où l'un d'eux, l'une d'elles franchit les bornes de sa condition. Le jour où Léonora, ma mère, fille des glaneurs, a croisé le regard de Jean, mon père.

Dans les cuves cerclées de fer, se fabrique un premier vin après les quinze jours nécessaires à la fermentation du moût. Le vin est distillé à deux reprises. Les années où le soleil cogne dru, la concentration d'alcool atteint un taux de douze pour cent. La distillation se déroule dans la pièce aux alambics, puissantes machines de cuivre, de briques, où sont reliés les fûts en chêne du Tronçais, dont le tannin donne à l'alcool son velouté d'ambre. Les alambics traduisent la patience du bouilleur, celle du maître de chai, celle de Jean Breuillet. Il a perdu cette sérénité pour une fille de glaneurs.

Léonora ou la dérogation à la patience. Une fascination ; ne rien voir que son élan aveugle, ne plus savoir choisir. Jean Breuillet ne se comprenait plus. Il avait peur de cet élan intime, de cette tempête. Il lui fallait Léonora, tout de suite. Il était perdu. On l'observait, on le blâmait dans un épais silence. Son mariage avait été jugé plus fou que le phylloxéra. C'était un amour à l'état brut, une vendange farouche, sans discernement, le moût amer de l'Amour.

*
* *

Dans la salle des alambics, ou chaudière d'eau-de-vie, ronronne un moteur en essaim d'abeilles besogneuses. Le cognac, deux fois distillé, demeure scellé en fûts pen-

42

dant cinq années. Transformations. Transmutations. Alchimie. Volume et teneur en alcool diminuent en ces années essentielles. On procède, peu à peu, à des coupages de crus. On additionne « le faible » c'est-à-dire l'eau distillée. Le cognac, coupé d'eau, réduit les taux d'alcools. Le repos est absolu entre chaque modification. L'évaporation des relents délicats – fleurs, muscs, épices –, en large quantité à travers le bois des tonneaux pendant la conservation est appelé la « part des anges ». Distiller, c'est mener un moût faible en alcool à un taux élevé. L'eau dépasse une forte ébullition, les éléments alcooliques s'évaporent. À mesure du refroidissement, capturés, ils se transforment en un liquide fortement alcoolisé. Le degré souhaité nécessite deux « chauffes ». La seconde est dite « bonne » et entraîne un « brouillis », spiritueux résultant de cette première chauffe, au volume alcoolique de trente pour cent. Il reste le « cœur de la chauffe », la part la plus noble de la deuxième distillation, soixante-dix pour cent de volume alcoolique. Il convient alors d'éliminer la première et la dernière partie, lourdes d'impuretés. On les reprendra avec le vin de la distillation suivante. Des impuretés qui, quand il y pense, font songer Jean Breuillet au drame de sa vie, à la mésalliance que tout le monde lui reproche et que lui-même, en secret, regrette.

# 7

J'allais parfois au chai, le cœur brûlé, la gorge nouée, les yeux secs. J'avais encore surpris ma mère effondrée d'un excès d'alcool. Je ne dirai pas à mon père que je revenais d'un spectacle qui frôlait la tuerie. Quel âge avais-je ? Celui d'une enfance interminable liée à une infinie blessure. Léonora gisait de tout son long sur le tapis, le verre brisé, l'alcool répandu. On entendait gronder la servante. La chute du corps avait été sourde. Léonora multipliait ainsi ses morts quotidiennes. Elle se tuait au cognac. Une revanche contre le mal qu'il lui avait fait.

Pendant ces crises, le vieil Émile disparaissait mystérieusement. Il se tenait le plus loin possible de ce qu'il nommait, secrètement, « ces furies de fille perdue ». Maria-la-bègue osait confisquer le cognac. Il y avait aussi le grondement imprévisible de Passerose. On ne savait, pourtant, jamais où la trouver. Au potager ? À la souillarde ? À la lessive ? Grattant des carottes à la cuisine, tolérée par Rose ? Elle était toujours là quand Léonora frôlait le danger, ce court instant où Maria-la-bègue se penchait sur la vaincue et osait la traîner par les chevilles. Son regard rond, noir, à la manière de certains volatiles, étincelait. Elle profitait de l'absence de Jean Breuillet pour éclater en un borborygme menaçant. Elle ramassait le verre brisé, elle le rassemblait dans un mouchoir, le broyait d'un coup de pied furibond. Le

44

meurtre devenait audible : enfoncer le verre brisé dans la gorge de la fille inconsciente, la faire mourir de mille coupures d'entrailles. Je voyais tout, si petite, épouvantée, derrière la porte entrouverte. La femme noire penchée, le profil couteau, le poing fermé sur le mouchoir menaçant. Léonora, la jupe retroussée sur des jambes de neige et de bas noirs. Honte, terreur, je criais comme dans les rêves : « Passerose ! Rose ! Papa ! »

Une force chaleureuse me bousculait et se ruait dans la chambre. C'était Passerose. Elle devinait, d'un instinct sans défaut, toutes les menaces, qu'elles pesassent sur Léonora ou sur moi. Son cœur simple, entier, s'emportait à la manière des louves quand la portée était en danger. D'une force rare, elle plaquait la bègue contre le mur, la bouche tordue d'un rictus. Allait-elle l'écraser à la façon d'un insecte malfaisant ? Ces images étaient rapides, atroces. Passerose fourrait son large poing sous le nez croche et brandissait le meurtrier mouchoir contre les lèvres minces. De mon poste, je voyais, contre le mur, la face jaune de Maria-la-bègue, son regard injecté. Elle n'avait pas peur. La détestation gonflait sa maigreur ensevelie de laine noire. Un souffle de cobra, une pince de scorpion. Le venin du phylloxéra *vastatrix*. Elle crachait quelque injure et Passerose la refoulait jusqu'à l'escalier. Elle la hissait une seconde à pleins bras, en géante se saisissant d'un nain. Elle la posait rudement sur la première marche. Je me bouchais les oreilles, j'étais sûre qu'elle allait la balancer dans les étages. Non, la scène s'arrêtait là. Maria-la-bègue tremblait de rage, levait un poing en osselets ivoire. Elle m'apercevait. J'entendais : « Fruit du malheur, le ciel te maudisse ». Elle s'en allait à reculons, avec un signe de croix.

*

* *

45

Je me demande encore comment elles ne sortaient pas brisées de telles altercations. La haine les jetait hors d'elles, hors de toute raison. La haine les faisait fortes comme des brutes, forcenées. Elles s'égalaient dans leur passion divergente. Maria-la-bègue avait fanatiquement vénéré Marthe Breuillet. Passerose idolâtrait Léonora. Rose Delageon hochait un visage inquiet, dissimulant le plus possible de telles tensions à Jean Breuillet. Elle n'aimait pas Léonora mais, avec un bon sens aussi ancien que la terre et le fleuve, elle croyait au temps qui arrange toute chose – c'est-à-dire les détruit toutes, même les mauvaises.

Rose Delageon avait au cœur un autre miracle qu'elle n'avait pas prévu : elle aimait les enfants de Jean Breuillet. Elle avait sangloté au décès du premier-né de Léonora. Maria-la-bègue pinçait alors une bouche dure. J'étais née, Rose Delageon m'aimait, à tâtons, maladroite, conquise. Rose avait, à sa manière, établi un pacte de paix avec Passerose. Pour moi, pour son maître. Furtivement, elle montait une bouteille de cognac – celui qui servait à flamber les volailles – dans la chambre bleue. La sage devinait que le brutal sevrage entraînait les fureurs les plus noires – y compris celles de Maria.

*

* *

Passerose avait nettoyé la chambre, lavé le visage, les mains de Léonora, changé son linge. À son réveil, ce serait le soir. Elle aurait presque retrouvé une allure normale quand rentrerait le maître. Il la verrait enveloppée de son peignoir en nuage d'aurore, souriant vaguement dans la bergère tapissée de chevaux à col de chimères. Elle feuilletait l'album de son enfant disparu. Quelquefois, elle reprenait son tambour à broder et ses mains allaient, d'un geste sûr d'aveugle, sur la batiste tendue. Elle oubliait son dé, elle se piquait et regardait longuement, sans comprendre, la fébrilité de sa main, la goutte de sang sur l'index. Nul ne pouvait affirmer – pas même le docteur Renouard – si elle se souvenait de ses crises. Passerose avait brossé et natté la longue chevelure, qui, défaite, atteignait ses chevilles. Elle courbait sur sa broderie une nuque où moussaient des bouclettes fauves, cette nuque que Jean Breuillet adorait mordiller et goûter. Léonora brodait une envolée de colombes et de fleurs, blanc sur blanc, un drap destiné autrefois à l'enfant. De ses crises, il restait l'amertume dans la bouche, les membres froissés, chus dans un puits où crissait un feu dévorant. Quel était ce murmure hostile ? Léonora chancelait.

Elle avait encore trop bu, elle le savait, comme elle savait qu'elle tâtonnait, exprès, vers une source incandescente où tout devenait cendres, y compris l'insoutenable deuil. Un deuil qu'elle n'avait pu partager avec personne ; pas même son mari. Les visages se fermaient, on disait : « Il y a si longtemps, tu n'es pas raisonnable, tu as un autre enfant. » Personne n'admettait que le temps aggravait son mal. Elle se révoltait à l'idée qu'un autre enfant pût remplacer le disparu. Le nouvel enfant, Marie, l'accablait d'un remords de plus. Elle se repliait dans sa fidélité à l'enfant mort. Maria-la-bègue se raidissait jusqu'au fanatisme dans la fidélité à Marthe disparue. Léonora balbutiait : « Marie », ravagée de honte et de douleur, car c'était le visage de son fils bienaimé qui surgissait.

Elle émergeait de ses grandes crises vaguement pacifiée, en dépit du ballet dévastateur qui se jouait d'elle. La vue de ses objets familiers la rassurait. La boîte à ouvrage en soie peinte d'oiseaux multicolores, sur le guéridon, sous la lampe en pâte de verre ornée de paysages chinois, la bouteille de cognac, le verre ballon.

Elle hésitait : près de l'alcool, le flacon de laudanum, son compte-gouttes, la bonbonnière de pralines. Elle avait soif, buvait l'eau fraîche de la carafe en cristal, évitait de regarder la bouteille neuve. Peut-être avait-elle dormi sans y toucher ? Peut-être avait-elle rêvé ces cris, ces tremblements, ces feux, cette chute, le bris du verre, la forme d'une grande araignée qui la tirait vers le vide...

Le lent miracle d'une guérison bénissait-il son tourment ? Elle ne se souvenait pas de cette robe de chambre bordée de cygne, de cette coiffure nattée pour la nuit. Une larme s'échappait de son œil déchu d'une bordure trop rouge, sautait sur la gorge en dentelles. Elle cueillait cette larme telle une perle. À sa main gauche brillait une torsade de diamants contre l'alliance en or. Elle se sentait indigne de ce mariage, indigne de cet homme épris, indigne de ce bel enfant qu'elle n'avait su protéger des soudaines ténèbres. Indigne de Marie qui lui faisait mal, qui lui faisait peur. Elle frappait ses poings serrés contre son front trop chaud. Elle avait bu, tout le disait : la trace humide sur le tapis, l'air traversé d'un « rancio » humain, sanguin, une sueur violente. Elle respirait vite et mal.

Elle revenait de l'oubli, ravagée de culpabilité, hantée par la silhouette en griffes aiguës, dents pointues de Maria qui lui faisait si peur. Maria-la-bègue l'avait maudite, elle et son enfant ; c'était donc la faute de la servante. Elle avait mal aux chevilles, deux marques bleues témoignaient d'une violence. La servante l'avait rudement tirée par les chevilles. Passerose l'avait défendue. Dans le flou de ces comas, flottait la force chaleureuse de la matrone qui veillait sur elle. Dans cette chambre, que Jean Breuillet disait aussi sacrée que son paradis au grand chai, il y avait eu effraction. Il y avait eu la bourrasque, on l'avait bousculée du pied, pire qu'un détritus.

Elle n'avait ni la force d'un cri, ni celui des sanglots, mais tremblait en versant les gouttes du calmant. Jean Breuillet n'aimait pas qu'on le lui laissât à disposition, ne déléguant qu'à Passerose, à Rose ou à lui-même le soin de verser les gouttes sédatives. Elle but le breuvage d'une seule traite. Elle respirait mieux. Elle entendait les bruits familiers du soir, le rire de la petite, les couverts posés sur la table, en bas.

*
* *

Maria-la-bègue avait disparu. Elle souperait et se coucherait après tout le monde. Elle avalerait sa soupe, renfrognée, dans le coin le plus reculé de la cuisine, attendant que Rose soit montée, lampe au poing, le regard vif, l'ouïe tendue. Rose dormait tout là-haut, au-dessus de la chambre bleue. Maria la sentinelle, guettée par la vigie Passerose, rejoindrait alors l'aile gauche, d'un glissement sûr d'aveugle. Elle refusait, en signe de deuil éternel, toute lumière quand elle regagnait l'étage de Marthe.

Passerose occupait une chambre chaulée et simple, au rez-de-chaussée, entre la buanderie et la tourelle de Léonora. Plus tard, elle s'installa près de moi, à l'étage. Léonora devinait le sens de ces bruits. Ses jours et ses nuits cousus aux mêmes ombres déchirées. Elle entendait le pas de Jean Breuillet. Il entrait dans la chambre et la regardait sourire, grâce au laudanum : « Pardonnez-moi », disait sa voix enfantine. Il baisait sa nuque, ses mains. Il dessinait du doigt, avec amour, la lèvre gonflée, la boursouflure de la paupière. Il savait qu'elle refuserait, ce soir-là comme tant d'autres, de descendre dîner. Rose Delageon entrait avec une tasse de bouillon et la lui faisait boire, comme une enfant. Il endurait l'enfer de son grand amour. Elle disait : « Je ne recommencerai pas » mais il n'osait attarder son regard sur la bouteille d'alcool. Il n'osait haïr ce qui était le sens de sa vie : le cognac et cette femme. Il ne rejoindrait la salle à manger qu'une fois Léonora assoupie dans le lit de satin et de dentelles.

« Un lit de cocotte ! » avait dit Bonne-Maman, sa mère, Eugénie Breuillet, née La Hournerie.

## 8

Je regarde la chaudière d'eau-de-vie. Comment un vo-cable aussi vif, désaltérant, eau-de-vie, *aqua vitae,* peut-il devenir cette mortelle lampée de feu dans la gorge de Léonora, ma mère ? Quelle source pourrait apaiser cette brûlance ? Mon père l'aima hors toute raison, mais sa raison à elle ne résista pas au rejet silencieux, obstiné, de tout ce qui l'entourait : les êtres, les vignes, le fleuve. La mésalliée était acculée à une extrême soli-tude. L'amour de son époux, le dévouement sans bornes de Passerose, la pitié de Rose Delageon, la secrète in-dulgence de Bonne-Maman, foraient davantage son iso-lement. Ma naissance n'avait pas suffi à consoler Léonora. Elle ne me voyait pas, enfermée dans sa pri-son particulière où elle forgeait, sans relâche, ses bou-lets et ses chaînes.

Il régnait, du côté de la chaudière d'eau-de-vie, une cadence de bateau à vapeur, frayant d'une roue invisi-ble les eaux profondes. L'alambic était en cuivre clair, bien fourbi. Ce cuivre doré de la chevelure de Léonora. Jusque dans l'absence de ressemblance, Léonora était isolée : j'ai les cheveux noirs de Bonne-Maman, en ondes lisses. Je suis petite, bien bâtie, les yeux sombres. Il faut un effort pour me remarquer, regarder mon vi-sage et lui consentir sa régularité. J'en retire un secret soulagement. Je n'aurais pas supporté un excès de beauté, pas plus qu'une disgrâce trop vive. Mon goût de la liberté s'accommode de la discrétion du corps et du visage.

De Léonora, je tiens ce teint frais et c'est bien suffisant pour l'ébauche d'un malheur. D'elle, encore, ces épaules si féminines, un cou sans pli. De mon père, la forme du sourire, et des glaneurs, de Bonne-Maman, une carnation de brune, le bâti du visage. De Passerose et de tous les autres, le sens de la terre, des moissons, des jardins, des saisons. Le sens des vents qui soufflent et se calment, le sens de la pluie et du soleil, le sens des quatre certitudes, Nord, Ouest, Est, Sud, où la boussole oscille, hésite, se fixe, déploie les risques, annonce les bonnes fortunes. De mon père, la patience, le silence ou un brusque éclat, les passions rentrées, l'humeur qui se châtie. De Bonne-Maman, la pugnacité, l'orgueil de conserver les yeux secs, dans les pires marasmes.

De mon père et de Bonne-Maman, j'ai aussi la passion du cognac et de ses rites. Les femmes ne sont pas initiées aux mutations d'un tel alcool. Le chai n'est pas leur endroit. On prétend qu'au temps de leurs menstrues, elles dérangent l'alcool, le troublent, le brouillent en un vinaigre où surnage une mère affreuse. Si mon père avait dérogé en épousant Léonora, Bonne-Maman avait dérogé davantage en devenant d'autorité maîtresse de ses chais, à Cognac. J'ai hérité d'elle la certitude que j'entrerai dans le chai, que je me mêlerai à ce monde de trésors ouvert aux hommes et rien qu'aux hommes.

\*
\* \*

Mon père disait : « Regarde » en désignant l'alambic. Je m'apaisais et m'hypnotisais à mesure de sa cadence. D'un mot, « Regarde », il a balayé ce qu'il devinait : le navrant désastre de la chambre bleue. L'alambic était là pour nous indiquer la raison de continuer. Équilibre retrouvé, perdurance des alcools, des saisons délicates. Oubli de la chambre bleue. Oubli d'une image plus lointaine, l'autre chambre, celle de Marthe. Un jour, sa forme immobile sous le drap blanc.

Que disait mon père ?

— Écoute bien, Marie. Mon père avait déjà cette installation en 1845. J'ai, peu à peu, modernisé l'ensemble dont le principe date du règne de Louis XIV. Les Hollandais pensaient à juste titre que notre alcool serait moins cher distillé sur place.

Le cognac ne se passait pas d'une légende, une « chanson » bien à lui :

— Avant l'art de distiller, il y eut un magnifique hasard. En 1620, le chevalier de la Croix Marron avait trouvé, oublié dans un coin de son domaine, à la Brée, un tonneau d'alcool brut. Le chevalier eut une idée : distiller et laisser macérer le plus longtemps possible ce nouvel alcool. Quelques mois plus tard, il goûta cet alcool maturé, s'attendant à un brouet détestable, mais rencontra un choc capiteux, délicieux, y compris cette couleur d'ambre.

Les plus grandes amours, les plus flagrants désastres, les alcools les plus fins naissent du hasard et de ses découvertes. Le précieux velours de la mémoire, alambic secret, distillation du pire et du meilleur.

L'alambic familial contient trente hectolitres mais son remplissage, goutte à goutte, exsudé du chapiteau qui se rétrécit en col-de-cygne, achevé par un serpentin, n'excède jamais vingt-cinq hectolitres.

*

* *

Jean Breuillet, mon père, n'était pas seul près de l'alambic. Il y avait son fidèle bouilleur, chargé du bon fonctionnement de l'ensemble, d'un précieux dépôt qui ne lui appartenait pas mais dépendait entièrement de son savoir-faire. Son savoir-faire vient de loin. Aucun livre, aucune école spéciale n'ont formé le bouilleur – pas plus que le maître du cognac. Le cognac appartient à la carte génétique d'une famille, d'une hérédité, comme au monde de l'ostréiculture à Marennes-Oléron, La Tremblade. Passation des gènes, passation de l'entente avec la mer et l'huître, passation du cépage à l'alambic.

Le bouilleur appartient à l'alambic. Il devine à la seconde la métamorphose de son trésor particulier. Le bouilleur dit sobrement : « Cela convient » quand la distillation est à son mieux. Il dit, vêtu et coiffé de toile bleue, en hochant un pâle visage austère : « Il faut encore du temps » quand le cognac, telle une naissance difficile, se fait attendre. On dit « le bouilleur », et c'est là un grand titre. Ni nom, ni prénom. Une invisible féodalité. Le bouilleur était le fils et le petit-fils des bouilleurs de la famille Breuillet. Il avait épousé la fille d'un tonnelier de Jonzac. Il n'avait jamais voulu parler à Léonora. Le vieil Émile le saluait de loin. Le bouilleur ne parlait pas davantage à Marthe, mais il ôtait sa casquette quand il la croisait, hors du chai. Il disait « madame Marthe », quand la décence et l'occasion le permettaient. Léonora restait à jamais la grande absente de toutes ces bouches.

*
* *

Les deux phases extrêmes de la distillation durent chacune vingt-quatre heures. Au-delà, c'est la conservation. Le haut repos de la maturation, au profond du chai.

Léonora, seule dans sa nuit, ne maturait et ne distillait qu'une désolation infinie. Le bouilleur lançait, quelquefois, une phrase anodine, terrible : « À fuir comme la peste ». On ne sait s'il parlait du phylloxéra ou de ma mère. C'étaient les rares moments où il osait hausser le ton.

Pendant des mois, des jours, des nuits, au fond des fûts, l'alcool s'imprègne du bois, en dérobe la chimie et s'enrichit d'une nouvelle substance. Bois du Limousin, bois du Tronçais, la première couleur du cognac qui est rouge se bouleverse d'ambre. Bons Bois, Fins Bois, Bois Communs, sont mûrs, exquis, après quatre années de maturation.

Les Borderies demandent plus de temps.

*
* *

Les jours, les mois, les nuits. Pendant cinq années, Léonora avait connu un bonheur amnésique. Les réticences environnantes l'atteignaient peu. Elle voguait, nuit après nuit, dans la chambre bleue, la chambre d'amour, la nef en dentelles du lit conjugal. L'amour flamboyait et Léonora fut grosse d'un enfant. Un petit garçon aux vastes yeux couleur de mûre.

Léonora s'en occupait entièrement. On les entendait rire ensemble. Elle l'emmenait à Cognac en voiture fermée. Il riait au trot du cheval, il riait à sa mère. Au jardin, Passerose lui montrait les abeilles et les oiseaux. Il riait aussi ce jour d'hiver, son dernier jour. Tout avait basculé et la mutation était devenue inverse. Un alcool devenu vinaigre, un rire disparu, une chambre d'amour devenue un antre de folie et de larmes.

*
* *

Mon père disait encore :

— Je vais te montrer le paradis.

On appelle « paradis », ou « la chambre au trésor », l'endroit où est entreposé le cognac le plus ancien, le plus précieux d'une maison. Au fond du chai, le « paradis » est derrière une porte en ferronnerie joliment travaillée. Jean était le seul à en posséder la clef. Une veilleuse, sur une table invisible au premier regard, brûlait sous son calot en verre. Était-ce un tabernacle ? Jean Breuillet pénétrait dans le lieu le plus parfait de sa demeure.

Les meilleurs cognacs de la maison, datant de loin, reposent dans des fûts qui moutonnent. Un silence de temple recueilli, une nécessaire obscurité qui nimbe les bonbonnes où un si vieil alcool atteint le sommet de ses muscs. À ce niveau extrême de maturation, le bois gâterait tout. C'est au flair du maître, qui consulte son bouilleur, de décider, au-delà des années imparties au paradis, quand l'eau-de-vie décroît.

Que devient une âme dans l'attente de la redoutée Éternité du paradis ? Se souvient-elle du terne purgatoire, si proche de l'existence ? Se souvient-elle de la tentation de désespérer sans relâche, de transgresser aux enfers jubilatoires, de maturer jusqu'à la lie ? Se désaltérer du vinaigre dont le soldat abreuva les lèvres du Christ en croix, le vinaigre et sa lie, rien que sa lie, seule compassion possible du vivant à celui qui va mourir.

L'eau-de-vie décroît. Elle connaît ses marées basses, ses lugubres attentes. Sur la vase étincelante, à marée basse, vers Oléron, Marennes, les îles Madame, Aix, Ré, les mouettes se gorgent de charogne et de fer rouillé.

Au « paradis », mon père s'accoudait avec délicatesse à la table en bois. Il avait aligné quelques verres, où il déversa un peu d'or de diverses bonbonnes. Je retenais mon souffle, mon existence se suspendait à ces joailleries. Mon père goûtait, réfléchissait, goûtait encore. Il me tendit le verre. Il opinait quand je le fis tourner entre mes mains. Une émotion très grave m'envahissait. Il me jugeait digne de ses meilleurs trésors, digne de ses fabuleuses leçons. La violette, le girofle, le cacao amer, il y eut tout cela dans la première gorgée, dans ma bouche, ma gorge, mon palais, sous ma langue. Je fermai les yeux, je goûtai encore. Et ce furent la vigne et son cépage entre mes lèvres. Une gorgée, une seule, et apparurent le soleil sur les prunes chaudes, le fleuve de satin, l'anguille d'argent, un vol de canards sauvages aux plumes émeraude.

Mon père m'avait adoubée et mise en zone de risques. Admise si jeune au « paradis », je n'avais plus le droit de décevoir. Sur ma fragilité d'enfant, de fille, pesait désormais la passation invisible du cognac de Jean Breuillet.

# DEUXIÈME PARTIE

# 9

De la passion amoureuse, Jean Breuillet ne savait rien. Le mot, sifflant, n'avait jamais franchi ses lèvres. La passion du cognac ne se disait pas, elle imprégnait ses élus. Au choc de Léonora, Jean Breuillet avait désormais dans ses veines une brûlure que ne tarissait aucune autre source.

La réprobation des familles avait été générale. Bonne-Maman (madame Eugénie) était venue en voiture fermée de Cognac.

— Jean, tu perds la tête. Je t'interdis d'épouser la fille de ta nourrice, de ces gens de nulle part. Je t'interdis !

La matriarche, si sûre d'elle, perdait son contrôle et éclatait devant le sourire indéfinissable de son aîné.

— Je vous promets de ne pas l'épouser, ma mère, puisque cela est fait.

Il y eut un grand bruit de talons claqués sur le plancher, de portes fermées à la volée, un départ en roues grincées. Une longue brouille commençait.

Aucune famille ne vint à la noce si discrète. Les témoins de la mariée étaient Passerose, son aînée, et la couturière Amélie Delageon. Les témoins de Jean Breuillet furent son bouilleur et un employé de la mairie. Les Breuillet étaient protestants, Léonora, catholique : on se passa du temple et de l'église. Rose Delageon avait préparé un savoureux déjeuner où les convives n'étaient que les époux. On but un peu de champagne avec les gens de la maison, mais le cœur n'y était pas.

Il y eut un raz-de-marée de blâmes. Un épais silence marquait la rupture de Jean Breuillet avec son entourage. La famille de Marthe, née Chassin, les Chassin de Royan, ceux de La Tremblade, les cousins Lelaurier de Barbezieux et de Jonzac formèrent le bataillon le plus hostile. La demeure de Jean Breuillet se trouva longtemps désertée de ses habituels visiteurs, groupe réprobateur et muet qui avait été, sept années auparavant, le cortège compassé et poli des noces de mon père et de Marthe Chassin.

Il y avait eu, à ces noces et aux funérailles de Marthe, des aïeules, des mères, des frères, des sœurs, et leurs conjoints en gibus. Les voitures et leurs chevaux avaient longtemps stationné devant le portail et dans la cour de La Burgandière.

Les mères avaient concocté ces noces et d'autres alliances utiles à leur cognac, à leur vinaigre (les Chassin étaient des vinaigriers du côté des mères). Elles portaient des robes à larges jupes, la taille serrée d'un long corset, les corsages surchargés de jais, de perles, le cou étranglé dans un ruché précieux. Les plumes aux capelines les assimilaient à un rang d'oiseaux étranges, à l'œil perçant. Aux noces et aux funérailles, elles levaient à peine leur voilette et n'ôtaient pas leurs gants en peau fine scintillaient les lourdes bagues carrées offertes à leurs fiançailles sous le règne de Louis-Philippe. Qu'elles fussent vêtues de couleur lilas pour les noces ou de noir pour les funérailles, elles marquaient la même âpreté respectueuse, la même cohésion, conserver les biens. Personne n'avait prévu l'arrivée de Léonora, la fille des glaneurs, au lit du maître.

— J'aurais moins tremblé d'une liaison avec une grue de Bordeaux ! avait lancé à son fils madame Eugénie, ce qui, dans sa bouche, était le comble de la lubricité. Laquelle avait été, elle en était sûre, l'abominable moteur de la chute de la maison de son aîné.

Une grue de Bordeaux. Bordeaux, la grande ville aux vignobles et aux propriétaires orgueilleux, estimant Cognac au second plan. Bordeaux où tout se monnaye, les esclaves, le vin, les pins, les mariages et la fille entretenue nécessaire à l'hygiène des époux.

Madame Eugénie ne décolérait pas.

— Sept ans de veuvage, la nature exige son dû. Le corps, hélas, réclame. Les prostituées sont là pour ça. Pourquoi ce sot de Jean n'a-t-il pas installé en ville une grue quelconque ?

Une grue aurait eu droit à sa maison et à son lit de stupre. Chaque meuble, y compris le lit, eût été dûment consigné chez le notaire de Javrezac. On ne donne rien à une grue, on paye ses services, et plus tard on reprend les meubles.

*
* *

Les chiens et les fourches servent à chasser les rôdeurs, les vagabonds. Pour eux, Léonora était à peine mieux huppée que la rôdeuse ou la vagabonde.

La Fourve avait eu la confiance des Breuillet, Passerose aussi. Elles savaient rester à leur place. Cette affaire ressemblait à une trahison. La mère La Fourve avait été la plus choquée. Sa fille la heurtait d'un écœurement et d'une honte absolus.

Léonora, graine de grue, avait-elle entendu, le dos ployé sous ses fagots. Son cœur saignait. La Fourve avait vu s'enfuir sur le chemin de halage l'ombre du viticulteur, Vivien Lelindron, à qui avait été promise Léonora avant qu'il ne parte à la guerre. La plus belle de ses filles se faisait timide quand il venait frapper à leur pauvre maison. Tout s'était passé sans parole, et Vivien Lelindron s'en était allé, confiant, du côté de Sedan. Quand il était revenu, un œil perdu sous un bandeau, sa terre avait expiré, et son amour avait trahi. La trahison était partout, y compris dans la vigne qui avait succombé sous le phylloxéra. Vivien Lelindron songea un moment à se pendre dans son appentis. À la fin de la nuit, à la lueur laiteuse de l'aube, il décida d'attendre. Il aimait si totalement Léonora qu'il se sentait prêt à la patience du laboureur qui sait que vient toujours la fin de la friche, la fin de tout malheur. Il attendrait sa vie durant, à l'ombre de la maison Breuillet, celle qui ne lui avait rien promis mais rosissait, adorable, à quinze ans, quand il lui offrait des fleurs sauvages ou la panerée d'anguilles. La mère La Fourve traçait une croix sur son front et l'appelait « mon fils ». Il accepta la douleur de vivre à l'ombre de la maison où le ravisseur se nommait Jean Breuillet. Il apprenait, étonné, que l'amour n'est point jaloux et ne connaît pas la rivalité. Il exilait Léonora dans une zone pure, brûlante et simple qui se nommait sa raison de vivre. Il avait cru, de bonne foi, mettre fin à ses jours et qui sait, tirer ses dernières cartouches contre son rival. Il n'en fut rien. Il veillait, à sa manière sur Léonora et Passerose, sans qu'ils échangeassent le moindre mot. Léonora serait si seule dans l'étrangeté de ce destin ! Il suspectait, plus sévèrement que madame Eugénie ou La Fourve, la passion de Jean Breuillet pour Léonora. La passion n'était pas l'amour et isolait complètement Léonora.

La fille des glaneurs, inconnue la veille, se trouvait soudain, par ce mariage, cernée d'ennemis mortels, visibles, invisibles, que ce fût dans son milieu ou dans celui de ces familles inabordables. Qui donc l'aimait d'un dévouement absolu à part Vivien Lelindron ou Passerose, la dure aînée ?

*
* *

La Fourve renia aussi Passerose, qui idolâtrait sa cadette, de la même manière que Maria-la-bègue avait adoré madame Marthe. La Fourve se confiait au père Jean en tremblant de honte, de larmes rentrées. « Tout sera un grand malheur », disait-elle.

Le malheur, ou la rude destruction des vignes. Le malheur portait un visage délicieux : Léonora. Cette union sans église, cette furtive visite à la mairie de Javrezac, la gêne de Passerose, celle, plus grande encore, du bouilleur, Vivien Lelindron, caché derrière les murs tel un rôdeur. Un « oui », à peine audible, de part et d'autre. Le voile de Léonora en courte brume bleutée dissimulait son visage. Une hâte fébrile, un repli vers La Burgandière. S'y cacher, y vivre son retrait, son ardence et cet étrange voyage de noces, à l'abri de la chambre bleue. Une maison où tout semblait soudain désert.

Maria-la-bègue, happée au monde vénéré des mânes de Marthe Breuillet, n'était pas visible. Rose Delageon surveillait, pensive, la longue cuisson d'une daube, le visage marqué d'une profonde tristesse. La mère La Fourve s'en était allée aider le père Jean. Rien ne calmait le feu outragé de son regard.

— Tu ne sais donc pas pardonner ? lui disait le père Jean.

Oui, elle savait pardonner. Oui, elle savait souffrir, endurer, prier. Elle avait perdu, le même jour, ses deux filles. Perdus, ses autres enfants, éparpillés dans la région et qui n'osaient s'approcher de la demeure de Jean Breuillet. Perdus, tant de nouveau-nés, perdu son époux, tué à Sedan. Née pour la misérable pitance qu'abandonnent les riches, née pour offrir son lait, née pour avoir engendré une créature éblouissante, un soleil, un incendie trop violent pour ses forces, née pour ouvrir, à chaque commotion de la vie, ses mains griffées par la terre. Née pour aimer, purement, durement, religieusement. Née pour le devoir, l'humilité et l'urgence de sauver l'âme, jamais le corps. Misérable corps, misérable fille !

— Tais-toi, disait le père Jean.

*

* *

Elle se dressait, maigre, noire dans sa robe en bure grossière. Elle n'osait lui raconter le pire. Sa petite aux nattes d'or rouge, sa Glorieuse, promise à Vivien Lelindron, l'avait affrontée quelques jours avant les noces.

— J'attends un enfant, avait-elle dit.

La Fourve chancelait, se signait.

— J'attends un enfant de Jean Breuillet, répétait l'enfant.

La trahison ; elle porta ses poings à sa poitrine d'où le lait ne sourdait plus. Sa fille avait donc fauté, telle une bête, dans un fossé, un sillon de la vigne menacée ? Elle ne sut jamais qu'au grand été de la Saint-Jean, la passion avait mené leurs pas, leur danse, leur ballet d'amour dans la grange du chemin de la Folle Blanche. Tout était allé de soi, tout s'était figé dans une ardence qui abolissait le temps. Jean Breuillet avait dit : « Tu es la terre, la vigne nouvelle, la source. Je te garde. » Elle n'avait rien répondu mais enlacé son cou d'une force sauvage. Sa bouche avait la douceur des cerises chaudes. Elle riait à Jean Breuillet, l'imprudente, la fervente.

Il était loin d'être un inconnu, ce veuf, ce ravisseur qui comptait seize années de plus qu'elle. Il se souvenait si peu de la radieuse fillette qui, du vivant de Marthe, suivait parfois Passerose les jours de lessive à La Burgandière. La rencontre sur la route de la Folle Blanche était celle de deux inconnus destinés à la flamboyance.

66

La Fourve répétait « Malheur ! » d'un ton de pythonisse.

*
* *

La Fourve se souviendrait longtemps de ses filles s'en
allant vers le chemin de halage, de l'autre côté des roseaux noirs. Du côté de La Burgandière. Armée de fines
antennes, elle savait que la voiture du maître attendait.

La honte ; les solitudes.

La maison de La Fourve était une longue cabane à
l'orée du fleuve. La honte était entrée dans ce foyer au-
delà des humbles. La honte d'entendre la rumeur
s'épaissir, salir l'enfant trop belle, l'accuser du péché de
convoitise, du péché de stupre. Il y avait plusieurs sortes d'abandons, de deuils, mais une seule honte. Tel
l'apôtre Pierre, elle se jugeait coupable de n'avoir su rester éveillée pour écarter les ronces de la honte du chemin de son enfant. Dans sa maison, un corridor de
planches et de torchis derrière les roseaux humides,
Léonora avait occupé la meilleure couche. Passerose
travaillait avec ardeur au linge des Breuillet pour cons-
tituer un pécule à sa cadette adorée. La Fourve glanait
et faisait des ménages dans la même intention. La petite
allait, vêtue de popeline claire, chaussée de vraies
chaussures. Jamais elle n'était allée nu-pieds dans des
sabots. Elle avait même fréquenté l'école du village et
savait lire et écrire. La Fourve, parfois, avait peur de
cette moisson dorée qui croissait sous son toit. Que
faire d'une fille si belle quand on appartient au monde
des glaneurs ? Vivien Lelindron, son regard noir et
chaud de chien fidèle, était le grand espoir de la mère
inquiète. Sans beaucoup de mots, ils avaient promis,
l'un et l'autre, que Léonora se rendrait un jour, honorée,
honorable, dans la maison du viticulteur. Elle souriait,

disait « oui », distraite, le regard tourné vers le chemin de la Folle Blanche. Vivien Lelindron était parti à la guerre en sifflant la ballade de l'amour et de la rose. Que Dieu conserve sa vigne et sa belle. Il était revenu éborgné, sa terre ressemblait à un champ de bataille après un incendie et Léonora avait disparu dans la maison du maître.

Pendant des années, la brouille régna, avec ses tentacules d'araigne. Madame Eugénie se mordait la langue à s'en faire mal pour ne pas gémir « malheur » comme La Fourve.

# 10

Maria-la-bègue haïssait Léonora et son engeance. Elle avait été pour Marthe Breuillet née Chassin ce que Passerose était à Léonora. Maria-la-bègue décida de ne plus jamais relâcher son guet. Personne n'entrerait dans la chambre brune ni dans la tour couverte de lierre. Elle lançait un sort à l'imposture : au jour de ces noces maudites, elle avait enterré un crapaud mort, plongé dans de l'urine de porc, sous les fenêtres de la chambre bleue. Elle s'était agenouillée sur la terre, sans souci des pierres qui meurtrissaient ses genoux d'arthritique, avait demandé pardon au ciel et aux anges, les priant d'attirer le mal sur la fille des glaneurs.

Rose Delageon, la bouche amère, avait cuisiné le repas de ces noces si solitaires. On était loin du bonheur qu'elle avait eu à préparer, trois jours durant, les ripailles de la véritable noce du jeune maître avec madame Marthe si peu solide, sous le tulle blanc.

*
* *

Amélie Delageon, sa sœur la couturière, alerte, autrefois blonde et vive, qui adorait les ragots et les histoires d'amour, avait fait moins de façons à coudre la toilette de Léonora. Elle s'était émerveillée, bruyamment, de la tapisserie bleue qui couvrait la chambre et les appartements de la tour opposée à celle de feue madame Marthe. Léonora était installée dans cette tanière ravissante, à la façon d'une prisonnière choyée. La bouche chargée d'épingles, Amélie Delageon avait étalé la soie et la guipure et pris les mesures de Léonora, s'émerveillant à haute voix de ses proportions exquises.

— Le corps des femmes tue les robes, disait-elle à genoux sur le tapis oriental de la chambre. Les femmes sont trop grasses ou trop maigres. La plupart n'ont pas des jambes mais des pattes. L'excès de ventre, l'absence de poitrine, des bras en ailerons à cause de la graisse, j'en ai vu des corps qui déshonoraient les tissus sur lesquels je peinais ! Je pleure à chaque fois qu'il me faut livrer mon ouvrage. Quand on crée une robe, on la coudrait sur un corps de reine ou sur un portemanteau. Mais toi, petite, tu es digne d'un roi. Je te connais depuis toujours, j'ai rarement vu une taille si fine, des hanches aussi parfaites, ces jambes et ces bras de fée. C'est un rêve de t'habiller.

La couturière admirait à grands éclats le corps de Léonora.

— Tu es, en plus jeune, aussi belle que le portrait de l'impératrice d'Autriche. Laisse-moi coudre sur toi le triple volant de la courte traîne. Un mantelet suffira, un bouillonné de tulle sur le visage, inutile de t'engoncer. Au contraire, je vais dégager les épaules. Tu as des épaules et une poitrine de neige. Je comprends Jean Breuillet. Tu honores la création.

Rose Delageon, mécontente de l'admiration intempestive de sa sœur, la pria de se modérer. On l'entendait jusque dans la souillarde.

— J'aime sa beauté autant que tu aimes tes fourneaux et tes pâtés de lièvre, répliqua vertement la couturière, assise dans la cuisine devant un café au lait et des galettes chaudes.

Rose Delageon secouait la tête.

— Tout cela ne mènera qu'à la souffrance. C'est tout juste si on m'adresse la parole au marché.

Amélie Delageon haussa les épaules. Cette histoire – et la beauté de Léonora – lui plaisaient. Cachée contre le lierre de la tour carrée, Maria-la-bègue lançait des regards meurtriers. Ambroise raccompagnait la joyeuse couturière à Javrezac, dans la petite maison qu'elle avait héritée, en indivis avec Rose, son aînée. Elle vivait seule, était restée fille. On lui prêtait, à tort, un passé galant parce qu'elle avait échangé un seul baiser sur la bouche, autrefois, avec un garde national disparu depuis longtemps. Elle vivait ses romans à travers la vie des femmes qu'elle habillait. Le pays avait recours à elle pour les toilettes de cérémonie, sombres ou gaies, elle avait pénétré bien des demeures, apportant les cartons d'échantillons, prenant les mesures. On la recevait bien, on la gâtait d'un goûter, d'un pineau – surtout de confidences. Aucune femme ne se taisait pendant les essayages. De madame Eugénie à Léonora, en passant par la triste Marthe, Amélie Delageon avait vu de près ces corps que l'on apprêtait pour les mariages, les baptêmes, les communions, les funérailles. Elle avait entendu ce qui ne se dit même pas en confession, tirant les fils de soie ou de dentelles de bien des existences. Elle pouvait deviner la fécondité ou la stérilité de ces ventres rien qu'en glissant le mètre autour de tant de hanches. Elle était au courant du cycle des femmes qui avaient une toilette en cours. Point d'essayage ces jours-là. Elle tenait à jour le carnet des cycles de ses clientes les plus jeunes, devinant, avant le docteur Renouard, les grossesses possibles. « À mesurer de près une poitrine, desserrer un corset, je sais si la femme est grosse ou non », disait-elle. Elle avait la répugnance compliquée des pauvres, acceptant de s'agenouiller devant des femmes en jupon, à condition qu'elles fussent riches.

Léonora était un cas particulier, le mannequin vivant qu'elle recherchait depuis toujours. Madame Eugénie avait grande allure, mais Léonora... Elle lui avait confectionné un trousseau complet. Une quinzaine de robes, de jupes, de corsages. Des tissus aériens, une débauche de velours fins, de laines délicates, de soie, d'organdis, de mousseline. Jean Breuillet n'avait pas regardé à la dépense, ce qui suffoquait tout le monde. Certains tissus venaient de Paris.

La couturière devenait le despote délicat de la belle fille qui se laissait faire, étonnée, peut-être mal à l'aise, entourée de cartons débordant de déshabillés aériens, de chapeaux à aigrettes, de mules emperlées.

— Quel gâchis ! s'emportait madame Eugénie. On dit qu'elle est déjà grosse.

*
* *

Scandale et encore scandale. Tout se jouait. Tout se déjouait. Les bans étaient publiés mais chacun feignit de ne pas les lire. Léonora ne quittait guère la chambre bleue. Hors sa suave incarcération, elle avait peur. Le va-et-vient de Passerose la rassurait. La silhouette croche de Maria-la-bègue la terrifiait. « J'ai juré à Marthe de ne jamais la renvoyer », disait Jean Breuillet, à qui elle ne demandait rien. Irrité de cette muette hostilité, il avait besoin de bannir, symboliquement, ce silencieux tribunal qui les condamnait.

Les premiers jours, Léonora voulait déjeuner à la cuisine, mais Jean s'insurgeait.

— Ta place est auprès de moi.

Elle avalait à peine, tourterelle suffoquée d'un lacet invisible. Rose Delageon servait son maître et ne s'adressait qu'à lui. Il haussait les épaules, plaisantait exprès : « Rose, Santa Rosa, tu as oublié le plus important ». Rose déversait alors la louche de potage sans douceur. L'assiette restait pleine, Léonora ne mangeait pas. « En plus, elle n'aime pas ma cuisine ! » éclatait Rose, emportée d'une séculaire mauvaise foi. Passerose flairait le modeste drame et se glissait dans la cuisine. On l'avait établie au rez-de-chaussée, dans un cabinet attenant à la lingerie. Rose tournait d'un air furieux le moulin à café et ignorait Passerose. Assise au bout de la table, sur un banc, elle taillait le pain dans sa soupe, comme elle le faisait depuis des années aux jours des grandes lessives. Rose la boudait depuis le scandale.

Dans le pays, on finit par dire « la femme du veuf », en parlant de Léonora. Les mots les plus vils avaient été pensés, glissés, vipères en liberté, entre deux pineaux, deux croisées de chemins.

Au jour des noces, le silence des servantes et de la demeure était plus profond qu'aux funérailles de Marthe. Au loin, une cloche sonnait. On eût dit le tocsin.

## 11

Jean Breuillet avait égaré sa paix, confondue au temps de sa première épouse. Il avait conservé derrière la vitre de la bibliothèque, ovale cerclé d'acajou, le portrait de Marthe. Une photographie retouchée d'un peu de rose aux joues. Une figure triste, aux lèvres sérieuses, aux sourcils bruns, trop épais, au regard sombre et fixe. La chevelure châtaine, séparée d'une raie, en bandeaux lisses, remontait à l'arrière en une torsade nattée. La coiffure réduisait le front, assimilait le visage à une noisette à demi ouverte. L'impression générale était l'effacement. Une jeune femme des années 1860, quand la mode s'alourdissait de tissus épais, montant à l'arrière, couvrant les mains et les chevilles. Elle portait au col, fermé haut, une broche en camée. Les épaules étaient effacées, les manches dessinaient des membres frêles.

Marthe veillait sur La Burgandière, laconique, escortée de Maria-la-bègue. Jean Breuillet se souvenait de la silhouette si menue, à robe sombre, du gris, du noir, quelquefois du blanc, jamais de la couleur. Elle bannissait dans ses toilettes la couleur jugée vulgaire. Amélie Delageon ne l'avait entrevue qu'en jupon. Maria-la-bègue, refusant toute aide, avait fait sa dernière toilette – comme autrefois celle de ses noces.

Marthe Breuillet, économe, confiait rarement à la couturière une de ses robes, usée, qui servait de modèle. Elle la recevait debout dans le vestibule, telle une servante et la priait de lui confectionner une robe copiée sur l'autre, qui lui allait, assurait-elle, parfaitement. Une robe immuable, terne et plate, dissimulant le corps au maximum. Elle livrait à la couturière qui mordait une lèvre vexée, le lai de tissu requis. Marthe savait jauger les proportions nécessaires à toute dépense. Elle se méfiait tant du caquetage de la couturière que, depuis son mariage, elle la tenait à distance. Elle s'en fit haïr avec dédain. Elle tolérait la couturière pour l'essayage « fini », dans la chambre marron, devant la glace de la grande armoire à corniche. Amélie Delageon palpitait de curiosité gourmande en gravissant les étages interdits derrière la silhouette mesquine. Elle savait, en cousant la robe de jaconas si terne, en observant la claudication de Marthe, qu'elle souffrait de deux disgrâces. Une jambe plus courte que l'autre, une épaule rentrée qu'il fallait rembourrer.

— Au fond, elle a l'orgueil d'une bossue, la méchanceté d'une naine, se vengeait secrètement la couturière. Quand j'ai cousu son trousseau, à Royan, je les ai bien vus, ses défauts !

— Plaît-il ? lançait Marthe Breuillet. Vous avez oublié quelque chose ?

La couturière rougissait follement. Mal à l'aise, elle attendait, devant un paravent, que madame Marthe ait enfilé la robe, aidée par Maria-la-bègue. Amélie Delageon était alors autorisée à s'approcher, épingler l'ourlet, retirer quelques faufils. Elle oubliait sa petite peur humiliée, à constater, dans la pâle lumière d'un jour trop dissimulé par les rideaux, les infirmités de Marthe Breuillet. Une jambe plus courte que l'autre, qui heurtait le sol d'un claquement sec. La clavicule de l'épaule gauche trop enfoncée. Amélie la frôlait en rajustant le boutonnage du corsage. Le regard hautain de Marthe, celui de Maria-la-bègue, interdisaient tout commentaire. Marthe Breuillet retirait la robe dans les mêmes conditions dissimulées pour réapparaître dans sa toilette ordinaire. Elle faisait un signe à Maria-la-bègue qui trottinait alors vers Amélie, une bourse à la main. Il y avait toujours la somme exacte. Maria-la-bègue raccompagnait Amélie Delageon en la faisant passer par une petite porte à l'arrière de l'escalier. Celle des livreurs, des laveurs de vitres, du ramoneur. La couturière se vivait éconduite, frustrée des commentaires engoncés dans sa gorge, de n'avoir pu frôler ce corps qu'elle comparait à une araignée d'eau mais dont elle eût voulu, à nouveau, palper les secrets. Elle s'irritait de faire le tour de la demeure pour saluer sa sœur. Rose, gênée, lui disait de ne pas s'attarder. Madame n'aimait pas que l'on perdît son temps.

— C'est gai, ici, lançait Amélie Delageon. Autrefois, votre Marthe ne faisait pas tant de manières.

*
* *

Elle se consolait par la satisfaction suspecte à rembourrer l'épaule pour l'ajuster à la mesure de l'autre. La seule coquetterie de Marthe était, outre sa bague de fiançailles coinçant l'alliance, le camée serti d'une poudre de diamants qui fermait tous ses cols. Jean Breuillet se souvenait davantage du camée que du visage de la défunte. Il s'étonnait, mal à l'aise, de cette amnésie partielle. Marthe avait passé six années dans sa maison mais était devenue une image égarée.

Que restait-il de Marthe ?

Un visage brun, têtu, sans douceur, sans bassesse, celui de la décence qui interdit aux sens d'occuper quelque place hors les nécessités d'assurer la descendance. Marthe ou le refus du rire trop sonore, de la parole trop prolixe, de toute espèce d'agitation. Il ne l'avait jamais vue courir. Une femme qui court marque un signe d'indécence, pensait-elle. Marthe ou la paix suspecte de Jean Breuillet, son anesthésie parfaite, sa mort peut-être ?

En foulant le corps de Léonora en revanche, il s'était avoué qu'il avait été mort pendant six années. Pour compenser le silence des sens, il libérait ses forces au service du cognac, il dépensait ses jours, ses nuits parfois, à la gestion de sa maison. Le cœur (quel cœur ?) s'était réduit au rythme paisible d'une pompe fonctionnant pour assurer au sang sa circulation. Une paix affreuse des sens, une sérénité mortifère. Pouvait-on toutefois parler de sérénité, certains soirs d'orage, ou lors des longs mois, quand la toux de Marthe perçait d'une vrille lancinante le silence de la maison ? Jean Breuillet avait évité d'arrêter son esprit sur les efforts gênants, gênés, des nuits de devoir conjugal. La nuit était faite, disait-on de tout temps, pour engrosser les femmes, le jour pour féconder les terres. La nuit, il devait se contenter d'un acharnement besogneux, rapide, sans gloire dont il émergeait, offensé de lui-même, en proie au désir de fuite vers la chambre communicante. Elle avait le tact orgueilleux de ne jamais le retenir et s'investissait dans son rôle de maîtresse de maison.

*
* *

Jean abandonna la tour envahie de lierre aussitôt après le décès de Marthe. La chambre de la défunte était devenue un antre funèbre, entretenu pieusement par Maria-la-bègue.

Une pendule à bouliers, sur la cheminée sans feu, sonnait le cristal des heures. Les heures longues du silence, les heures lentes de la maladie de Marthe Breuillet. Le lit, sobre, en boiseries sombres, trop étroit, trop haut, était nappé d'un couvre-lit en crochet et d'oreillers blancs, ouvragés de festons et des initiales enlacées de la morte. Le lit de ses noces et de son agonie. Il y avait deux bergères de velours ocre et les longs rideaux en satin puce, tirés. La pénombre était constante ; les contrevents mi-clos. Une chambre de deuil, comme le voulait le culte de Maria-la-bègue.

Jean Breuillet laissait quartier libre à la servante. Il connaissait son dévouement, la promesse faite à Marthe de ne pas l'abandonner. Tacitement, la chambre de Marthe était abandonnée aux soins de Maria-la-bègue. Elle couchait dans un cabinet attenant à la chambre, comme au temps où Marthe, sa vénérée, avait besoin, nuit et jour, des plus grands soins. En époussetant la chambre, sa bouche formait des mots sans son. Elle semblait héler la morte de l'autre côté de son mystère. Elle était liée à la chambre de Marthe, à la manière du lierre sur une tombe ancienne. Rose Delageon, Ambroise le palefrenier, le bouilleur, Gustave le jardinier qui ressemblait au général Bugeaud, les uns, les autres, tout le monde trouvait bienséante la présence de Maria-la-bègue. Même si on n'aimait pas la croiser et si on craignait ses marmonnements, ses laines noires, été comme hiver, empêtrées de doigts croches. De servante sincère, dévouée à Marthe depuis sa naissance, elle s'était hissée au rang d'officiante d'un culte qui effrayait. « Elle sait parler aux morts », disait-on.

On n'aimait pas la tour couverte de lierre, nimbée de brumes. « Elle est hantée », disait Adèle Toussainte, la vieille sage-femme aux mains d'homme qui avait accouché toute la région y compris madame Eugénie dans cette même chambre.

— En ce temps-là, tout tournait rond à La Burgandière. Les femmes ne faisaient pas tant d'histoires, les hommes non plus, assurait-elle d'une bouche encore endentée, cernée d'une fine moustache à verrue.

— En ce temps-là, il n'y avait pas eu M. Bismarck, le phylloxéra et la fille des glaneurs, concluait madame Eugénie.

## 12

Maria-la-bègue cirait à coups de patins en laine le parquet en beau bois du Limousin de la chambre de Marthe. Elle souriait à son adorée, son icône intérieure. N'avait-elle pas vu naître Marthe Chassin, à Royan, l'hiver 1840 ? Elle s'en était entièrement occupée, chérissant en elle ses propres misères. Elle bégayait, défigurée par un bec-de-lièvre, une scoliose la voûtait et personne ne l'avait aimée excepté la petite Marthe. Elle avait des yeux admirables, mais un corps malingre, mal équilibré. Sa mère se détournait de cette cadette indésirée, née avant terme. Il avait fallu les fers pour la tirer au monde. Maria bégayait que les fers avaient raccourci une jambe, brisé l'épaule.

À mesure des années, Maria-la-bègue s'était vécue la mère de l'enfant délaissée. Elle lissait ses beaux cheveux, étonnants d'épaisseur pour ce corps si menu, nattés en couronne sur sa tête. L'enfant était sage, l'institutrice surprise de son intelligence. Elle apprenait vite et bien, calculait parfaitement, parlait anglais, jouait un peu de piano, brodait, cousait. L'institutrice avait vanté ses dons en calcul et son père, un jour, après lui avoir montré un livre de comptes, avait été très fier qu'elle remarquât une erreur de trois centimes. Il menaça de renvoi le comptable, et prit l'habitude de confier à Marthe, dès l'âge de seize ans, le contrôle des longues colonnes de chiffres. Des chiffres qu'elle aimait, traquant la moindre erreur.

— Celui qui l'épousera fera une bonne affaire, disait son père. On oublie vite sa petite infirmité.

— Mieux vaut honnête boiteuse à alerte voleuse, ajoutaient les Chassin.

Elle étonnait par sa maturité. Des goûts austères, se lever tôt, se rendre au temple, la propreté corporelle, l'absence de coquetterie, le sens du devoir et celui des chiffres. L'orgueil de ne jamais se plaindre.

*
* *

À La Burgandière, Maria-la-bègue entretenait le mobilier qui évoquait la sagesse d'un espace monacal. Une toilette en marbre froid, à miroir ovale, les cuvettes et les brocs en porcelaine blanche. La servante montait chaque matin, avec dévotion, les brocs d'eau chaude. Elle revoyait la petite silhouette, ensachée d'une chemise de nonne. Elle tirait, pudique, le paravent pour se pencher sur l'eau claire, le savon ovale, la serviette à nids d'abeille. Une chaste odeur d'eau de Cologne s'élevait. Elle appelait Maria pour l'aider à démêler sa chevelure, la tresser en chignon, sans ornement, sans fer à friser. Le camée ajusté, un peu de cold-cream sur le visage et les mains, la maîtresse était prête pour une journée à peine différente de celle de ses servantes. Maria-la-bègue changeait les draps si blancs qu'ils semblaient froids. Dans l'armoire à corniche et miroir, Marthe recomptait le linge, repassé au fer chargé de braises, à la buanderie où s'activait Passerose. Elle repassait sans répit, les mains solides, bleuies d'avoir trempé des années dans l'eau trop chaude ou trop froide, d'avoir glané, sarclé la terre. Le fer allait et venait, luisait, fanal brûlant, sur ces espaces de lin qui semblaient des linceuls.

Pendant des années.

*
*  *

Les robes de Marthe pendaient dans l'armoire en un seul rang immobile et sombre. Maria les brossait et les serrait contre elle. Elle les berçait, entretenant un chagrin plus précieux qu'un trésor. Elle avait revêtu la morte si menue – « la taille d'une enfant de douze ans », chuchotait Amélie Delageon – de sa robe de noce, jaunie aux entournures. Elle avait recouvert le visage aux orbites creusées du voile en tulle. La couronne d'oranger, en cire et en perles ternies, reposait sous une cloche en verre à côté de la pendule à bouliers. Maria-la-bègue glissait dans la commode des brins de lavande pour détourner les mites du linge de Marthe – du blanc, rien que du blanc – les brassières, les pantalons serrés au genou, les corsets à baleines. Des reliques que personne n'oserait toucher, dont personne ne voudrait se défaire.

Maria-la-bègue, cerbère d'un grand amour pur, eût attaqué avec violence quiconque eût profané la chambre. Elle veillait à la porte, elle rôdait, douée d'antennes. L'arrivée de Léonora dans la maison avait décuplé sa fixation. Seul Jean Breuillet était toléré. Il était le maître, mais elle méprisait sa faiblesse. Il délaissait la tour de lierre, la chambre de la morte. Maria déployait sa puissance d'araigne. Tapie dans les replis de la maison, du jardin, de la cour, elle savait tout. Non à la manière de la couturière, mais par devoir d'une sentinelle prête à mourir pour celle qu'elle servait, au-delà de la vie. Du côté de l'espace bleu (la chambre de Léonora) veillait l'autre sentinelle, Passerose. Ce qui faisait dire à Amélie

Delageon : « Sans Passerose, on aurait un beau carnage. »

La chambre brune, la chambre bleue, la morte et la vivante portaient en commun le joug suave de Jean Breuillet.

Un protocole secret, plus rigoureux que celui d'un ancien sérail, régnait en ces lieux immobiles.

C'était l'enfer. Jean Breuillet apprenait que l'enfer est un univers respirable, lucide, vibrant au rythme du chiffon de laine sur les meubles des espaces symboliquement séparés. La chicane des servantes, le repliement et la peur de Léonora, le rejet des familles, l'urgence de sauver les vignes... L'enfer était de ce monde, modéré, meurtrier.

Les femmes de sa maison avaient créé l'enfer et l'enfer se greffait sur l'amour.

# 13

Jean Breuillet n'aimait pas les morts, qu'il estimait d'une autre race que les vivants. Les morts plaquaient les vivants sans sommation. Il n'avait pas aimé Marthe d'amour et s'étonnait de souffrir de sa disparition.

Marthe surgissait toujours dans son esprit quand il ne le fallait pas. Notamment au moment du feu qui l'emportait dans ce mariage affolant. Marthe, en deçà de la grisaille de son portrait et de sa chambre oubliée, intervenait lorsqu'il y songeait le moins. Les heures auprès de l'alambic, au paradis odorant, elle devenait la lie amère comme au plaisir extrême qu'il puisait à la chair de Léonora. Un plaisir qui n'était jamais un recommencement. Un plaisir qui l'exaltait, aisé, violent, mais décroissait au rythme d'un océan désertant un continent. Jean Breuillet se relevait de l'amour en pénitent, offensé et seul. Il s'en voulait de ce suave anéantissement, tout en le quêtant à nouveau. Marthe surgissait, souvenance légère, brume et apesanteur. Elle avait été la liberté de le laisser se consacrer à sa seule œuvre : le cognac. Léonora lui avait volé la sublime indifférence et le tenait enchaîné.

*
* *

Marthe, née Chassin, fille de vinaigriers à Royan, était une nièce des Lelaurier, de la Grande Champagne. Le frère cadet de Jean Breuillet, Léon, avait épousé Madeleine Lelaurier, une cousine de Marthe. Si les Chassin étaient plus riches que les Breuillet, ils étaient moins cotés. Madame Eugénie eût préféré faire alliance avec les Lelaurier pour ses deux fils. Les Pommerell, les Martell, les Camus, les Hennessy venaient en tête avec quelques autres grands noms, mais rien n'avait été possible avec eux. Les Chassin convoitaient les Breuillet de la Borderie, les Chassin étaient prudents. Ils avaient marié leurs deux aînées à des « beurres » de Surgères. Qui tolérerait Marthe, la cadette, qui claudiquait de la jambe gauche, penchait de l'épaule, avec l'agilité d'une infirmité de naissance ? Madame Eugénie s'irritait, elle aimait réussir. Les Chassin avaient longtemps réfléchi, à la manière paysanne, avant de donner leur accord. Tout avait été supputé. Ils appréciaient La Burgandière et sa production. Ils eussent préféré la maison de madame Eugénie, à Cognac et son cognac signé de son nom de jeune fille, « La Hournerie ». Reçus à La Burgandière, ils avaient feint de ne pas admirer la richesse du mobilier, les deux tours, les jardins, le chai. Le salon de madame Eugénie veuve Breuillet, à Cognac, rutilait de cristaux, de velours, d'un luxe dont se rengorgeait Madeleine Breuillet, née Lelaurier. Alliances, cousinages, mariages, vinaigre uni au beurre et maintenant au cognac, tout se tenait à la manière d'une fastueuse et monotone tapisserie médiévale évoquant la vigne, les fruits, la prospérité.

Jean Breuillet était un beau parti : il régnait sur un domaine aux frontières verdissantes, regorgeant de droits de passage y compris le chemin de halage, du côté du fleuve. Outre la demeure, il avait des vignes, des terres, des bois. Les Chassin connaissaient la façon personnelle, loyale et fructueuse qu'il avait de fabriquer son cognac, d'agrandir ses chais d'une tonnellerie, d'une verrerie. On savait, quand passaient les gabarres, le nombre de fûts qui appartenaient à Jean Breuillet.

Madame Eugénie en savait tout autant au sujet des Chassin. Elle dédaignait, pour son aîné, d'autres familles plus riches mais de moindre envergure. Les plus gros ostréiculteurs de Marennes ou d'Oléron ? Non ! La Burgandière n'échouerait pas à une fille de boucheleurs, si riche fût-elle ! Marthe Chassin serait le maillon qui conforterait la chaîne d'un produit plus précieux que toute espèce de sentiment personnel. Les Chassin étaient du même avis. Ils aimaient leur vinaigre, si subtil, de la dévotion monacale que les maîtres de chais apportaient à leur alcool fleurant la truffe et la violette.

Dans ce projet de mariage tout le monde se comprenait sauf les fiancés qui ne s'aimaient pas d'amour. Les Chassin, les Breuillet, les Lelaurier cotaient à leur prix le bénéfice des bonnes alliances sur les industries annexes : le cartonnage, le tonnelage, la verrerie, le transport, l'imprimerie des étiquettes. Ils songeaient au grand négoce commun qui s'ouvrait sur l'Europe et l'Amérique du Nord. La réputation du cognac avait atteint l'empire du Levant. L'impératrice d'Autriche commandait elle-même spécialement le cognac en Charente – les Breuillet lui en offrirent une caisse des plus délicats – pour ses shampooings. Sa célèbre chevelure n'était-elle pas lavée d'un mélange d'œufs battus dans les plus précieux cognacs ? Marthe Chassin la fiancée idéale pour agrandir d'une autre manière les espaces de négociations. Jean Breuillet n'en avait pas douté. Mais il ne s'agissait pas d'amour.

*

* *

La première rencontre, sorte de fiançailles officielles, avait eu lieu à La Tremblade, à la villa Graine au vent, vaste et sonore demeure entourée d'un parc de pins et de roses trémières, située dans une anse de sable, de pins au tronc maigre, odorants, face au canal de la Seudre. De là on apercevait la pointe du clocher de Marennes, de style flamboyant, les marais, gorgés de grenouilles et de bacilles, les parcs à huîtres. L'air était léger, salé, d'argent et de rose.

On était en mai 1860. Jean Breuillet raidissait ses vingt-trois ans dans un costume qui le vieillissait. Marthe avait deux ans de moins. Elle portait une simple robe de mousseline crème ceinturée de satin pâle, fermé d'un camée. En dépit de la chaleur, elle ne laissait rien voir de son corps trop menu, l'épaule gauche penchée dissimulée sous une écharpe en soie. Elle s'appuyait gentiment sur le manche en ivoire d'une ombrelle en dentelle anglaise, ne dissimulant pas sa disgrâce, ne l'affichant pas non plus. Elle était naturelle, point jolie, ses yeux, dorés et sombres, sa chevelure brune, épaisse, constituaient toute sa beauté. Elle souriait d'une bouche désarmée de fard. Ses mains, croisées sur le manche de l'ombrelle, ressemblaient à celles d'une enfant.

Tout était prêt, dans la salle à manger, pour le goûter. Jean Breuillet était touché de la légère voussure de la jeune fille qui ne le gênait pas : il n'éprouvait ni rejet, ni attirance. Il aimait la gravité de son regard, le son de sa voix, le calme triste de son sourire. Il se pencha pour lui offrir son bras. Son regard errait des roses fougueuses à la villa. Il respirait la transparence maritime à travers les pins. La petite main gantée serrait son bras avec la force d'un moineau qui trouve enfin une branche. Il s'aperçut qu'ils étaient seuls. La trêve prenait fin. Il tressaillit, il fallait officialiser la décision des familles. Il pensa au cognac, à la légèreté des roses trémières. Il baisa la petite main, glissa à l'annulaire une bague trop grosse, un saphir monté sur une torsade de petits diamants. Une bague de famille, un sceau pesant son poids d'or, de chaînes invisibles, de prospérité obligée, une bague que madame Eugénie avait solennellement donnée comme on livre les clefs d'une citadelle. Une fois ce geste accompli, il se sentit soudain très seul, fatigué. Une envie de fuir, de disparaître à jamais dans la perfidie verdâtre du marais. Un rayon de soleil captura la bague en un éclat qui repoussait dans l'ombre le visage trop pâle de Marthe Chassin. « Merci, disait-elle, merci. »

D'un coup, il se sentit bête : pourquoi le remerciait-elle ? Au-delà des vignes à protéger, de sa dot à elle, il y avait cette femme fragile jusqu'à la débilité, aussi frêle que la terne Madeleine toujours stérile. Il allait falloir installer dans sa maison cette inconnue à la bague, dans une chambre à l'occasion commune et oser se réunir par moments dans un seul lit. Il lui fallut le secours de son chai, de son cognac, pour conforter sa volonté : elle ne serait pas gênante, cette enfant si légère qui levait vers lui, il le reconnaissait, de beaux yeux châtains. Il entendit au fond de lui un rond commentaire de sa mère, qui avait jaugé de son côté la future :

— C'est une très bonne comptable. Elle a de l'ordre, elle est économe et riche. Dis-toi que tu es un homme heureux, Jean. Pour le reste, il y a, à ta convenance, des endroits pour soulager tes reins.

Il avait haï sa mère d'oser dévoiler la défection intime d'une alliance qui ne présageait pas tous les bonheurs. Madame Eugénie avait à peu près tenu les mêmes arguments à son cadet.

Pendant le goûter – tartes aux mirabelles, flans aux pruneaux, galettes vanillées, entremets divers, café au lait et pineau rouge –, Marthe montra en souriant sa bague. Des femmes, ligotées dans des sautoirs de perles, étouffées de graisse et de jabots de dentelles, s'extasiaient, d'une manière cannibale, sur l'anneau. Des doigts épais, congestionnés de lourdes bagues, serraient d'autorité la menotte ornée du saphir. La jeune fille disparut au regard de Jean Breuillet. Il ferma les yeux, souhaita pendant une seconde une catastrophe générale anéantissant toutes ces femmes. « Trop tard », se dit-il. Il entendit la voix maternelle claironner au-dessus des autres :

— Marthe, ma fille, soyez la bienvenue dans notre famille.

Marthe regardait Jean Breuillet, immobile et raide, dans un fauteuil en toile de Jouy. Elle lui lança un regard chargé d'un éclair aussi violent que l'éclat de la bague dans le soleil. Seule, la servante, Maria-la-bègue, qui, clopin-clopant, apportait un lourd plateau de coupes de champagne, l'aperçut. Sa petite, son enfant aimée, était amoureuse. La bègue frémit. Son adorée souffrirait. Ce grand garçon silencieux, au froid regard d'ardoise, poli et distant, ne l'aimait pas. La mère de Marthe, la fesse en derrière d'oie gavée, le buste bombé sous la dentelle et le jais, caquetait du côté des Lelaurier et des « beurres » de Surgères. Elle désignait son aîné, le pasteur Baptiste, époux d'une modeste Céleste, fille du pasteur d'Angoulême, grosse encore une fois. « Pasteur à Cherves, tout près de La Burgandière ! » Elle était radieuse d'avoir casé cette cadette, née une jambe plus courte que l'autre, l'épaule tournée en avant.

— Un siège, une mauvaise manœuvre des fers.

Madame Eugénie s'irritait de cette trivialité. L'épouse du vinaigrier s'était tournée d'un seul bloc cubique et vengeur vers le responsable. M. Chassin, sec et plus petit que son épouse, insistait pour que l'on trinquât avec le champagne. Une pièce montée, piquée de dragées et de pralines, mollissait dans la chaleur moite.

L'ombre, l'ombre fraîche de son « paradis », le silence de son chai... Jean Breuillet s'aperçut avec angoisse qu'il avait oublié tous ces gens y compris Marthe qui, gentiment, lui tendait une coupe. Il fut vaguement méchant en soulignant que les vins à bulles le rebutaient.

Elle murmura simplement :

— Pardonnez-moi d'entrer de force dans votre famille. Vous avez le temps de refuser.

Il s'adoucit, pressa les doigts si fins où la bague pesait trop lourdement.

## 14

Le contrat, les noces. À Cognac. Trop d'invités.

La future apportait dans sa corbeille une part des vinaigres Chassin, la jouissance, chaque été, de la villa Graine au vent, en indivis avec ses frères et sœurs. En cas de décès sans héritier, Graine au vent resterait dans la famille Chassin, les parts du vinaigre aussi, excepté les intérêts qui auraient prospéré pendant l'union. Si naissaient des enfants, la dot de Marthe leur reviendrait en entier. Le père, à la majorité de chaque enfant, restituerait les comptes de tutelle.

Jean Breuillet apportait à son épouse le domaine de La Burgandière dans les mêmes conditions. En cas de veuvage, Marthe jouirait de l'usufruit de la demeure et des intérêts de la production, les enfants en ayant la propriété. Dans le cas contraire, La Burgandière resterait à part entière à son propriétaire, y compris sa production. La dot de Marthe se transformait en usufruit. Si les époux mouraient sans héritier, les biens de Jean Breuillet seraient légués à son frère et à ses ayants droit. La dot de Marthe retournerait dans la famille Chassin. Un héritier, une héritière justifiait le circuit du sang, des biens, du cognac et du vinaigre. Madame Eugénie souhaitait que Jean eût au moins deux fils. Chez le notaire couleur parchemin, elle regardait avec une attention grossière la jambe invisible, trop courte, le ventre trop plat, sous la robe en soie bleu pâle. Madeleine Breuillet n'était guère mieux bâtie et madame Eugénie s'agitait. Ces alliances avaient du bon mais le risque d'avoir choisi de mauvaises génisses flottait.

Chacun signait. La jeune fille penchait un profil accablé de cheveux trop lourds. Elle portait, telle une fillette qui joue avec la parure de sa mère, trois rangs de perles, le bracelet assorti, cadeau de Jean Breuillet la veille du contrat. Des bijoux sérieux, qui, vite, retourneraient dans leurs écrins de velours. Marthe faisait preuve d'un royal effacement. On s'étonna de sa force soudaine à exiger une clause : elle voulait installer à son service, pour toujours, Maria-la-bègue, qui pour elle était plus qu'une servante, plus qu'une nourrice, le dévouement absolu. Marthe s'animait, ses joues se coloraient. Maria, seule, avait guidé ses pas maladroits, avec une patience infinie. Maria-la-bègue avait su remplir de confiance la chétive fillette qui finit par aller sans canne. « Je lui dois tout, si on lui refuse de venir, autant rester fille », dit-elle soudain, toisant le groupe vaguement atterré. Un espoir fou saisissait Jean Breuillet : la fin de l'entrave.

— Personne ne songe à vous contrarier ! bêla le notaire. Il faillit ajouter « pour si peu » mais se modéra à temps.

Madame Chassin mère pinçait sa forte bouche vexée. Sa fille prenait, en public, sa revanche de mal-aimée. Une servante, à demi muette, avait su tenir le rôle de l'amour et créé cet odieux remue-ménage.

— Parfait, ma fille, conclut madame Eugénie, vous aurez votre Maria tout votre saoul. Vous avez du caractère, je vous en félicite.

Elle jeta un œil outré à son fils qui semblait n'avoir rien entendu.

La servante entra à La Burgandière le même jour que Marthe.

*

\* \*

Une mariée presque laide sous une robe, trop lourde, de satin broché. Un voile de tulle masquait son visage si pâle. Le camée brillait faiblement, les perles accablaient son cou si fragile.

La cérémonie avait lieu au temple. Maria-la-bègue, catholique, priait à sa manière pour son enfant, invoquant l'Immaculée Conception et tous les saints. Elle avait offert un cierge à sainte Rita et à saint Antoine quand Marthe avait enfin marché seule. Marthe avait été bouleversée au récit de Maria et aux cierges offerts. Elle avait embrassé la joue rugueuse : « Merci Maria, tu es bonne. » La bègue s'émouvait, trouvant la force de dire quelques mots :

— Dieu te bénisse.

Maria-la-bègue, née de personne, trouvée à peine couverte d'un chiffon à la porte de l'église de Brouage, s'était attachée à elle comme un animal à son maître. On était sous la Restauration. Maria, confiée à l'orphelinat de Saintes, fut placée dès l'âge de douze ans chez les Chassin qui recrutaient ainsi leurs bonnes. Elle travaillait dur. Son bec-de-lièvre était un avantage pour la payer le moins possible. Elle avait quinze ans quand Marthe était née. Les Chassin n'avaient pas prévu le lien viscéral, absolu, qui allait la lier à leur cadette.

*

\* \*

Maria-la-bègue rebutait les habitués de La Burgandière. Marthe avait veillé à ce qu'elle fût bien traitée, logée dans une chambrette claire et chauffée, à son étage. Rose Delageon frémissait. Une maîtresse boiteuse, bossue, une servante à bec-de-lièvre, cela sentait le malheur. Rose avait appris la débilité du corps de Marthe Breuillet par sa sœur qui avait eu du mal à ajuster ses coutures, le satin broché, le tulle et la soie. La jeune fille refusait de quitter son jupon et sa chemise.

— J'avais l'impression d'habiller une chèvre efflanquée. Pas de seins, pas de ventre, des côtes saillantes, à la manière du crucifié et…

— Tais-toi ! s'était effarée Rose, dans un chuchotement avide.

Les essayages avaient eu lieu à Royan, dans la propriété à Pontaillac où la couturière avait été installée plusieurs jours. Maria-la-bègue assistait à toutes les étapes du trousseau.

— Cette créature affreuse observait tout. Quand j'approchais de madame Marthe, elle approchait aussi, comme une vipère prête à mordre. Elle ne parle pas, elle siffle. Elle n'aurait pas mieux agi si on allait assassiner sa maîtresse. Ce sont les robes qui avaient l'air d'assassinées ! Je n'ai jamais cousu autant de robes tristes. Pourtant, elle n'est pas laide, madame Marthe, elle est désagréable mais c'est une vraie dame. Elle tient en respect.

Au fond des villages, au rythme de chaque marée, la bouche de la couturière inscrivait tous ces détails. Le va-et-vient des lèvres dévidait à leur tour ces informations aussi férocement qu'au fond d'un désert une tribu vend une vierge contre un chameau.

Et ce fut la nuit. Le passage obligé des chairs pour assurer la descendance. Au fond de la chambre marron, aux contrevents fermés, il y avait au lit trop blanc, une épave blême sacrifiée à l'ombre dure et sombre de l'homme.

*

* *

Les époux s'évitaient avec loyauté. Marthe sut établir un protocole léger. Elle dissimula sous la froideur l'amour véritable dont elle brûlait, honteuse, pour Jean Breuillet. Elle avait pour précieux alliés son orgueil, une stratégie ancillaire de se rendre indispensable. Elle servirait cet homme qui l'avait épousée et ne l'aimait pas. Elle allait, lasse dès le milieu du jour. L'amour, cette obsession, forge un accablement sans nom chez ceux qui en subissent le joug sans espoir. Elle se prenait à espérer que cet amour passerait, comme une maladie inconnue, qui repartirait comme elle était venue. Elle était fière de savoir refouler ses larmes, de livrer à l'époux un impassible visage ivoire.

« Je le plains de ne pas m'aimer. Il est entré dans le mariage comme dans une prison sans issue. Je suis sa cage, sa prison », se disait-elle.

Quelquefois, elle se révoltait, sa jambe trop courte cognait durement sur le plancher, elle se toisait sans pitié dans le miroir ovale.

« Un peu de beauté, il eût suffi d'un peu de beauté… »

Un code très ancien, volontairement refoulé, lui dictait la vérité. Il n'y a aucune loi en amour.

Elle n'avait pas compris ce feu immense qui l'avait habitée, le jour, la nuit, dès qu'elle avait osé, à ses fiançailles, lever les yeux sur Jean Breuillet. Elle ne s'y attendait pas : en une seconde, elle l'avait aimé. Elle entra dans ce mariage comme au carmel. L'Esprit brûlait, sa chair si triste aussi.

Maria-la-bègue avait tout deviné. À la nuit des noces de Marthe, elle avait ramené sur sa tête son fichu de pleureuse. Elle oscillait entre la raison et la folie, l'envie d'enlever l'enfant à un agresseur. Elle guettait, au bout d'un corridor trop noir, trop long, la porte de la chambre close. Maria-la-bègue ahanait en même temps que ce jeune corps forcé, rabougrissant son corps malingre. Elle devinait, sans rien savoir de la chair, qu'un pugilat suspect se livrait sur le lit non défait.

## 15

Marthe Breuillet livra dès les premiers jours un visage calme. Sa chevelure sévère, en bandeaux lisses, une prude robe à manches longues, à rayures grises, sans entournure, son camée agrafé au col fermé, elle donna aussitôt le ton à la demeure. Elle refusa toute douceur, tout service dans sa chambre. Le lit n'était destiné qu'au sommeil, aux étreintes, si rares, à la fois redoutées et espérées. Hors ces nobles principes, on n'avait le droit de rejoindre ces draps qu'en cas de maladie, d'accouchement et d'agonie. Il eût été impensable de s'étendre là dans la journée.

Elle se levait au petit jour, faisait sa toilette sans autre aide que celle de Maria-la-bègue. Elle entendait, les lèvres serrées, derrière la porte communicante, la présence de son époux. Son valet, le vieil Émile, le rasait. Habillée, coiffée, elle récitait ses prières, et quittait la chambre. Elle descendait à la cuisine, appréciait les cuivres roses, la fine odeur du café, du pain grillé. Tout était d'une propreté de navire bien fourbi. Rose s'empressait : le petit déjeuner était servi dans la salle à manger où la rejoignait Jean Breuillet. Il baisait sa joue, très vite et s'asseyait loin d'elle. Rose apportait les tartines grillées. Les confituriers scintillaient. Marthe avalait un peu de thé de Chine. Elle ne mangeait rien.

— Madame n'aime pas mes confitures ? murmurait Rose, le regard fixé dans le dos de Marthe.

Marthe se tenait très droite en dépit de sa voussure. Droite à en souffrir. Elle prolongeait ce précieux moment, où la présence de Jean Breuillet lui était accordée. Son idéal, sa chimère. L'époux choisi par les familles devenait l'image, le fantôme d'amour, le fantasme, le tourment, l'absence. Les repas pris en commun lui restituaient l'image qui la hantait : elle était seule à aimer. Ces repas s'accordaient à un horaire immuable marqué au gong de la pendule : sept heures le matin, midi, six heures trente le soir, parfois « un thé » quand venait madame Eugénie.

— Appelez-moi Bonne-Maman, avait-elle ordonné dès les fiançailles.

*
* *

La nuit marquait en Marthe la plus grave des solitudes. Elle perdait peu à peu le sommeil, attendant ces visites si rares, si brèves, où il déployait les gestes officieux d'un devoir qu'il convenait d'oublier. À table, remarquait Rose, la jeune femme redressait au maximum sa taille voûtée. Un sourire flottait sur la bouche pâle. Ses mains étaient jolies. Le saphir coinçait l'alliance.

Marthe se consacrait à la paix du maître, à la gestion parfaite d'une maison honorable, que l'on pouvait ouvrir à toute heure sans rougir. Elle devenait une sorte de servante suprême. Elle ferait de son époux un homme content, consacré à son cognac, sans souci d'une épouse encombrante. Lui-même devint, à mesure des mois, satisfait de son intérieur, sans la moindre chance de bonheur. Elle sut lui faire oublier des bonheurs plus agités, s'attacher davantage à La Burgandière et au cognac. Il lui savait gré de se faire aussi légère qu'un passereau. Il n'avait pas même l'envie de galoper jusqu'à la ville, à la maison des filles aux cheveux rouges et aux croupes voluptueuses. Marthe lui devenait nécessaire comme son bureau, ses livres de compte, les plumeaux du ménage, le chiffon de cire, la cuisine de Rose. Il pouvait, à son aise, préférer à n'importe quelle femme son cognac et sa demeure. Il s'habituait à l'ombre claudicante, veillant aux bons rouages de la demeure.

Marthe distillait la paix au jour le jour, lui provoquant une amnésie sur ses rares ébats nocturnes. Ces soirs-là, il buvait, trop vite, trop de cognac, s'en voulant de gâcher le bel alcool. Il poussait la porte, et, d'emblée, ne supportait pas la veilleuse bleutée. Il allait à elle, en aveugle, de l'élan trop vif d'un noyé qui se débat. Elle l'aidait de son mieux et il s'étonnait qu'elle déployât une activité patiente, chaleureuse. Il s'horrifiait de certaine convulsion des chairs. La veilleuse, étouffée, transformait les corps en ombres verdissantes, les yeux en cavernes vides. Le regard de Marthe, cillé longuement, embué d'un orage émotif, lui serrait la gorge. Il fermait les yeux, saisi de l'antique traumatisme viril. Que faire si ce corps, malingre, soudain trop vif, l'enserrait dans son piège mou, spasmodique ? Une angoisse inconnue bloquait sa chair de mâle, susceptible. Il frôlait une épouvante pire que la gêne. Il se relevait, respirant mal, inquiet, humilié. Elle gisait si menue, bleuâtre dans la faible lumière, le drap tiré sur elle. Honteux de sa goujaterie, il s'en allait comme on se sauve dans la chambre communicante. Pour un peu, il eût tiré le verrou, décroché son fusil toujours chargé. Contre quel ennemi ? Il haussait les épaules. Il s'en voulait et lui en voulait. Il avait honni, horrifié de sentir que ce corps débile répondait avec une si soudaine véhémence à son approche. Que tout se fût passé normalement mal l'eût moins perturbé que ce cri de gorge, rauque, démesuré, ce ventre houleux.

Le violé, c'était lui.

Il surveillait la porte de Marthe avec une suspicion accrue. Il mettait longtemps à s'endormir.

*
* *

Madame Eugénie le pressait d'avoir un héritier. Elle venait régulièrement, le jeudi. Le coupé entrait dans la cour pavée et Ambroise refermait le portail. Marthe s'empressait, claudiquant le moins possible vers sa belle-mère. Dans la salle à manger les galettes refroidissaient, le pineau était prêt, Marthe échaudait la théière.

— Quelles belles petites mains que les vôtres ! s'exclamait la matriarche.

Elle plissait un œil outrancier sur le ventre plat et la poitrine de fillette. Le docteur Renouard l'avait pourtant assurée que des femmes très menues pouvaient enfanter de beaux rejetons.

— Ce n'est pas le cas de ma première bru ! s'aigrissait madame Eugénie.

— Jean n'est pas là ? demandait-elle, buvant son pineau, l'œil voltigeant de la vitrine à l'argenterie, de la belle tenue des tapis aux meubles cirés.

Il était chez son viticulteur. Marthe souriait ; un sourire ravissant et simple, sur de belles dents intactes.

— Comment vont les choses entre mon fils et vous ? demanda sa belle-mère rondement.

Marthe rougit, ses pommettes s'enflammèrent. Madame Eugénie se repaissait de cette gêne. Allons, *ils couchaient ensemble*. Elle n'eût pas rougi de manière aussi intempestive. Une semence pourrait-elle se développer dans ces flancs si maigres ?

— Je suis contente que votre petite infirmité ne vous gêne en rien, dit madame Eugénie en attaquant sa seconde galette. Vous êtes active telle une abeille. Au fond, vous êtes solide, ma fille.

Elle la jaugeait telle une génisse et Marthe s'empourprait davantage. Ce ton violacé ne lui allait pas. Elle était, décidément, parfaite dans la froideur, la pâleur, la distinction. Que vaut la distinction quand il s'agit de procréer au nom de l'avenir ?

— Dites-moi, bonne fille, seriez-vous en espoir de famille ? Votre poitrine a forci.

Marthe s'attendait à la réflexion et ne broncha pas.

— Bonne-Maman, je suis mariée depuis trois mois à peine.

— Mon enfant, j'ai été grosse quinze jours après mes noces, dit madame Eugénie.

Marthe sourit, mais sa main trembla en versant un second verre de pineau à l'aïeule au teint généreux.

Madame Eugénie s'en alla enfin, dans un grincement de roues, de sabots claqués sur la route. Le silence revint. Au loin, penchée sur une allée, Maria-la-bègue cessa d'arracher l'herbe. Elle darda sur le départ de madame Eugénie l'œil d'un corbeau surveillant le labour.

# 16

Marthe glissait dans les chaussons de laine à carreaux, protégeant le silence et la rutilance des parquets. Ambroise, le bouilleur et le jardinier ôtaient leurs casquettes quand ils la croisaient. Les servantes l'estimaient et la craignaient. Maria-la-bègue veillait. Jean Breuillet pouvait se donner sans mesure au cognac.

— Marthe connaît son métier d'épouse, disait madame Eugénie. À quand son devoir de mère ?

Adèle Toussainte hochait une tête chevaline, sceptique. Amélie Delageon lui avait confié que, depuis quelque temps, madame Marthe toussait. Madame Eugénie la dardait de quelques piqûres mais jamais n'osait frôler l'insulte comme elle le faisait si souvent, rue de l'Isle d'or. Elle se consolait à visiter ses chais, son cognac qui portait toujours son nom de jeune fille. D'ambre rouge, puissant, fleurant le girofle, et d'autres parfums subtils, le cognac La Hournerie se hissait au rang des plus nobles crus. Son pineau se vendait bien. Il lui manquait la certitude d'avoir des héritiers directs. Elle n'aimait pas la lenteur de Léon, ses activités plus timorées que celles de son aîné. « Au fond, c'est un sournois », se disait-elle. Elle n'aimait pas non plus sa bru Madeleine. Elle vantait bruyamment les mérites de son aîné, qui avait trouvé, à force de patience, l'équilibre entre les combinaisons délicates de la violette, du cacao amer. Léon Breuillet n'inventait rien, se contentant de faire prospérer le cognac de son grand-père La Hournerie. Il se montrait routinier, prudent, bon commerçant, sans imagination. « À trop inventer on détruit », disait-il. Sa mère haussait les épaules. Elle fréquentait peu la famille Lelaurier et méprisait les Chassin. Elle avait détesté, le jour des fiançailles, la vantardise de la mère de Marthe qui se rengorgeait d'être née à Paris, square d'Orléans.

— Rien n'égalera jamais Cognac et le cognac, assénait madame Eugénie, proférant une de ses réflexions par lesquelles elle se mettait à dos quelques familles. En revanche, elle était gracieuse en s'adressant à Marthe :

— Jean a la meilleure part, mon enfant, vous êtes parfaite. Remplumez-vous un peu.

Un compliment lancé à la manière d'un coup de cravache.

Elle s'irritait vaguement que Marthe fût établie dans son ancienne chambre d'épouse et de maîtresse de La Burgandière. Une féodalité particulière régnait en ces maisons, entre ces personnages liés les uns aux autres à travers la passerelle brûlante du cognac. Personne n'avait prévu Léonora.

*
* *

Maria-la-bègue avait deviné le trouble amoureux de Marthe. Elle n'en souffla jamais rien à personne, elle estimait que Jean Breuillet avait été le responsable d'un tel désordre. Elle le répudia donc mentalement, lui imputa la maladie et le décès de son adorée.

Marthe entra dans la lutte épuisante de châtier constamment son farouche élan. Sa vie avait basculé dans la dure surveillance d'elle-même et se consumait d'un tourment sans répit. Comment dissimuler l'extase que provoquait en sa chair, en son âme, l'approche de cet homme ? Il la hantait, ce mari froid, poli et occupé. Il était à portée de voix, à portée de corps, mais plus étranger et lointain qu'une terre inconnue. Elle en vint à ne plus s'asseoir à table pour le servir debout, comme une servante. Elle avait honte s'il devinait, qu'elle, la boiteuse, la sans-grâce, avait eu du désir, du plaisir. Prise de dérive, elle se mit à maudire son épaule voûtée, sa jambe trop courte et songea à la mort. Elle savait bien que les mariages où l'épousée est médiocre sont de longs chemins parallèles, faits d'acquis, d'acquêts disait le notaire, mais jamais de sentiments. Si le jeu des mères avait arrangé cette union, elle brûlait de passion et de l'impensable. Sa chair misérable et blême, elle devait la châtier, la geler de force pour éteindre ce feu ravageur et cette folie proche de la fureur qui la meurtrissaient. Maria-la-bègue marmottait tout au long des jours et Marthe fermait ses beaux yeux, se désolant de sentir ses côtes saillir sous le tissu épais de ses robes. Son cœur battait dans sa gorge. Pourquoi ce long jeune homme au regard d'ardoise avait-il obéi à la volonté de sa mère ? Pourquoi subissait-elle désormais cet enfer ? Elle s'était résignée à rester fille, à aider son frère le pasteur. Elle avait vécu, mal d'abord, paisible ensuite, acceptant son sort, consolée par Maria-la-bègue, occupée des livres de comptes de son père. Pourquoi le mariage ?

*
* *

Le soir des noces lui revenait sans cesse à la mémoire.

Ses beaux yeux et sa chevelure brillante, son sourire, ses dents, ses mains petites et légères. Que ferait-il de si pauvres atours ? Elle avait grelotté d'angoisse dans sa chemise en dentelle anglaise. Ses mains gisaient, ailes de colombe blessée. Elle n'osait rien au lit trop blanc, elle n'osait rien à cet acharnement besogneux d'un corps d'homme. Un buste d'homme, un ventre chaud d'homme, une force de mâle, et soudain la violence en blessure fraîche. Pis que la honte, la suavité sauvage de son élan à elle. Jean Breuillet était mal à l'aise, gagné par l'impression d'assaillir une infirme, l'angoisse de ne pouvoir honnêtement s'échauffer à ce qui lui était légalement permis. Ils se heurtaient et sur le mur se dressait l'ombre courbe, mâle, assassine, contre le fantôme blanc d'une fillette.

Il fut suffoqué par l'insoupçonnable élan de la jeune femme à l'épaule déviée, à la jambe trop courte. Elle ne comprenait pas elle-même ce saisissement. La chair, en ce lit trop pâle, contre cet inconnu dont elle était éprise, devenait un grondement furieux, une cascade insolite fracassant son être et ses entrailles d'impubère. D'où lui venaient ces mots qui tournaient dans sa tête remplie d'étoiles filantes et rouges ? D'où surgissaient ces images brûlantes, les images d'un enfer chrétien avec des démons, des langues bifides, des fourches, cette bête massive, velue, innommable qu'elle hélait dans sa nuit ? Était-elle devenue folle ?

Elle entendait, en écho avec son ventre, des mots dignes de la profanation, des mots dignes de marins ivres en rut contre des filles aussi ivres. Jean Breuillet quitta très vite la chambre. Avec le sentiment qu'il avait longtemps lutté non pour aider la jeune fille malingre à franchir le plus accablant, mais pour se défaire d'une araignée qui le retenait avec la force décuplée d'un insecte venimeux. Il eut peur et évita le plus possible le lit de Marthe. Ils n'en parlèrent jamais.

Il était troublé, oscillant entre un dégoût affreux et une ignoble attirance. Avait-il rêvé cet assaut abominable ? Il la regardait, décente, chétive, naturelle et autoritaire sans beaucoup de mots avec les servantes et s'apaisait un peu, l'acceptant ainsi. Mais, au fond de lui, il s'effrayait de l'insolite bacchanale que ce corps débile avait menée contre le sien.

*
* *

Il revint quelquefois au lit de Marthe. Elle ne franchissait jamais d'elle-même la frontière des portes communicantes. Il allait vers le lit blafard habité par cette ombre femelle jamais dénudée, couverte d'une fine batiste, il approchait et la voyait régresser, à mesure de la suspicieuse union, dans une plainte rauque, qui précipitait sa hâte. Un plaisir séparé, une honte séparée. Un enfer séparé. Elle portait à sa bouche pâlie un poing comme un bâillon. De l'autre côté de la porte, il tremblait des jarrets, tel un cheval fourbu.

Maria-la-bègue cirait la chambre, changeait le linge, ôtait la poussière avec une obsession d'exorciste.

# 17

Marthe portait ses infirmités tel un oriflamme, la preuve de l'honneur. Maria-la-bègue, sans pouvoir mettre un nom à son mal, se mit à souffrir pour elle. Elle surveillait les visites nocturnes du maître dans la chambre marron et notait l'effort éperdu de Marthe pour renouer avec l'image que l'on attendait d'elle. L'image d'une jeune femme défavorisée, aux beaux yeux, si timide qu'elle n'osait danser le quadrille des lanciers. L'amour la dévorait et elle en mourait. Comment demeurer à la hauteur de ces médailles d'honneur, de ces hallebardes invisibles que l'opinion dressait autour de sa vertu et de sa décence ?

Elle décida de châtier ses sens, de les mutiler plus violemment que sa pensée. Elle chasserait la mauvaise bête qui l'avait investie et la faisait palpiter de malaise quand elle était seule. Une douleur que Maria épiait, marmottant une malédiction inaudible à l'encontre du maître. Marthe avait enduré son corps, elle le prenait désormais en horreur. Son ventre, ses entrailles infécondes la révulsaient. Ses yeux brillaient d'un éclat insolite.

— Elle a la fièvre, disait Rose Delageon. Elle n'est pas bien solide, la pauvre dame.

Marthe méprisait son ventre, plus que son épaule ou sa jambe infirmes. Ces disgrâces étaient une souffrance, un sacrifice, la vanité châtiée. Son frère, le pasteur de Cherves, lui avait toujours présenté ses infirmités comme un atout spirituel. Elle ne trichait pas, elle ne mentait pas, elle ne se livrait pas à la coupable coquetterie. Sa souffrance la rapprochait du Seigneur. Les entrailles ont leur fonction précise, sublimées par la sanctification du mariage, de la procréation. Hors de là, point d'issue. Le trouble éblouissement issu de la chair détestable devenait à ses yeux l'impiété, l'authentique souillure, la preuve de la chute de l'homme. Le plaisir lui était apparu tel un foudroiement démoniaque. Elle s'épouvantait de ce ravissement immonde, de la soif qui désormais l'habitait. Comment rétablir l'austérité dans le lien conjugal ?

Tout lui faisait songer à la chasteté. Chaste le linge, chaste la chair misérable, chaste le ventre sec où devait sourdre la lignée. Chastes les robes austères, barricadées par le camée qui obligeait Marthe Breuillet à garder le menton haut. Elle durcissait son apparence, raidissait son cou, châtiait l'épaule déviée, la jambe fragile, serrant au maximum le corset à baleines. Elle souffrait ? C'était tant mieux. Elle s'effaça davantage encore. On disait d'elle « C'est une sainte femme ». Madame Eugénie ruminait quels avantages il y avait à tirer d'une sainte femme, sans postérité. La mère La Fourve, si malingre, accouchait sans répit, les flancs si maigres, une poitrine au lait riche et rare. La maigreur ne signifiait rien. Marthe finirait bien par engendrer un enfant. Sa foi protestante convenait à madame Eugénie.

*
* *

Marthe s'investit sans répit dans la gestion de la vaste demeure. Tout surveiller, tout compter, des draps aux morceaux de sucre. Tout récurer pour nettoyer la faute. Marquer sur l'agenda du ménage les jours des grosses tâches ménagères. La lessive, le repassage, les carreaux à laver, les planchers à cirer, les cuivres, l'argenterie à fourbir et à recompter chaque fois. Ravauder, étaler les chemises de Jean. Amidonner, glacer les cols. Réparer d'une main de dentellière un rideau de tulle effrangé. Surveiller le jardin, la cour, les allées. Indiquer au jardinier Gustave les massifs mal taillés. Veiller à ce que le vieil Émile prît ses repas à part des servantes, lui qui s'occupait exclusivement de Jean Breuillet, couchait à l'étage et dédaignait tout le monde. Lui qui admirait, impassible, Marthe Breuillet. Constater la moindre défaillance de la façade, des toits. Contrôler avec Rose Delageon les achats pour la cuisine. Contrôler dans la souillarde la pureté des viandes, des poissons. Ne pas oublier de faire descendre le beurre dans le puits, en plein été. Contrôler la réserve de café et de thé. Rafraîchir d'un ruban, d'un ourlet, d'un bouton, d'un col, les robes de l'an passé. Surveiller Amélie Delageon, l'obliger à tarir son caquet. Coudre un moment à ses côtés pour lui montrer qu'on ne peut l'abuser, ni gâcher du tissu. Renvoyer sans pitié une fille de glaneur engrossée. Ne pas autoriser les glaneurs – excepté la mère La Fourve et ses deux filles –, à entrer à La Burgandière comme dans un moulin. Les abandonner à la buanderie, ou à aider Rose. Ne jamais leur autoriser d'autres pièces. Saluer le bouilleur d'un léger coup de tête, tendre la main au régisseur. Ne pas s'attarder dehors. Se rendre à Cognac, deux fois par mois, en voiture fermée, pour prendre le thé chez Bonne-Maman. L'écouter respectueusement, la haïr avec distinction. Ne pas répondre à ses questions trop directes sur une grossesse désirée. Boire le thé à petites gorgées, accepter de goûter une larme de son cognac. Se tenir comme elle, très droite, en dépit de l'épaule torturée, sans s'appuyer au dossier du fauteuil. Boiter sans ostentation mais sans dissimulation. Sourire et ne jamais rire. Se rendre au temple de Cherves chaque dimanche, déjeuner ce jour-là avec son frère Baptiste. Lire chaque jour un psaume. Réviser son anglais et jouer une *Étude* de Chopin. L'apaisement lui venait des grands ménages faits à fond.

*
* *

Maria-la-bègue lui avait enseigné comment mêler la cire d'abeille à l'huile de lin pour entretenir le parquet. Elle lui avait appris à rendre la rutilance à un miroir terni avec un mélange de gros sel d'Oléron et de vinaigre doux. L'entretien de l'argenterie prenait deux jours entiers. On l'étalait sur de gros torchons posés sur une table dans une pièce attenante à la souillarde. Marthe enfilait un long tablier noué dans le dos, des gants en toile. Maria-la-bègue lui passait les éléments, l'un après l'autre. Marthe enduisait de blanc d'Espagne les louches, les cuillères, les fourchettes, les couteaux de toutes tailles gravés d'une marguerite cernant le chiffre « B ». Maria-la-bègue essuyait, replaçait chaque pièce dans leurs écrins grenat en velours frappé.

*
* *

La maison de Jean Breuillet fonctionnait bien. Pour la lessive, on entassait le linge, le « blanc », au grenier de la tour carrée, dans différentes panières. Draps, serviettes, chemises, camisoles. On cachait pudiquement dans une panière à couvercle la lessive mensuelle que Maria-la-bègue et Passerose, la solide fille des glaneurs, descendaient trop régulièrement à la buanderie. Madame Eugénie s'assombrissait lorsque Amélie Delageon le lui rapportait. La buanderie était à l'opposé des chais parce que l'on disait que les menstrues des femmes, de près ou de loin, faisaient tourner le cognac.

Dans la buanderie, Passerose déversait sur le linge empilé dans un bac l'eau brûlante qui chauffait sur le fourneau rougeoyant. Elle y diluait de la soude et du savon noir. Passerose, de toute sa puissance, étrillait le linge à coups de spatule en forme de rame à gabarre. L'eau noircissait, striée de rouge, déversée dans la rigole du centre pour se perdre dans la terre du côté du fumier. Passerose versait plusieurs seaux d'eau claire sur ces épaves de coton. La première fois, Marthe avait tenu à assister à la cérémonie de la lessive jusqu'à la fin. La puissante fille des glaneurs déployait une force si rare que la maîtresse reculait, vaguement suffoquée des buées de soude. Passerose devenait une silhouette en moulin à vent, des bras en gros sarments où saillaient des muscles d'homme. Passerose se servait de ses pieds nus pour « battre » la nouvelle phase de la lessive. Marthe se demandait comment elle supportait l'eau échaudée. Ses pieds semblaient protégés d'une semelle naturelle en cuir onglé. Passerose, avec les han ! d'un âne lié à la meule, piétinait en cadence le linge, à la façon dont le vendangeur foule le raisin pour en obtenir un premier moût. Passerose, le sarrau relevé au-dessus des genoux en melons, se transformait en hélice giratoire obstinée à chasser et dissoudre la saleté. Elle trépignait longtemps dans l'eau trop chaude où une seconde fille de lessive déversait la cendre, le sel, le vinaigre et encore de la soude.

La troisième opération était le battoir sur la dure pierre du bac. Un filet d'eau venu du puits par le système d'une pompe à bras (rôle de la seconde fille de lessive) coulait à mesure que Passerose battait le linge, le retournait, le battait encore. Courbée, les épaules et les bras dénudés, elle bannissait la souillure avec une violence inaltérable. Elle s'aidait du cri ahané et Marthe s'en allait, vaguement révoltée. Ce corps épais, majestueux dans la tâche, ni femelle ni mâle, ni humain, ni bestial, était une machine qui restituait au linge le plus intime sa blancheur funèbre.

Le linge prenait trois jours à la puissante fille aux prunelles en fusion. La géante, dans le halo bleu, déversait sans aide les draps et les torchons dans l'énorme bassine qui allait bouillir longtemps.

Marthe s'en allait, troublée. Le plaisir qu'elle se reprochait n'appartenait-il pas aux images du linge sali, rougi ? Quand, enfin, la blancheur devenait évidente, tout se calmait dans la buanderie qui pendant des heures devenait l'antre d'une sorcière en sabbat. Il fallait être deux pour essorer les draps. Passerose jetait une extrémité sur son épaule à la manière d'un python fumant. Avec la fille de lessive, elle tordait le drap ; elle entassait à mesure sa provende de toile dans une hotte qu'elle hissait sur son dos pour aller au grand pré. Les draps étaient étendus sur des cordes reliées à des poteaux fichés dans le sol. Ils claquaient au vent, flamboyants pavillons d'un navire de gloire.

Le repassage se déroulait à la lingerie où cousait parfois Amélie Delageon. Les fers chargés de braises tiraient du linge étalé un cri soyeux et un arôme de coquelicot et de foin frais.

# 18

Un intrus qu'elle n'attendait pas, dont elle ne soup-
çonnait rien, avait empoisonné l'existence de Marthe.
Que connaissait Marthe, que savaient les filles, de ce
rougeoiement interdit qu'est le plaisir ? Elles savaient,
à force d'observation, le sens d'une fécondité. Elles savaient qu'il faut au coq le bond griffu au dos de la poule
ployée, l'immobilité brève et significative. Que le coq
lâchait l'obscène clairon obtus de son triomphe fécon-
dant, cent fois répété. Que l'œuf venait à la poule,
contenant le poussin aux allures d'écorché vif quand il
fêlait la coquille couvée. Les filles savaient qu'on menait
au taureau la vache tenue au licou, et qu'il s'ensuivait
une bête énorme, double, enchevêtrée l'une à l'autre.
Que de cet élan s'inscrivaient les flancs distendus de la
vache, laquelle vêlait à une date précise d'un cri lamentable. Il fallait l'aide de l'homme pour tirer, d'une fente
si large que le bras entier du fermier y fouillait, un veau
déjà prêt à se hisser sur de tremblantes pattes humides
et à quêter la mamelle lourde de lait. Les filles savaient
que la chatte gonflait ses flancs le temps d'une saison.
Qu'après un feulement invisible, les matous mainte-
naient d'un bond d'assassin la chatte devenue folle qui
battait de la queue, les yeux tirés aux oreilles par le poignard des crocs du mâle fichés dans le pli de son cou
au risque d'en briser les vertèbres. Elles savaient tout
cela. Elles l'avaient même vu. Mais le mystère de la

113

chair humaine restait pour elles entier. On avait beau faire comprendre à certaines tout ce qui arrivait le soir des noces, à part les dévergondées qui se laissaient trousser dans les champs ou les vignes, toutes ignoraient jusqu'à la morphologie masculine.

\*
\* \*

Marthe se demandait si le simple baiser de l'homme sur la bouche d'une fille n'était pas à l'origine d'une grossesse. On l'avait éduquée comme tant d'autres dans la méfiance absolue du corps de l'homme. Elle imaginait le baiser sur la bouche à lèvres closes, sans l'agilité d'une langue fouailleuse. Une grossesse sans le mariage entraînait plus d'une fille à se jeter dans le fleuve ou à quêter, à ses risques, les herbes abortives.

Marthe Chassin avait un jour regardé longuement l'accouplement de deux cagouilles. Cette élastique et baveuse intersection, ventre à ventre, peau limaceuse, suintante et plus scellée que la glu, avait duré longtemps. Alors âgée de quinze ans, l'épaule déviée, le buste penché prenant appui sur sa jambe valide, l'adolescente avait observé, fascinée. Elle devinait en ces êtres mous, bavant, une immobilité de pieuvre aux aguets, tenace, un plaisir sans fin. Elle eût pu détruire ce double corps invertébré sans que se modifiât cette extase. Ni l'eau froide ni le pied ne pouvaient défaire ce nœud mâle et femelle, distendu, rétracté, compulsif – abominable. Une glu proliférante. En était-il de même de l'accouplement humain ? Elle écrasa brusquement, d'une bottine lacée haut, les deux cagouilles qui crissèrent en un fracas minuscule, voulant réduire l'union, les noces, en un étrange crachat grisâtre, saliveux, mêlé du bris de la coquille. Sur le sol, le crachat se convulsait encore.

114

Elle courut, d'un pas inégal, vers la pompe. Elle avait soif, elle se sentait au bord d'un malaise. Sur le mur brûlant, deux lézards ne faisaient qu'un. Marthe Chassin avait compris que les noces feraient d'elle la limace aspirée, la coquille fêlée, la volaille croupée sous un lien griffu. Dans son frisson se mêlait une obscure attirance.

*
* *

Au pugilat de l'ombre où les draps de sa chambre de mariée semblaient les ailes arrachées des anges, le plaisir avait malmené, délicieusement, son corps mal fait. Marthe avait eu peur. Elle ne comprenait pas cette vague brûlante que sa mémoire retenait, réclamait. Elle ne donnait aucun nom à cette ivresse sourde, si violente qu'elle la chargea de malveillance. Le mot « malhonnête » la secouait. La chair malhonnête l'avait trahie, elle en était sûre. Elle abominait, lucide, remise, cette déviance. Était-ce le goût d'un cognac inconnu, si suave, si fort dans l'arrière-bouche, *l'arrière-ventre ?* Elle abominait l'ivresse qui carillonnait une série d'acouphènes où se mêlait une assourdissante conque marine. Elle haïssait l'abandon de son corps, au rythme saccadé de l'autre corps. Son corps misérable, cet oripeau de corps. L'image ignoble des deux cagouilles scellées, écrasées, lui revenait. Elle était devenue la limace sans coquille.

Elle eût sauvé sa paix en ne faisant de cet acte qu'un devoir laid, désagréable, nécessaire, mais contre toute attente et toute bienséance, elle avait atteint la brutale extase d'un buveur impénitent. Elle eût tout donné pour avoir des bras ronds et frais, une gorge de putain, un corps de putain, une vie de putain. Pour devenir la bête femelle aux soieries des bouges clos où les hommes payent pour ce plaisir-là, ce malheur-là.

*
* *

Marthe Chassin épouse Breuillet préféra se punir. Une nuit d'hiver, elle descendit de sa chambre sans châle et les pieds nus. Elle allait d'un pas de condamnée, de somnambule. Dans le vestibule, la pendule oscillait, indifférente, vers le chiffre II. Il faisait froid dans la cour pavée. Dans la buanderie, Marthe marqua une trêve. Un chien aboya. La honte la tenaillait. Dans un élan hors d'âge, elle remplit à la pompe un seau d'eau glacée qu'elle renversa sur elle, de la tête aux pieds. Elle décrocha le fouet à chiens et flagella son corps livide. Elle sombra dans une nuit qui puait le linge sale et la poussière. Elle voulait mourir. Et ce qu'elle voulut arriva.

## 18

Maria-la-bègue, alertée par le bruit des pas, l'avait suivie et avait tout vu. Elle se précipita vers l'enfant vaincue puisant la force inhumaine de la saisir à pleins bras. Il y eut un remue-ménage qui attira l'attention du vieil Émile. Il s'était habillé pour éclairer l'étage. Il jeta un regard de mépris sur cette scène étrange. Dans le halo des lampes, son teint ressemblait à une lune malade. Il se retira, digne et choqué. Cette affaire concernait les femmes.

Maria-la-bègue cachait l'enfant trempée, blessée, dans une couverture, bredouillant des sons inaudibles. Le tapage attira à son tour Jean Breuillet. Les lampes s'allumaient et Rose surgit du sommeil. Il y eut du monde autour de Marthe qui ressemblait une noyée. Qui l'avait ainsi agressée ?

— Somnambule, articulait Maria-la-bègue.

Dans sa vénération sans faille pour Marthe, la servante avait trouvé la force d'exprimer cette idée pour éloigner le soupçon innommable d'une folie sourde. Rose Delageon dardait un œil perçant, lucide. Une maigre natte grise s'échappait de son bonnet.

Jean aida les servantes à porter Marthe sur son lit, plissant un front soucieux, vaguement outré des traces de fouet qu'il distinguait sur l'épaule. Une somnambule avait-elle la force de se blesser ainsi ? Il exigea que l'on contrôlât les portes et les fenêtres du rez-de-chaussée.

Marthe avait dû glisser dans le bac d'eau froide de la buanderie. S'était-elle blessée contre son bord coupant ?

Sa femme grelottait et ses yeux eurent du mal à s'ouvrir. Maria-la-bègue avait exigé d'être seule pour la déshabiller et la frictionner. Elle étala du baume à l'arnica sur les étranges traces rouges. Jean Breuillet, gêné, se tenait en retrait. Rose Delageon apporta de la cuisine des briques réchauffées au foyer que Maria glissa aux pieds de Marthe. Rose apporta aussi un verre de cognac et un morceau de sucre. Personne ne posait de questions, l'effarement se lisait au silence de chacun.

À la vue de Jean, suspicieux, inquiet, Marthe éclata en larmes violentes.

— Elle fait une réaction, dit Rose Delageon, épaissie dans sa chemise molletonnée. Les larmes vont la soulager.

— Doit-on appeler le docteur Renouard ? s'enquit Jean Breuillet.

Maria-la-bègue haussa les épaules, avec dédain. Elle en savait, pour le moment, autant que le médecin. La réaction était faite, le vinaigre aux tempes, la friction à l'eau de Cologne, le sucre imbibé de cognac, les briques chaudes au lit... Le mot « somnambule » franchit à nouveau ses lèvres.

Jean Breuillet n'aimait pas cette crise nocturne. Personne ne lui avait dit que Marthe Chassin était somnambule. Il eut une désagréable impression de mensonge.

*
* *

Les jours suivants, Marthe traversa une longue fièvre. Maria veillait à sa porte, accourant au moindre murmure. On ne comprenait pas qu'une crise de somnambulisme ait pu amener ces griffures et ce grave désordre. Madame Marthe avait pris froid, était atteinte de fièvre.

Maria-la-bègue montait les bouillons, appliquait les cataplasmes à la moutarde. Le silence se refermait sur La Burgandière, la veilleuse bleuâtre réchauffait la tisane. Après quelques jours, Marthe n'allait guère mieux. Le docteur Renouard, engoncé dans sa pelisse et ses propos pessimistes, était venu. La maîtresse toussait mais son délire restait confus. Elle semblait saisie d'épouvante quand son mari approchait de son lit. Maria-la-bègue dardait sur lui une prunelle d'oiseau perspicace. Marthe, qui portait sa passion pire qu'un cilice, accueillit avec soulagement le diagnostic bourru du médecin : la tuberculose. Elle choisit de laisser aller le mal, de laisser aller la délivrance.

*
* *

Le docteur Renouard, avec ses favoris gris rejoignant la moustache, avait penché son oreille sur le torse maigre après l'avoir heurté de son index replié. Il avait écouté, dans son dos, au stéthoscope, les poumons. Un bruit de caverne hantée par un vent grondeur. Il n'aimait pas cette toux caractéristique, que l'on avait d'abord confondue avec une bronchite.

Maria-la-bègue, sans un mot, lui tendit certaine cuvette où traînaient des traces de sang mêlées aux crachats. Il avait froncé les sourcils devant les traces rouges, sur le dos.

« Somnambule », disait-on.

— Drôle de crise, bougonna-t-il. Je n'aime pas cette toux.

Il écrivit longuement, au bureau de Jean Breuillet, pâle et distant, une ordonnance destinée à l'apothicaire de Cognac :

— Une potion alcoolisée, 100 grammes d'alcool pour 250 grammes d'eau et 50 de sirop. Imbiber de cette lotion une grosse éponge. Tenir la malade au chaud, descendre l'éponge imbibée tout le long du corps. Insister sur la poitrine, les membres inférieurs.

Sur la même ordonnance il avait indiqué le régime à suivre. Maria-la-bègue ne savait pas lire mais retint par cœur les indications du médecin.

— Repas copieux, trois fois par jour, composés de viande de bœuf crue, pilée et passée au tamis. Remplacer une fois sur deux le bœuf par de l'agneau. Préparer cette viande en boulettes saupoudrées de farine et de miel. Faire préparer chez l'apothicaire de l'oxygène en prises. Appliquer sur la poitrine des compresses de camphre pendant la fièvre. Pratiquer des inhalations d'eucalyptus entre deux prises d'oxygène. Envelopper les chevilles de sinapismes. Dix gouttes de digitaline pour calmer le cœur. Un peu de Véronal en cas de douleurs trop fortes. Un bouillon aux trois herbes, thym, sauge, tilleul à volonté.

Rose Delageon avait pris elle aussi connaissance des menus tandis que Maria lui lançait des regards embrumés de jalousie. Le docteur voulut atténuer l'inquiétude en jetant d'un ton trop vif, au seuil de la chambre :

— N'importe qui deviendrait poitrinaire à prendre ce genre de bains de minuit. Marthe, je te croyais plus raisonnable.

*
* *

Maria-la-bègue soigna son idole avec exaltation. Si la maladie n'était pas signe de mort, elle eût adoré la maladie qui lui restituait Marthe. Le matin et le soir, la servante étalait sous le faible corps le drap propre, la grande serviette blanche. Marthe grelottait en dépit du feu dans la cheminée. Ambroise était allé à Cognac, chez l'apothicaire. Maria-la-bègue épongeait le corps misérable et nu. Marthe retenait ses cris, ressortait brisée de la friction. Maria l'habillait de coton et de laine, tentait de lui faire avaler quelques bouchées de viande saignante. Elle suffoquait en respirant l'oxygène.

— Ce gaz me tue, disait-elle simplement.

*
* *

Quand son mal sembla régresser, elle se leva à nouveau. Le docteur Renouard restait sceptique.

— Continue les frictions, force-toi à inhaler l'oxygène. Mange le plus possible de la viande crue.

Elle toussait moins, la fièvre avait baissé. Elle s'habillait seule, Maria l'aidait à se coiffer. Elle portait des bas noirs, on la crut guérie. Peut-être n'était-ce qu'une mauvaise grippe ? Le docteur Renouard hochait la tête. Il avait déjà vu des rémissions dans ce mal. Il fut inquiet de constater qu'elle était grosse quelques semaines après son étrange nuit et cette rude maladie qui, il le savait, n'était pas une grippe.

Marthe eut un regain de santé, un espoir insensé. Un enfant était-il possible ? Elle traversait l'euphorie qui s'empare des condamnés, se consacrant à bien recevoir les clients de son époux, veillant à tous les menus qu'elle composait avec Rose Delageon, prêchant l'économie et aussi l'abondance. Elle réduisait le nombre de plats mais choisissait les vins, les couverts, et établissait chaque plan de table.

*
* *

Madame Eugénie posait des questions abruptes à son aîné. Était-ce bien sûr que son épouse fût grosse ? Quelle était cette histoire de somnambulisme qui avait entraîné la toux et des prises d'oxygène ?

— Ta femme n'ira jamais jusqu'au bout d'une grossesse ! Le docteur Renouard est inquiet.

— Je vous en prie, ma mère, disait Jean, dans le salon sombre et surchargé.

Madame Eugénie avait le don de meurtrir les points les plus sensibles, les moins visibles. Il n'aimait pas se sentir repris d'une ancienne terreur de petit garçon, face à cet impérieux visage, devant la haute fenêtre aux rideaux grenat. Une servante sans âge et sans nom, le menton barbu, servait le café et le cognac.

— Il vient de mon paradis, disait fièrement madame mère.

Le cognac rutilait, rubis sombre entre leurs doigts soudain semblables dans la précaution exigée du grand alcool.

Madame Eugénie appliquait les mêmes gestes que son fils à tiédir le verre entre ses doigts bosselés d'arthrose. Elle méprisait l'arthrose, elle admirait son cognac. Une bague améthyste mêlait un reflet violet à l'ambre rouge de l'alcool.

— Sens-tu, Jean, cet arrière-goût de mirabelle, de vanille et de truffe ? Le rancio est remarquable, ne trouves-tu pas ? Une fine cendre d'ébène et de rose...

Elle rapetissait un œil de rivale. Il lui sourit. Ils communiaient dans un bonheur païen, réservé à quelques élus.

— Donne-moi une descendance, lui lança-t-elle brusquement.

Leur fête s'achevait. Il partait vite. Les sabots du cheval résonnaient, clairs et drus sur la route bleue, le long de la Charente, ruban noir, invisible, présent dans une odeur de musc, de crapauds et de nénuphars.

## 19

Il retrouvait sans déplaisir la frêle jeune femme impeccable, oubliant peu à peu la gêne compulsive des rares nuits passées avec elle. La nuit somnambulique et sa maladie brutale régressaient dans une zone grise, un cauchemar dont on ne parlait plus. Il regardait, étonné, cette ombre si menue dont on disait qu'elle portait un enfant. La maladie de Marthe avait créé une barrière distinguée entre eux. Garderait-elle jusqu'au bout cette descendance nécessaire ? Son indifférence, le mettait mal à l'aise. Il songeait à l'enfant possible, jamais à Marthe.

*
* *

Marthe servait le thé à son époux quand il rentrait tard. Il s'asseyait dans le bureau Chesterfield et elle boitillait gentiment vers lui, versait le thé de Chine dans la porcelaine de Limoges. Le bureau fleurait bon la cire, un bouquet de dahlias noirs ornait un vase de cristal. Il ouvrait les journaux, *Le Temps*, *La Revue des Deux Mondes*, goûtant ce bref repos avant le dîner. Marthe lui apportait ses chaussons fourrés de laine. Il disait : « Merci, Marthe » sans lever les yeux. Négligemment, il lui demandait aussi des nouvelles de sa santé. L'enfant naîtrait en juin.

Elle endurait le plaisir compliqué de le servir, agenouillée ainsi, les chaussons tendus à la manière d'un vassal qui offre une couronne. Il lui souriait. Il aimait cette paix. Une paix qui le changeait des dangers du dehors. Le phylloxéra avait dévoré la paix. On avait beau clore les contrevents, n'en plus parler, l'insecte furieux traversait toutes les cervelles. Il revenait fatigué de Cognac, des propos de sa mère. Les noires façades de la ville l'attristaient. Marthe devenait peu à peu le modeste fanal d'une paix ménagère.

Elle avait ôté ses bottines et osait frôler sa cheville d'homme d'un baiser. Il posait sa main qui fleurait le cuir et le cognac sur la tête inclinée aux bandeaux lustrés. Il ne lui accordait jamais d'autre caresse et flattait de même sorte la belle chienne Colley. Ce frôlement sur les cheveux était destiné à la faire cesser plutôt qu'à l'encourager. Il se taisait, se retirait dans sa lecture. Un vague dégoût le reprenait. La maladie, ce ventre qui osait grossir, le ramenaient à certaines nuits où elle s'était transformée en assaillante. Il abominait la nuit où on l'avait trouvée à demi morte dans la buanderie. Une aube grise et sale. Une pensée lourde et sale. Quand elle s'en allait, il soupirait, soulagé. Le thé était bon, le dîner serait soigné et il lui savait gré de le laisser seul. Marthe acceptait ce rejet. Qu'elle puisse donner un enfant à cet homme qui ne l'aimait pas ! La suite importait peu.

La suite serait une agonie déjà commencée, frappée au sceau mortel d'avoir osé aimer Jean Breuillet.

*
* *

Fin novembre, elle fit une fausse couche. Le médecin revint un soir. Il y eut un cataclysme de sang. Maria-labègue ne la quittait pas, Rose Delageon disait : « Mon

Dieu ! » et Jean Breuillet se tenait au seuil de la chambre. Marthe serrait les dents sur la douleur qui bleuissait ses lèvres. Elle se tenait en chien de fusil, n'osant plus respirer. Un poignard perforait ses entrailles.

Le docteur Renouard consentit à lui donner de la morphine.

— Aide-moi à la redresser, ordonna-t-il à Maria-la-bègue.

Marthe exsuda un flux brunâtre, le sang coula, de plus en plus rouge. Elle perdit connaissance. Il fallut jeter à la flamme de la décharge le matelas et le linge, les servantes n'ayant pu faire disparaître les traces du malheur.

La maison était morne. Madame Eugénie se rendit au chevet de Marthe livide, découvrant Maria-la-bègue frottant son front d'eau de Cologne.

— Eh bien, ma pauvre fille, dit-elle dans un tournis de tissus sombres, de plumes et de jais, que se passe-t-il ?

Sans attendre de réponse, elle rejoignit son fils dans son bureau.

— Je vous ai bien mal mariés, ton frère et toi. Des filles parfaites et des corps débiles. Où est le temps où les filles étaient puissantes d'esprit, de dot et de corps ? gémit-elle.

Jean Breuillet osa la toiser sans ménagement. Il comprit qu'elle parlait d'elle.

*

\* \*

Une femme aux hanches puissantes. Sa mère mangeait d'un estomac inattaquable, buvait l'alcool sans sourciller, gérait l'argent, l'entreprise. Du simple gabarrier à son bouilleur, elle savait tout, allait partout. À force de tout organiser, elle était au bord de tout perdre, c'est-à-dire égarer la succession du cognac.

— Je réclame un enfant, tonnait-elle quand elle se croyait seule. Est-ce donc si difficile ?

Elle apprenait que les vignes étaient la proie d'un insecte immonde. Il arrivait même à cette prosaïque protestante de gémir brièvement :

— Qui donc nous a maudits ?

Elle se redressait, toisait le sort et se confiait au docteur Renouard.

— Cette pauvre Marthe ne durera pas des années. Un veuf peut engendrer une progéniture d'une bonne chair saine. La prochaine fois, je veillerai au corps de la nouvelle épouse.

Elle devenait de plus en plus cruelle, cruelle tel le pêcheur qui jauge une nasse de poissons morts. Le docteur Renouard franchissait le perron rongé de noir, fataliste et dégoûté. Madame Eugénie l'écœurait, mais c'était vrai de la nature humaine en général. Les âmes étaient vermoulues à leur triste façon, comme la terre empoisonnée du phylloxéra.

Marthe, cette ombre, entrait dans un complet effacement. Elle toussait de plus en plus mais une énergie hors d'âge l'entraînait à contrôler les livres de comptes, à se rendre utile, à servir Jean Breuillet jusqu'à la fin.

## 20

Son frère, Baptiste Chassin, le pasteur de Cherves, était souvent venu la voir. Il penchait vers elle sa maigreur élégante et son regard en cils épais. Une cinquième fillette lui était née. Une quinzaine d'années plus tard, à un âge déjà avancé, lui naîtrait son seul fils : Théophile. Marthe ne le connaîtrait jamais.

Marthe se tenait avec son frère dans le petit salon. Elle lui avait servi du thé. Ils avaient longuement parlé. Elle lui avait confié sa certitude de n'avoir probablement jamais d'enfant. Elle toussait à nouveau.

— Je suis poitrinaire, Baptiste. Ma vie sera courte. Je le sais, je le sens.

— Tu as aimé, tu es pure et simple, lui dit Baptiste. Aie confiance.

Il se tut pour ne pas laisser voir une compassion trop vive. Sa chevelure était clairsemée, des taches de son envahissaient le dessus de ses mains, des lorgnons en fer dissimulaient son chaud regard. Il portait plus que ses trente-cinq ans probables. Elle penchait la tête, écrasant une larme furtive. Elle avait honte. Elle n'osait pas dire que cet amour dévorant, fait de sens, de chair, était la cause de son malheur.

— Quel malheur ? interrogea doucement Baptiste.

— La stérilité, le manque de santé.

— Ce ne sont pas des malheurs, mais des épreuves, répondit son frère. Le malheur c'est déroger à sa foi, à toutes les formes de l'honnêteté. Tu souffres mais tu n'es pas dans le malheur.

— Je n'ai pas su vaincre un élan impur, dit-elle d'une voix si basse que son frère n'entendit pas. Ou feignit de ne pas entendre.

Il ne lui demanda pas de répéter sa phrase, préférant lui parler sans la regarder.

— Tu as su endurer tes peines avec patience. N'entre pas dans le scrupule. Le démon s'engouffre toujours où se trouve une âme innocente. Ne sois pas sa proie.

Il avait conçu cinq enfants en six années. Tout était bien, Dieu était grand. Son épouse était aussi une sœur dont il respectait le corps puisque ses enfants étaient nés de brefs tâtonnements nocturnes d'où il émergeait les genoux défaillants. Point de plaisir, l'envie de demander pardon. Céleste était simple. La simplicité qui plaît au Seigneur. Une servante du Seigneur, mère de ses enfants, à lui, le serviteur du Seigneur.

— Reste simple, avait-il dit à sa sœur.

*
*   *

Les mois passèrent. Jean Breuillet n'entra plus jamais dans la chambre marron. La tuberculose s'accéléra.

La toux. On n'entendait que la toux, de l'étage au rez-de-chaussée. La toux, surtout la nuit, envahissait les corridors et la spirale des escaliers. Une corne de brume annonçant la détresse d'un navire en naufrage. Un débit mortel, sans fin.

Le docteur Renouard hochait la tête, préconisait plus que jamais l'oxygène et les frictions. Marthe claquait des dents pendant les soins. Maria-la-bègue s'y prenait avec une passion, une patience maternelles. La douleur refermait ses pinces sur les chevilles gonflées d'œdèmes. L'oxygène l'étouffait. « Je meurs », murmurait-elle. Maria l'encourageait d'un borborygme affectueux. Rose Delageon trottinait dans la cuisine, navrée, et préparait tisanes et laits de poule, Marthe n'arrivait plus à ingurgiter de la viande. Elle vomissait du sang. Le docteur Renouard lui faisait avaler de l'eau d'alcali mais rien n'y faisait : elle laissait aller sur l'oreiller blanc son visage livide.

*
* *

On était silencieux à La Burgandière. Baptiste venait régulièrement. Il s'asseyait dans le fauteuil, au chevet de Marthe, exsangue, qui tentait un pauvre sourire.

— Ma sœur, souffres-tu beaucoup ? Voici des violettes de Cherves. Céleste les a cueillies pour toi. Mes filles t'ont composé cette petite aquarelle. Ne perds pas espoir, même dans le chemin de la douleur.

Elle fermait ses paupières bombées, souffrait de la tête, se redressait brusquement pour tousser. Elle pressait sur sa bouche un mouchoir qui devenait rouge. Baptiste se levait, Maria-la-bègue le devançait et soutenait Marthe. Baptiste se rasseyait et lisait, avec douceur, le psaume sur *le Triomphe de la foi* :

*Je cherche ta face, ô Éternel !*
*Ne me cache point ta face*
*Ne repousse pas avec colère ton serviteur !*
*Tu es mon secours, ne me laisse pas, ne m'abandonne*
                                                    *[pas*
*Dieu de mon salut !*
*Car mon père et ma mère m'abandonnent*
*Mais l'Éternel me recueillera.*

La toux se calmait, Marthe frissonnait. Elle s'apaisait à écouter son frère. Il fermait le livre et continuait, tacitement, sa prière.

*
* *

Madame Eugénie montait à son tour les étages. On reconnaissait son grand pas énergique, son souffle asthmatique, le mouvement en voiles de navire de ses vêtements sombres. Elle prenait place dans le fauteuil que lui abandonnait le pasteur.

— Marthe, ma fille, vous êtes courageuse. Vous êtes mieux en point que nos pauvres vignes. Heureusement nous possédons une grande réserve.

Elle vrillait son œil sans complaisance sur la maigre silhouette, la pâleur d'ivoire du teint, le regard trop brillant de la malade. « Elle a l'éclat d'une damnée », se disait-elle. Elle n'aimait pas rencontrer le pasteur : « Il ressemble au malheur », assurait-elle. Il refusait de visiter le chai de Jean Breuillet, dédaignait le cognac et n'acceptait qu'un peu de thé. Il venait voir sa sœur, lire un psaume. Il venait pour l'Esprit, ce vent fou, ce vent brûlant qui passait par l'incendie des poumons de Marthe, mais ne s'intéressait guère à ce qui constituait le centre d'intérêt principal de cette famille.

Les Chassin s'assombrissaient. Baptiste leur avait écrit que, vraisemblablement, on ne sauverait pas Marthe. Ils vinrent en un seul groupe chaleureux, envahissant. Madame Chassin repoussait, par égoïsme, la pensée d'une maladie grave. « Baptiste exagère toujours ! », assurait-elle devant Jean Breuillet accablé d'ennui et de fatigue d'une telle visite. La mère de Marthe parlait sans arrêt, jacassant dans le salon où Marthe avait voulu être installée dans un fauteuil, sous une couverture.

— Tu as raison de ne pas t'écouter, trompetait Mme Chassin, empêtrée de soie grise et de ruchés. Les vignes ont pris un sacré coup... Notre vinaigre va bien... Tu finiras ta convalescence à Graine au vent. Le bon air te remettra. Ton frère et Céleste y seront avec les enfants. Tu finiras bien par avoir un enfant, ne t'inquiète pas.

Maria-la-bègue détestait cette mère indifférente, volubile, qui dévorait avec gourmandise les brioches et les entremets préparés par Rose.

— Tu n'en manges pas ? demandait-elle à une Marthe à peine vivante. Jean, vous devriez la forcer à mieux se nourrir !

Une visite épuisante où la fièvre s'emparait de Marthe. L'arôme du café et des pâtisseries lui levait le cœur. Maria lui fit boire un peu de tilleul mais la toux la secoua soudain d'une quinte si forte que sa mère lui dit : « Eh bien ? Eh bien ? » d'un ton mi-inquiet, mi-scandalisé.

— Évitez trop de monde autour de la malade, avait conseillé le docteur Renouard.

Jean Breuillet fit un signe. Maria-la-bègue aida Marthe à rejoindre sa chambre. Mme Chassin s'éventa, vexée. Le soulagement l'emporta : loin de la fille atteinte, elle se sentait bien. Rose Delageon, d'un air de blâme, apporta une tarte aux prunes.

— J'adore les tartes et j'adore les prunes, minauda la Chassin.

Son mari semblait gêné. Il levait un regard indécis vers l'étage où avait disparu sa fille. On entendait le bruit joyeux des mâchoires de Mme Chassin.

Jean Breuillet cachait mal son exaspération. La maladie de Marthe, celle de la vigne occupaient ses pensées. Il frôlait la misanthropie et la mélancolie, honnissait cette lourde famille, proche d'un poulailler, déversant des niaiseries, ne pensant qu'à l'argent, à la ruine des vignes.

Madame Eugénie avait soigneusement évité les Chassin.

— La mère a l'air d'une grosse poule qui déglutit sans cesse son grain. Que n'a-t-elle passé un peu de sa graisse à la femme de Jean !

Madame Eugénie n'avait jamais aimé « l'autre branche ». Elle estimait Marthe et le pasteur mais ne les aimait pas. Elle avait aimé, de manière exclusive, son fils aîné, Jean. Personne n'était heureux dans cette famille. « Est-ce seulement une famille ? » s'emportait-elle.

*
* *

Marthe se mourait, madame Eugénie pressait sa poitrine. Des palpitations emballaient son cœur. Elle se courbait sur son écritoire et écrivait d'un bruit d'insecte furieux, en Angleterre, en Hollande. Elle s'en allait à son chai, recomptait les tonneaux, parlait de haut aux tonneliers, avec distance au bouilleur. Elle contrôlait l'alambic. Il distillait bien et fort un sang somptueux. Mais que distillaient les artères de la pauvre Marthe ? Elle regardait son cognac si rouge et devinait que, bientôt, sa belle-fille s'en irait d'un sang trop pauvre, condamnée par le bacille que chacun redoutait.

Le mal de Marthe portait le nom d'un coursier funeste : la phtisie galopante. Le docteur Renouard ne lui avait plus caché la vérité et le pasteur venait souvent prier avec elle. Madame Eugénie se consolait par un regain trivial, acerbe :

— Un ventre bien rempli d'une moisson future eût été la meilleure des prières. Mes fils sont deux ânes ; mes brus, deux mules, dont l'une s'en va...

Son cœur lui faisait mal. « Un muscle, rien qu'un muscle. » Elle détestait la mort. La mort se regardait en face, se méprisait. La mort ne l'intéressait pas, même si proche de sa belle-fille.

— Peut-être n'ai-je cru qu'en mon fils et le cognac !

Elle mordait son index, le front pâle appuyé contre la vitre du grand salon, vers le jardin triste et noir.

# 21

Maria-la-bègue couchait sur le divan près de sa maîtresse. Dans la chambre régnait la pénombre. Marthe semblait dormir, le souffle court. Elle s'était mise à redouter la nuit, elle réclama une seconde veilleuse. Jean Breuillet passait la voir un bref moment le matin et le soir. Il jetait un regard navré sur les orbites cernées de mauve, le corps bosselant à peine le drap. Le visage de Marthe bleuissait, happé par le mouvement de la veilleuse.

On avait encore franchi la saison d'une grande lessive. Marthe avait passé un après-midi exceptionnel de paix physique. Elle avait demandé à Maria que Passerose lui amenât Léonora, sa jeune sœur âgée de cinq ans et s'était extasiée sur la beauté de l'enfant. La mère La Fourve avait mis au monde une petite fille ravissante, couronnée d'or rouge. Une petite fille comme elle n'en aurait jamais. Une petite fille comme elle n'avait jamais été. La beauté faite enfant, la beauté aux yeux violets, gris, bleu de ciel. Un sourire de perles fines.

Passerose, inquiète de la contagion, avait mené elle-même l'enfant au chevet de Madame Marthe. La petite s'était serrée contre sa grande sœur qui la traitait davantage en fille qu'en sœur.

— Approchez, gentille enfant, n'ayez pas peur, souriait Marthe.

Elle prit la main de la petite, admirant jusqu'au silence la perfection en vitrail de cette beauté aussi accomplie. Marthe ferma ses yeux fatigués et la vision éclatante disparut. Une quinte de toux revint la secouer. Maria-la-bègue s'approcha et l'ombre se referma.

*
*  *

Jean Breuillet passait parfois à Cherves, chez le pasteur. Il frappait du marteau en bronze à la maison basse, lotie d'un potager. Céleste ouvrait, flanquée de ses filles, le dernier-né dans ses bras. Une pendule sonnait dans le vestibule. Céleste souriait, menait Jean dans un petit salon gris où tout était sobre et propre, un peu triste. Il faisait froid. Les enfants se tenaient en silence tandis que Céleste berçait le bébé.

Jean Breuillet fermait les yeux. Un enfant... Le nom de Marthe s'effaçait dans son esprit, telle une inscription sur un tombeau trop ancien.

Céleste, aidée d'une seule servante, servait le café et les petites proposaient à Jean des biscuits. Simple et gentille, un visage pur et lisse, coiffé en bandeaux blonds cendrés, des yeux clairs, cette belle-sœur l'apaisait. Jean Breuillet se surprenait à envier ce bonheur austère.

Il puisait une trêve à ces haltes dans la bergère au tissu passé, à boire un café banal mais chaud, à croquer un biscuit. Un seul beau meuble, un guéridon en ébène venu de la maison des Chassin, ornait la pièce. La porcelaine était simple, de la faïence, plutôt. Quand venait l'heure d'allaiter le nourrisson, Céleste ouvrait avec simplicité son corsage et offrait, de profil, un sein trop gros pour sa petite taille, un mamelon mauve où tâtonnait une bouche minuscule et avide. Jean ne se détournait pas, saisi d'une douce envie de dormir. La paix, la paix profonde de ce lieu le rassérénait. Le bruit lointain d'une enclume, le soupir heureux du bébé, le rire des fillettes, tout anesthésiait son trouble. Céleste refermait son corsage, montait à l'étage changer l'enfant, revenait avec la petite endormie, vêtue de blanc, qu'elle couchait dans une nacelle où moussait de la laine neigeuse.

Jean prolongeait cette récréation. Il eût aimé former une famille simple, unie. Était-ce si difficile, un bonheur tellement paisible ? Pourquoi sa vie était-elle vouée au tourment ? Le cognac, les ambitions de sa mère, la maladie de Marthe, la maladie de la vigne, tout se liguait pour harasser ses jours. Chez le pasteur, la gloire était austère, l'argent méprisé, la vanité bannie, une sorte de vision du bonheur. Une candeur rigide baignait l'ovale délicat de Céleste. Marthe, si troublée, était désormais condamnée. Un feu s'agitait sous les poignets de Jean Breuillet. Une révolte sourdait au fond de son cœur. « Quel lot ! », grondait en lui sa part la moins généreuse. La pendule sonnait, il se levait. « Embrassez Marthe », disait Céleste. Son sourire l'éclairait. Un rayon de soleil en plein hiver, un charme indicible. Elle portait une robe de jaconas, à carreaux verts et bleus, fermée d'un nœud en satin, aux manches longues et plates. Il s'éloigna vite, voulant éviter le pasteur. Une autre zone en lui frémissait, intacte, brûlante. Un goût brutal de rejoindre une fille voluptueuse. Il fuyait vers sa demeure. Il galopait entre des vignes atteintes, vers une épouse frappée à mort. Heureusement, il avait son cognac.

*
* *

Marthe, qui ne se levait presque plus, avait demandé qu'on lui installât un lit de repos dans le petit salon jouxtant la bibliothèque. Elle s'excusait presque de vivre et savait son mal contagieux. Elle pria Jean de lui accorder une faveur. Il se tenait debout près d'elle, gêné de son envie de fuir au grand air, vers toute vie sauvage, rutilante de forces. Son grand regard sombre disait clairement qu'elle comprenait.

— Pardonnez-moi, Jean.

Il eut un geste irrité, refusant ce pardon. Il était au bord de l'injustice ; révolté.

— Promettez-moi, dit-elle, de ne pas renvoyer Maria quand je ne serai plus de ce monde.

Il frémissait, reculait, détestant qu'elle parlât de sa mort.

— Promettez-moi, dit-elle encore... Pauvre Maria, elle ne survivrait pas à s'éloigner d'ici... Je t'en prie ! ajouta-t-elle, le tutoyant brusquement.

Il promit. Cela ne le gênait en rien de promettre. Maria-la-bègue, parfaite servante d'une épouse déjà si loin. Où trouver en effet un dévouement semblable ? Tout ce qu'il voulait, c'était la paix. Aucune histoire entre les servantes.

— Il n'y aura pas de querelles, murmurait Marthe qui lisait dans sa pensée. Ne vous inquiétez de rien. Maria est le seul être humain qui m'ait à ce point aimée.

Il se leva, le cœur agité. Il ne l'avait pas aimée, il détestait sa maladie. Il n'aimait guère la bègue mais consentit à cette prière si humble.

— Merci, disait-elle, merci.

Il s'en alla vite parce qu'il étouffait et se réfugia dans son chai.

*
* *

La toilette de Marthe devenait, à mesure des jours, douloureuse. Laver ses cheveux, d'un mélange d'œufs et de cognac, était un supplice. Elle chancelait de fai-

138

blesse. Passerose prêtait sa force, Maria-la-bègue enveloppait la tête ballante de serviettes chaudes. On recouchait la malade. Maria la frictionnait.

Ses jambes avaient enflé, Maria-la-bègue les massait d'alcool camphré et leur enfilait des bas de laine. Marthe serrait une bouche livide. La toux la reprenait, ravageait ses forces, la suffoquait. Elle regardait ses bras décharnés et secouait la tête. Elle souriait, sans amertume.

— Ce ne sera pas long. Ne pleure pas, Maria. Dieu t'aime à travers l'amour que tu me portes.

Marthe regardait à travers le brouillard de sa souffrance le chignon gris hérissé d'épingles, sous la coiffe immaculée. Elle fut installée en bas, sur le lit de repos. On lui glissa un coussin derrière la nuque. De la fenêtre, Marthe apercevait la cour pavée, le bougainvillier, les roses flamboyantes, un lai de ciel. Elle se distrayait aux allées et venues des uns et des autres, réclamait parfois la petite Léonora puis se rétractait.

— Non, mon mal est contagieux, ce ne serait pas bien. J'ai demandé, pour les mêmes raisons à mon frère de ne pas m'amener Céleste et ses enfants.

Maria apportait la potion dans le lait chaud. Son frère passait désormais tous les jours pour lui donner, à sa demande, les détails sur sa famille. Le dernier-né commençait à manger des bouillies. Une dent perçait. Les aînées aidaient leur mère, apprenaient le piano, la couture. Coiffées de nattes blondes, elles étaient gaies et charitables. Baptiste offrit à Marthe un napperon brodé pour elle par ses filles. Marthe regarda avec attention l'ouvrage naïf aux fleurs champêtres. Les larmes lui montèrent aux yeux. Baptiste lut un psaume. Marthe s'apaisa, le napperon sur ses genoux. Le soir approchait. Maria-la-bègue apporta la grosse lampe. Le salon devint d'un mauve verdissant, le visage de Marthe aussi.

Elle attisa le feu de la cheminée. On entendait le bruit des couverts dans la cuisine. Marthe se sentait mieux.

— Veux-tu rester dîner ? Baptiste se levait.

— Je n'ai pas fini ma journée. Je reviendrai demain.

*
* *

Était-ce la fin de l'été ? La malade perdait la notion du temps, au feu de son souffle pénible. Un bouquet de dahlias rouges dans un vase en porcelaine de Chine bleu pâle ornait le guéridon.

— Les dahlias ont un parfum faible qui ne m'incommode pas, dit-elle.

Elle avala un peu de bouillon enrichi de quinquina. Jean Breuillet entra, suivi du docteur Renouard.

— Aide-moi à te guérir ! la grondait-il. Tu as la fièvre. Tes chevilles sont enflées. Tu ne prends pas assez d'oxygène. Force-toi à manger de la viande rouge.

Elle souriait à Jean Breuillet. Il détournait la tête. Le docteur Renouard s'enfermait dans le bureau pour lui expliquer la gravité de la situation. Marthe fermait les yeux. Il était doux de mourir, il était dur de mourir, il était lent, le temps nécessaire à mourir. Jean Breuillet la retrouvait les yeux clos, la croyait endormie, mais sa main si menue s'agrippait soudain à sa manche.

— Quand tout sera fini, je veux aller en terre avec mon alliance.

Il disait : « Allons, allons » comme à un enfant égaré. Il s'en voulait d'ôter délicatement cette main de son bras comme il l'eût fait d'une ronce. Il ignorait qu'elle allait mourir cette nuit-là.

*
* *

Maria-la-bègue l'établit dans sa chambre. Elle la déshabilla, la coucha, la borda, remonta ses oreillers. Jean Breuillet s'assit un moment à son chevet et lui souhaita « bonne nuit ». Il baisa son front trop pâle, et s'en alla trop vite.

Maria-la-bègue se souviendrait sa vie entière de l'instant précis où mourut Marthe. Dans le pays, on dit que c'était avant l'aube, à la fin de l'automne. Cette frontière où tout est encore noir, où les loups ressemblent à des gorets, où les femmes se cachent, effrayées des chemins sous la lune, où les hommes deviennent des ombres assassines. Soudain elle poussa un grand cri qui réveilla les uns et les autres.

La chambre de Marthe devint une ombre brune aux miroirs reflétant les veilleuses. Les voix se firent chuchotements enchevêtrés où l'on distinguait seulement le psaume du pasteur. Le psaume de la désolation. Celui de la consolation. Maria-la-bègue prit sur elle la toux, la fièvre, la mort, la pourriture. Elle eût accompagné l'enfant au fond de sa tombe, au fond des ténèbres, et se mit à haleter à son rythme, emportée de l'espoir éperdu que tout s'achèverait pour elle en même temps que pour l'enfant.

L'agonie avait commencé par un souffle de plus en plus rauque, une sueur glacée. Le souffle devint une forge qui souleva la poitrine. Le souffle dépassa le bruit du distillateur, un souffle énorme, dévastateur, un souffle qui brûla ceux qui approchaient. Ceux qui étaient à genoux. Maria-la-bègue se perdit dans le tourbillon du souffle mortel. Le souffle s'arrêta ; et la toux fut dissoute, anéantie en même temps que cette forge obscure.

Toute créature entre, au moment de l'agonie, dans le jardin de Gethsémani. Chacun, à son tour, traverse seul la rocaille de sa terreur, de cette toux d'enfer, pour aller aux confins d'une aube ou dans la douceur révoltante d'un été à goût d'abricots gorgés de soleil.

Un cri atroce dépassa le portail, la route, ricocha dans le fleuve : Maria-la-bègue venait de pousser la clameur de toute la souffrance du monde.

*
* *

On ferma les contrevents de la chambre brune et de tout l'étage. Les mains aimantes de la servante ensevelirent la forme menue dans sa robe de mariée. On voila tous les miroirs. Des hommes sobres descendirent le cercueil par l'escalier qui tournait. Dans le vestibule dont on avait ouvert les portes, il y eut le défilé des familles et des plus humbles. Chacun déposa une branche de laurier sur le cercueil recouvert d'un drap noir.

La morte était plus silencieuse que le bois du cercueil.

# TROISIÈME PARTIE

## 22

Je tâtonne vers l'enfant de Léonora. Comment formuler « mon frère » d'un être que je n'ai jamais connu et dont la disparition avait entraîné la chute de ma mère ? Je lui en voulais. Passerose me consolait. Rose soupirait : « Il faut prier pour lui. » L'une et l'autre parlaient d'un ciel où ce garçon serait devenu un ange, mais je n'y croyais pas. C'était impensable parce que c'était révoltant. Un ange n'avait pas le droit de lever tant de larmes. Rien n'était plus inquiétant que cet ange. Le brutal arrêt de sa faible promenade terrestre avait tué la raison de sa mère, de la mienne. Elle m'avait engendrée ensuite, portée dans cet état de délire et m'avait livrée à une solitude désolée. Je détestais cet ange. Mais je voulais savoir.

— Pourquoi tout savoir ? s'effrayait Rose Delageon. Laisse ce mort avec les morts.

La part des anges, celle qui échappe au cognac. La part, ténébreuse, d'un enfant disparu en deçà de l'âge de raison et qui ravageait nos vies.

Il est difficile d'établir un ordre absolu dans cette fresque intime, liée aux bordures terriennes, ourlées de vignes, de vin, de fruits, de vie. Passerose me dit les choses. À sa lente manière, un mélange de phrases inachevées, de mots et d'images trop vifs. J'avais été initiée aux rituels du cognac, j'étais apte à comprendre, entendre. Un dû amer que mon enfance précipitée vers les querelles d'adultes réclamait. L'histoire de Léonora et de mon père, celle plus lointaine, de Marthe, sa première épouse. Le noir rejet de Maria-la-bègue. J'étais entrée dans le chai interdit aux filles. Je voulais échapper à la crémation intérieure de ces secrets. Je voulais tout savoir sur cet enfant, quel était son nom et où était sa sépulture. J'ai toujours besoin de savoir où est la sépulture de ceux qui m'obsèdent. Je ne voulais plus rester au ban de la chambre bleue, au ban de ma mère.

*
* *

Les voix se mêlent, ce sont des voix de femmes. Passerose ou Bonne-Maman, La Fourve, Rose Delageon, sa sœur Amélie. Maria-la-bègue chuintait quelques sons incompréhensibles et malfaisants. Je la fuyais dès mon plus jeune âge. Son regard, ses sons rauques me faisaient peur. Le vieil Émile me glaçait vaguement.

— La bègue n'est pas méchante, elle est un peu simple, disait-on. Elle ne s'est pas remise du décès de madame Marthe.

Je ne me souviens pas de la voix de mon père hors du chai. Il refusait de parler de l'enfant. Il avait délégué ce pouvoir aux femmes qui m'aimaient.

Ma mère me navrait, trop malade pour parler simplement de ce qui bouleverse. J'allais souvent la voir dans la chambre bleue. Je montais les étages, je poussais la double porte, le cœur serré. Dormait-elle, rêvait-elle, était-elle à sa broderie, où, la lèvre tremblante, au bord d'une crise, la bouteille contre ses mains qui blêmissaient ? Elle se balançait doucement dans le grand fauteuil comme on berce quelqu'un ou une grande peine. Elle me voyait entrer sans étonnement. Elle berçait contre elle le portrait de l'enfant. Elle me disait : « Embrasse ton petit frère. » Ses yeux étaient striés de rouge, elle portait une insolite toilette d'été alors qu'il faisait froid. De l'organdi dragée ceinturé de mauve. Une toilette de bal, ou de fiancée. Elle avait piqué quelques fleurs fraîches dans ses nattes. L'une d'elles, mal agrafée, glissait, serpent rouge, entre le sillon laiteux de ses seins visibles sous le voile trop fin. Ses pieds nus dansaient d'un mouvement irrité dans la mule emperlée. Ses bras étaient blancs.

La bouteille d'alcool, sur le guéridon, marquait un faible niveau. Elle me tendait le portrait retouché à l'aquarelle. Un garçonnet de quatre ans, en costume marin, les cheveux bouclés, la bouche ravissante. La bouche de Léonora. Elle chantonnait une berceuse, liée à la ballade de la rose et de l'amour. Je tenais maladroitement ce portrait que je n'avais nulle envie d'embrasser. Il me faisait peur. Léonora sentait l'essence de violette, l'alcool, la moiteur échauffée. Je fis tomber le ruban en velours noir qui barrait le portrait et elle feula, m'arracha l'image, ramassa le ruban, éclata en larmes. Les fleurs et les peignes glissèrent de ses cheveux. J'étais consternée.

— Je ne veux pas que l'on fasse du mal à petit Louis ! Va-t'en !

Ce « va-t'en » m'anéantit. Je détestais ce Louis. Il m'avait volé tout espoir d'être aimée, reconnue par ma mère. Mon existence n'avait pas suffi à extirper de son chemin ces ronces qui croissaient et multipliaient.

Je me retrouvai seule sur le palier. Je pleurai la tête contre mes poings. Louis, maudit Louis.

*
* *

Il y avait les bras tièdes de Passerose, son tablier qui sentait bon la lessive et les pommes. Elle m'avait emportée de ce palier où je pleurais. Elle m'installa dans la buanderie. Le feu était orange sous la grosse lessiveuse. La chaleur régnait, la buée argent, le bouillonnement odorant de l'eau. Elle m'enveloppa de son gros châle, assise dans un fauteuil de jardin, où dormait parfois le chien. J'étais bien, apaisée, réchauffée, en sécurité. Prête à écouter ce que j'exigeais de savoir. Passerose parla en même temps qu'elle touillait la lessive, à grands mouvements d'une perche en bois. Dans la buée, devant le feu, son visage était celui d'une bonne ogresse.

— L'enfant est né, en plein hiver, en janvier, dans la chambre de ta mère. Il y a quinze années de cela. La sage-femme, Adèle Toussainte, native de Saint-Trojan, s'affolait.

Passerose parlait, au rythme de la perche en bois, rotative, dans l'eau bouillante, sur le feu rouge. Elle ne me voyait plus, elle était entrée dans le dur orage de la naissance.

Un accouchement difficile. Passerose ne quittait plus sa sœur. Elle criait de souffrance. « Mords mes mains, si cela te soulage », lui disait-elle. Afin de soulager la douleur, elle glissait sous les reins de la parturiente des briques chauffées au four. Rose Delageon allait de la cuisine à l'étage, armée de brocs d'eau chaude. Elle répétait : « Jésus, Marie ayez pitié. » Jean Breuillet n'avait pas quitté Léonora pendant les vingt-six heures que durèrent ses couches. Il cachait son angoisse dans un mutisme renforcé. Il tenait la main de sa femme. On entendait, au loin, le chant ailé de Vivien Lelindron, la ballade de la rose et de l'amour. Une voix en corne de détresse. Les cris de Léonora couvraient le chant éperdu que chacun feignait d'ignorer. Jean Breuillet se fit rabrouer tout à coup par le docteur Eugène Renouard. L'accouchement tournait mal. Il fit sortir tout le monde, excepté la sage-femme et Passerose. Il prépara le chloroforme, les forceps.

— Tenez-lui les genoux ! ordonna-t-il aux deux femmes.

Le chloroforme empestait l'air, on eût dit un cognac raté. Léonora semblait morte.

— Serviette ! dit sèchement le docteur Renouard. La pince devenait rouge. Il tirait l'enfant entre les genoux de Léonora.

Le cri de l'enfant. Si petit, si rouge dans le linge blanc.

C'était un garçon. Louis. Il y eut, après tant de peine et de peur, une grande joie. Le docteur Renouard consentit à sourire à Jean Breuillet. La ballade de la rose et de l'amour s'était tue. Rose Delageon se signait et disait « Merci Jésus, Marie. » Elle chauffait à la cuisine le vin où dansaient une rondelle de citron, de la cannelle. Ils burent ce vin chaud, ce vin neuf. Que l'enfant tout neuf bénisse l'imposture de ce mariage !

La nouvelle gagna la cour, le chai, la vigne, les villages environnants. La nouvelle entra dans la ville. Et madame Eugénie hocha un grand visage irrité.

Un fils était né de la glaneuse et de Jean Breuillet.

*
* *

Maria-la-bègue, seule, maudissait. Elle avait jeté un sort. Elle avait craché sur deux ronces mélangées à du raisin « gâs », posé devant la porte de la jeune accouchée. Elle avait marmotté les formules obscures qui tuent la vache qui vêle et la femme en couches. Une concubine abjecte, une naissance abjecte. Un fruit pourri, maudit.

## 24

L'enfant était ravissant. Léonora voulut le faire baptiser dans la religion catholique. Cet hiver-là, tout était blanc, y compris la Charente perdue sous un brouillard givré. Passerose marcha longtemps, au lendemain de la naissance. Le sol était gelé, son grand pas d'homme claquait sur le sol. Elle marchait vers le village de Richemont, à une lieue de La Burgandière, où se trouvait la cure, si fruste, du père Jean. Il faisait froid dans sa cuisine. Un maigre feu prenait mal dans la cheminée trop noire.

— Tu viens pour l'enfant ? dit le prêtre.

Il savait tout de l'histoire des glaneuses. Il descendait souvent chez les glaneurs. Plus d'une fois, il avait recueilli leur souffle mourant, béni un enfant si faible qu'il s'éteignait si près de sa naissance. Il aimait les glaneurs. Il ne leur concédait rien, ne leur montrait ni sa tendresse ni sa pitié, mais allait à eux. Les glaneurs étaient le dur reflet de la souffrance christique, le dur espoir de la miséricorde. Un peuple vaincu, nœud dans le bois, pierre sur le chemin. Et le vent soufflait, disait le père Jean, et l'Esprit soufflait. Le vent fou de l'Esprit, le vent fou de ces baptisés, ces misérables, ces rachetés.

Il connaissait bien l'histoire de Léonora, de Passerose, de leur mère murée dans un silence plus noir que la nuit la plus sombre. La nuit de Léonora. Il avait frémi à ses noces sans la moindre bénédiction. Jean Breuillet

ne pouvait la mener au temple, Jean Breuillet refusait
l'église catholique. Ce n'était pas un mariage. Ce n'était
rien, seulement le stupre et encore le stupre. Sur la table, dans un bol de vin, trempait un mijot.

— Tu viens pour l'enfant ?

Un enfant né d'une union nulle. Un enfant né du désir
et de la chair exultante. Un innocent marqué de mort
éternelle. Où était l'Esprit ?

Mais la glaneuse était là, dans sa cape en laine. Elle
était venue pour l'Esprit et le curé s'adoucit.

— Je viens, dit-il.

Passerose monta près de lui dans une carriole qui
s'ébranla péniblement sur le chemin. Le cheval était
vieux, le fer des sabots se confondait aux pierres mêlées
de gel.

*
* *

Il ne rencontra aucun obstacle – ni le maître, ni la
famille de Jean Breuillet. Il avait abandonné ce baptême à la volonté de Léonora. Il se punissait peut-être
en laissant marquer son fils du sceau catholique. Il dé-
rogeait une nouvelle fois. Il s'enfermait dans l'univers de
Léonora, dans sa Faute qui retomberait sur sa maison.
Les glaneurs ployaient tout vifs au bagne de leur existence. Ils ne se détournaient jamais de leur baptême.
Ils étaient cette ombre en forme de croix sur le chemin
de Jean Breuillet. Aux velours et aux ors de sa chambre,
Léonora avait mené une éclatante résistance : l'enfant
serait baptisé dans sa foi. On la bannirait davantage, on
la répudierait peut-être de la chambre bleue, elle retournerait au noir sillon des labours. Elle sauverait l'enfant.

Le père Jean devinait ces rumeurs. Tout était silence
à La Burgandière. On eût dit un paisible jour des dé-

funts convoqués en tendre mémoire. L'enfant ne marquait pas le lieu d'un air de fête.

Il ne monta pas dans la chambre bleue. Rose Delageon avait ouvert la porte de la cuisine et ôté en toute hâte son tablier. Le prêtre entra. Sa pelisse sentait le cheval et la pomme blettie. Il sourit à la petite table nappée de blanc, au crucifix en argent devant lequel fleurissait une ellébore. Rose offrit la galette chaude et le vin. Le père Jean tutoya son monde, sourit dans un masque de rides et de poils gris.

— Donne-moi une cuvette d'eau et du sel, bonne fille.

Il se tourna vers Passerose.

— Va chercher l'enfant et sa mère.

Il y eut des pas dans l'escalier, un souffle court. Léonora peinait, enveloppée d'un châle, l'enfant contre elle, perdu dans la laine. Elle s'appuyait au bras de Passerose qui la portait plus qu'elle ne la soutenait. Le père Jean n'y prêta guère d'attention. Il attendait, devant l'eau, le sel, le crucifix. Il avait revêtu une écharpe blanche, usée, qui resplendit soudain avec un rayon de soleil sur le givre de la vitre. Léonora se redressa.

Le père Jean ne fit aucune remarque sur l'absence de Jean Breuillet. Il prononça les paroles de l'apôtre Jean.

— Nul, s'il ne renaît de l'eau et de l'Esprit ne peut entrer dans le royaume de Dieu.

Il avait béni l'eau, il versa le sel et l'eau sur le front de l'enfant. Il ne l'entendait pas gémir, il ne l'entendait pas crier. Il versait l'eau, il disait :

— Je te baptise au nom du Père, et du Fils et du Saint-Esprit.

Il ne regardait pas les larmes de Léonora. Il dit aussi :

— Celui qui reçoit le baptême s'engage à croire en Jésus-Christ et à pratiquer ses commandements, à renoncer au démon et au péché.

Il dit encore :

— Le baptême est un sacrement qui efface le péché originel, nous donne la vie surnaturelle et nous fait chrétiens, c'est-à-dire disciples de Jésus-Christ ; enfants de Dieu et de l'Église.

Il accepta le verre de vin, le morceau de galette. Il partit vite. La cour était aussi déserte qu'à l'arrivée. La porte du chai, fermée. La marraine de l'enfant était Passerose. Il n'y avait pas de parrain. Rose Delageon tamponnait ses yeux humides

— Bonnes gens !

Léonora se redressait. Son enfant était sauvé.

*
* *

Avais-je été baptisée de la même façon ? Passerose disait : « Oui, tu as été baptisée. Ta mère était alors si malade. » Un baptême encore plus simple. Passerose et Rose Delageon. Passerose, ma marraine. Passerose, la marraine des enfants de Léonora. Un coin de la cuisine, l'eau, le sel, le père Jean. « Je te baptise au nom du Père, du Fils et du Saint-Esprit. »

Où était mon père ?

— Il te tenait dans ses bras. Il était ton père et ton parrain à la fois. Il avait accepté par amour pour Léonora le rituel catholique.

Jean Breuillet, protestant par tradition, n'a pas la foi. Il avait tout accepté pour Léonora. On le trouva plus que mésallié : hérétique, sacrilège. À mon baptême, il portait l'habit de deuil.

L'enfant était mort. Il avait cinq ans.

## 25

Le bonheur de Léonora allait durer cinq années.

Une semaine avant Noël, elle emmenait l'enfant à Cognac en coupé fermé. Elle achetait les cadeaux pour les uns et les autres, réservant au jour de l'an la visite à Bonne-Maman, rue de l'Isle d'or, dans la vieille ville. Cette escapade à Cognac était une joie : elle et l'enfant, elle et son bonheur.

Contrairement à bien des mères, elle avait toujours dit à Louis que le bonhomme Noël n'existait pas. Léonora avait un grand rejet des contes de fées, quels qu'ils soient. Le décalage de sa propre vie l'avait marquée d'un constant malaise. Les autres l'avaient apparentée à la bergère séduisant un prince, et l'exclusion avait commencé. Elle n'était donc point dupe du drame de l'imagerie. Elle n'était ni la bergère ni la princesse. Le désir de Jean Breuillet, son amour sans doute, avaient fait d'elle, malgré lui, une humiliée. Léonora repoussait dès lors, avec dégoût, les contes. Elle n'enseignerait pas le mensonge du bonhomme Noël à son enfant, préférant qu'il apprît peu à peu les réalités mouvantes de la terre et ses hommes. Elle lui avait dit, dès son plus jeune âge, qu'il devait les cadeaux de Noël à la générosité de ses parents. Elle lui dirait, quand il serait plus grand, que nombre de Noëls, chez les glaneurs, se passaient de brioche et d'oranges. Les seules douceurs étaient les baisers de Passerose, la messe à Richemont, où, sur le lit de paille, l'enfant de la Vierge, en cire peinte, les bras ouverts, promettait la rédemption. Elle trouvait révoltant de berner un enfant en lui faisant croire à ce bonhomme Noël. C'était le vouer à sa première trahison, sa première humiliation. Elle en ferait un homme courageux et simple. Elle ne mentirait pas, elle n'avait jamais menti, elle était Léonora, fille des glaneurs, amoureuse du maître des chais.

*
* *

Sa mère voulait la fiancer à Vivien Lelindron. Sa vérité d'amour se trouvait peut-être de ce côté. Elle ne savait pas, elle ne savait plus, elle était une simple créature, implorant la Miséricorde, vouée à la chambre bleue. Cet enfant était son bonheur. Elle n'osait en revanche nommer « bonheur » la passion d'amour qui la liait, poings et chevilles, à Jean Breuillet.

Une foudre sombre, charnelle, sans recours que son recommencement, une soif que ses sources mêmes attisaient. Ni paix, ni sommeil. Une attente, une anxiété, un lien de feu. L'amour et ses crémations. Mais il y avait la trêve : l'enfant. Noël, lui disait-elle, fêtait la naissance de Jésus-Christ, justifiait son baptême. Les fêtes de Pâques étaient plus belles encore car elles honoraient la Résurrection, la victoire du Christ sur la mort. L'enfant écoutait, ses grands yeux de soie sous la casquette de cuir fourrée de laine. Il ne comprenait pas cette histoire de victoire sur la mort. Le mot « mort », si velouté aux lèvres à goût de fraise de sa mère, lui était inaudible. Le parfum d'iris, le doux tissu de sa robe, la fourrure à son cou, l'ensommeillaient avec délices. Il entendait claquer les sabots du cheval. À travers la vitre fermée, le paysage était blanc, le ciel d'un bleu de cristal. Il se coucha sur les genoux de sa mère. Il joua un moment avec les perles à son cou, hissa un petit poing victorieux contre le chignon doré. Il s'endormit, mêlant à ses songes le bonhomme Noël avec l'enfant Jésus. À son retour, Passerose lui chanterait de sa bonne voix la complainte de Jean de la lune. Il était si bien au monde des femmes, de la cuisine odorante à la chambre bleue !

Il craignait un peu son père, n'aimait pas son emportement à baiser les mains de sa mère. Il avait peur aussi de Maria-la-bègue qui lui faisait les cornes quand elle le croisait dans les escaliers. Il descendait à cheval sur la rampe et lui tirait la langue mais elle l'avait fait tomber un jour en pinçant avec violence son oreille. Il sanglotait seul au pied de l'escalier, Léonora le ramassa, regarda longuement l'oreille trop rouge où il portait une menotte effrayée. « Là-bas ! » disait-il, en montrant la tour couverte de lierre. Jean Breuillet avait grondé la servante. L'enfant en ressentait plus d'angoisse que de confiance, terrorisé par le corridor profond où s'engouffrait Maria que l'on n'entendait jamais venir. Elle était peut-être partie, évanouie dans un espace du mur, un interstice du toit, mais revenait sous forme de cauchemar, certaines nuits d'orage. Il pleurait et Léonora se précipitait. Il retrouvait la lampe rose, la peau douce, le parfum d'iris, les baisers à goût de fraise, et sa peur s'en allait. Le paradis de l'enfant était sa mère.

*
* *

La ville était éclairée. Des lanternes brillaient aux boutiques. On s'était arrêté dans un quartier de maisons à colombages, sur une place petite et ravissante. L'enfant trouvait la ville trop noire. Sa mère lui expliqua que les façades étaient sombres parce que recouvertes d'un champignon noir, lequel portait un drôle de nom : *torulla compniacensis* ou encore *torulla cogna-*

*censis* car il se nourrit des vapeurs de cognac pendant sa maturation. « La part des anges » avait noirci la ville. Le petit garçon ne retint qu'une partie du nom trop compliqué : *torulla*. Il demanda à sa mère qu'on nettoyât les murs mais c'était impossible, le *torulla* était un buveur assoiffé. Une anxiété le saisit : comment était ce *torulla*, ce champignon ? Une bête malfaisante à mâchoires lentes, qui dévorait les murs et pouvait, à son tour, l'emporter dans sa nuit ? Maria-la-bègue était-elle une *torulla* ?

Léonora mena l'enfant rue Magdeleine, dans une pâtisserie qui embaumait la frangipane. Ils burent du chocolat assis dans des sièges de velours rouge, les coudes sur la table en marqueterie. En face, une vitrine éclairée ravit Louis. Que c'était joli, ce grand sapin, ces boules et ces guirlandes ! Aussi joli que le sapin du salon. Léonora avait aidé l'enfant à accrocher les boules, les garnitures scintillantes. Il manquait une étoile, tout là-haut. L'enfant désignait du doigt une étoile dans la vitrine en face. Elle était en argent filetée de paillettes, à longue queue multicolore. Il riait, il la voulait. Il s'échappa brusquement de la pâtisserie et courut, les mains tendues, vers l'étoile. Il ne vit pas le gros museau de l'omnibus. Il n'entendit rien : l'étoile était énorme, elle lui faisait mal à la tête, un mal affreux. D'un coup, elle se mit à crier, l'étoile. Elle avait la bouche en goût de fraise, les fraises en sang, la bouche de Léonora.

*
* *

On était le 22 décembre 1878. Le temps était arrêté au cadran noir de la ville.

Jean Breuillet n'était pas allé au baptême de son fils, Léonora n'alla pas à ses funérailles. Il y eut une petite caisse exposée dans le vestibule. Il y eut les miroirs voilés, le père Jean. La brève visite du pasteur de Cherves. Une maison consternée. Il y avait moins de monde qu'à l'enterrement de Marthe Breuillet.

Le docteur Renouard cachait son souci : Léonora avait eu une crise violente de désespoir. La belladone agissait avec peine. Qui avait ramené Léonora, l'enfant ? La voix de Passerose faiblit. Un enfant couché sur un brancard si mince. Le pas du cheval, et dans les mains convulsées de Léonora, l'étoile filetée d'argent. Léonora avait voulu l'étoile que désirait l'enfant, elle la serrait contre elle. Elle ne voulait pas qu'on la lui ôtât. La vendeuse, épouvantée, avait dit : « Madame, oh, madame ! »

— Je veux l'étoile puisque mon enfant la voulait ! répétait Léonora.

Il y avait eu beaucoup de monde devant le magasin. La vendeuse, dans son trouble, avait tendu l'étoile à Léonora. Ni paquet, ni monnaie. Que cette étoile et cette pauvre femme s'en aillent au plus vite ! Il avait fallu se mettre à plusieurs pour l'empêcher de se jeter contre les murs si noirs.

Maria-la-bègue marmottait à son étage des mots sans suite. Le bouilleur et sa femme baissaient la tête. Le régisseur portait l'habit du dimanche. Les sanglots de Passerose étaient terribles, montés du fond du ventre, du fond de toutes les peines du monde. Les gens de la maison et des environs défilaient devant la caisse en bois clair. Devant le portail, Vivien Lelindron, pétrifié, semblait une sentinelle. Passerose avait habillé l'enfant, avait enveloppé de bandes blanches le reste d'un visage, le reste d'un crâne, le reste d'une étoile. Rose Delageon, les yeux lessivés, se tenait près de sa sœur Amélie, qui disait : « Si c'est pas une pitié ! »

Une femme maigre, en laines noires, venue avec le pasteur, se signait. Elle serrait contre elle ses poings abîmés, serrés en griffes, en croix. Elle murmurait, les yeux secs, gris, striés de rouge. « Malheur ! » Elle ne pleurait pas. C'était La Fourve. Elle disait « Malheur » depuis des années. Malheur quand Léonora avait osé entrer dans la maison du maître. Malheur quand Passerose avait suivi sa fille au lieu de la boucler de force à la chaumière. Elle démêlait mal la haine, la pitié, qui la tenaient loin de ses filles. Le malheur la tenait loin de l'enfant mort, que, farouche, elle avait toujours refusé de connaître. Léonora avait dérogé à la fierté de sa lignée. La fierté des pauvres. La fierté d'avoir engagé, pour elle, sa parole à Vivien Lelindron. La fierté de gagner sa pitance sans mendier ni vendre sa chair. La fierté du sacrifice. Le corps était la vile source de tout mal. La Fourve avait offert son lait de nourrice, accouché à chaque étreinte conjugale. Elle avait loué ses mains de rude travailleuse, courbé l'échine, ployé les reins. Jamais elle ne s'était plainte ou n'avait envié le pain blanc des riches. Elle devait son pain et celui de ses enfants à sa seule vaillance. Malheur à ceux qui dérogeaient à la seule vaillance. Elle savait par cœur certains passages des Évangiles et de la Bible. Bénis ceux qui allaient, sans rien, pas même un caillou où reposer leur tête. Dieu nourrissait les oiseaux du ciel, il pourvoyait à ses créatures. Léonora avait dédaigné le sel et le grain du ciel. Ni pasteur, ni curé à ses noces. Malheur ! Léonora ne l'avait pas honorée mais couverte des cendres de la honte. « Malheur ! » répétait la vieille femme. Dans l'ombre, Maria-la-bègue reprenait en écho : « Malheur ! »

Il y avait, blême et tout en noir, Jean Breuillet. Sa mère, seule de la famille Breuillet, était venue. Elle abandonnait, pour un moment, ses commentaires et sa hauteur.

— Je n'ai pu décider ton frère à venir, glissa-t-elle à Jean Breuillet.

Il eut un mouvement d'impatience. Que lui importait en un pareil moment son frère, les uns ou les autres, quand dans sa gorge brûlait cet incendie ! Une modeste foule se rendit, en calèches fermées, à l'église de Richemont. On se contenta d'une simple absoute. Madame Eugénie, empanachée d'aigrettes noires, se raidit. Elle refusa d'entrer dans l'église et attendit dans la voiture. Cette histoire catholique tournait mal. On suivit ensuite le corbillard jusqu'au tombeau des Breuillet et la caisse fut glissée dans l'alvéole de gauche. Sur la droite, au fond, la dépouille de Marthe Breuillet. Un tombeau nommé « Famille Breuillet », en lettres noires, à demi rempli de cette famille protestante. Un tombeau, à Richemont, où gisait seul, sans nom, ni prénom, un petit enfant baptisé catholique qui survivrait à la mémoire désolée de sa mère, à très peu d'êtres qui l'avaient connu et aimé. Tout le monde voudrait oublier l'enfant de Léonora.

*
* *

Léonora avait choisi l'affreux tapage de la folie afin d'interdire l'oubli. Elle devenait, à ce prix, la misérable vigie de l'enfant.

Le docteur Renouard revint le lendemain. Il ne cachait pas son inquiétude. Léonora était enceinte.

## 25

Il me fallait quitter mes interrogations trop directes, entrer davantage dans l'histoire de Jean Breuillet et de Léonora. Avec les mots en guise de boussole.

*
* *

Passerose a parlé. Et Rose Delageon. Et Amélie, sa sœur. Et Adèle Toussainte. Les unes, les autres. Bonne-Maman et ses éclats. J'ai patiemment reconstitué les morceaux de l'histoire. Avec la mort de l'enfant qui déchaînait d'autres soifs, ma naissance si proche de ce décès, moi conçue quand l'enfant s'en allait dans un orage de bois, de boue, d'acier !

Les voix, le vent, les saisons, les malédictions, le silence, toujours ce silence, le beau cognac de plus en plus précieux, la chambre bleue que le temps pâlissait… Je baignais dans cet étrange bain. Je n'osais aborder ma naissance, même si j'avais besoin d'aller au plus fort des sources, celles de la terre, de la mer, du fleuve immobile. La voix de Passerose, cette source pleine de rocailles ; celle de Rose Delageon, les sifflements de Maria-la-bègue, gouttière sans fin, mais aussi les éclats durs et bienveillants de Bonne-Maman. Les unes, les autres, toutes distillaient des bribes que je devais rassembler.

Presque personne n'approchait désormais la chambre bleue. Léonora semblait ignorer sa grossesse. Je forgeais, un à un, mes os, mes nerfs, mon visage contre mes poings, recroquevillée au ventre de cette mère amnésique et obsédée. Jour après jour, mes membres s'ourdissaient, dans la chair indifférente de Léonora.

Elle disait : « J'ai mal. » Elle tâtonnait vers une bouteille de cognac. On la lui enlève pour lui faire boire la potion opiacée. De quand datait la première gorgée d'alcool devenue ensuite une drogue ?

La voix de Passerose, à travers les chairs endormies ou révulsées de ma mère, me parvenait sans doute. Elle me prodiguait des soins incessants.

— Grandis, petit enfant, je veille sur toi. N'aie pas peur, ta mère a avalé à la cuillère le lait de poule. J'ai battu pour elle et pour fortifier tes os, tes muscles, ton sang, le jaune d'œuf dans le lait enrichi de pineau et de miel bourru. J'ai haché pour toi, enfant sur lequel je veille en tremblant, la bonne viande. Ta mère s'est débattue, elle disait : « Je ne veux rien, je n'ai pas faim. Mon petit enfant a peur tout seul dans son tombeau. » Je l'ai grondée : « Il y a dans ton ventre un autre enfant qui demande ton secours, ta patience et de la bonne nourriture. Veux-tu que celui-là expire par ta faute ? »

Léonora éclatait en larmes. « Mon enfant s'en est allé par ma faute. » Inlassable, Passerose répétait : « Un autre enfant se développe dans ton ventre depuis cinq mois, six mois, sept mois... Un autre enfant va vivre. Il sera, qui sait, ta joie et ta fierté. Il te couvrira d'amour. Tu liras dans ses yeux la lumière que tu entrevoyais chez celui parti chez les anges. Ne maudis pas, ne te révolte pas, ne renie pas. »

Passerose la patiente, la vigilante, à coups de balai, avait chassé de l'étage de Léonora Maria-la-bègue en hurlant : « Malfaisante ! »

*
* *

Jean Breuillet s'asseyait, chaque soir, près de Léonora. Il caressait sa main, gauche, malheureux. Léonora, confusément, le tenait responsable de son malheur. Que ne l'avait-il laissée dans son champ de blé, dans sa modeste demeure, avec sa vie si simple, sans larmes, sa vie de rien, de pollens, de vent, de cerises sauvages ! Elle aurait épousé Vivien Lelindron, elle qui n'était pas taillée pour de telles souffrances, pour cette prison de soie bleue où sa raison s'en allait. Jean Breuillet voûtait un dos las, s'accommodait de la chambre communicante. Où était leur lit d'azur, la nacelle d'une ardence qui les avait brûlés ensemble ? Un seul lit, une seule table, la seule femme qu'il avait passionnément aimée : Léonora.

Le docteur Renouard venait souvent, tâtait le ventre de ma mère, la grondait, mécontent.

— Cesse tes folies. Tu vas bien. Des milliers d'enfants sont morts à l'heure où je te parle. À Paris, pendant la Commune, on en a fusillé des plus jeunes que le tien dans les bras de leur mère. Ta propre mère accouchait de mort-nés faute de manger de la viande. Tu devrais avoir honte. Ton mari t'aime et tu portes un bel enfant. Il naîtra en août. Ce sera l'été, il fera beau.

Adèle Toussainte passait régulièrement et blâmait les yeux rougis de Léonora.

La Fourve ne venait jamais.

*
* *

Le matin, Léonora souffrait moins. Jean Breuillet l'embrassait, caressait ses épaules douces. Elle se laissait faire, apaisée. Il partageait avec elle le petit déjeuner que montait Rose. Le vieil Émile ouvrait les rideaux de la chambre de son maître, préparait tout pour sa toilette et disparaissait, déprimé. Comment abolir l'imposture de la chambre bleue ? Léonora buvait un peu de lait, et il beurrait pour elle une tranche de pain grillé. Il goûtait, d'une bouche amère, un café fort, puis s'en allait, jamais tranquille.

Léonora se traînait à sa toilette. Passerose versait l'eau chaude, lavait son dos, son cou, passait un linge fin imbibé d'eau de rose sur son visage. Elle peignait les cheveux de sa sœur et les rassemblait autour de sa tête en un diadème de nattes. Léonora passait la robe verte à rayures et à larges plis.

La matinée passait ainsi : elle se sentait calme, baisait le portrait de l'enfant. La journée égrenait ses heures, la mouvance du soleil sur le toit, les murs, le tapis. Au fil des heures, le mal mélancolique reprenait Léonora : des secousses, des accès, des abattements. Jean Breuillet la trouvait, à midi, tournée vers la fenêtre. Il était rare qu'elle descendît déjeuner avec lui. Le crépuscule la rendait fébrile, enfoncée dans la bergère tapissée de fleurs et de cygnes à col de chimères. Elle quêtait sur les murs, les rideaux, un rêve flou, étoilé, toujours le même. Jean Breuillet posait les mains sur ses épaules. Il tremblait d'émotions diverses. Il caressait au hasard, en aveugle, en amant, le cou, la taille, la cheville, la cuisse de soie rose. Elle se laissait faire, passive, absente.

*

*  *

Le jardin, en hiver, étendait sa blancheur bleutée de perce-neige. Le jardin, à l'avant-printemps, éblouissait de forsythias, de crocus et de primevères. Le jardin, en mai, débordait de roses blanches, de muguets et d'iris. Il la menait vers la première envolée des volubilis. Le jardin en été. Juin, juillet. Léonora au ventre mouvant de vie. Elle maigrissait, son ventre seul était rond. Les cerises étaient mûres. La glycine répandait ses grappes mauves, allongeait ses bras pythonesques. Les abeilles bourdonnaient. Jean cueillait pour elle une fleur du bougainvillier, une rose trémière, d'un pourpre forcené. Il la menait sur le chemin vers les blés. L'air si doux, le ciel orangé, le satin perlé de la Charente, tout parlait de paix, de moisson, d'abondance. Son terme approchait, elle semblait aller mieux. Ils dînaient dans la salle à manger, comme au temps où ils avaient osé le bonheur. Le silence des autres les avait marginalisés, exclus, et avait foré en Léonora une faille invisible. Le moindre choc n'avait plus qu'à s'installer et à ronger cette âme délicate, fragile. La perte de son enfant avait modifié, en Léonora, l'interprétation de l'espace. L'enclos de la maison (une partie seulement), le jardin, le chemin vers les blés et le fleuve (jamais les vignes), étaient devenus le territoire de la prisonnière. Elle répétait dans sa tête lourde de migraines qu'un fil de plomb invisible tirait en arrière, dans un vertige lent, harassant : « Je suis une prisonnière, je n'ai rien, je ne suis rien, je n'ai plus même une cabane à moi. » Elle avait égaré son identité. Elle tressaillait à son seul prénom, « Léonora ». « Je suis coupable », pleurait-elle. Elle était désormais la fille dotée d'un seul prénom – Léonora – sans maison et sans cabane, sans même une terre à glaner. Rien.

Où aller, hors Passerose et la chambre bleue ? Où aller si Jean Breuillet chassait de chez lui cette fille, cette faute, cette fraude ? Elle n'avait pas même été capable de lui conserver leur bel enfant. La cabane de leur mère était désormais verrouillée. Plus personne ne se hasardait dans ce bouge en bord de fleuve. Léonora n'y trouverait ni feu, ni pitance. Le cœur agité, elle appelait l'enfant disparu. On disait que le poète Victor Hugo entendait chaque nuit des frappements à ses côtés. Ses morts chéris, sa fille chérie, Léopoldine, frappaient pour lui, pour lui dire qu'ils l'aimaient. Mais nul ne frappait au chevet de Léonora. On la punissait de toutes espèces de silence. Son enfant se taisait, il n'agitait rien autour d'elle, pas un seul signe. Elle l'appelait, sans remuer les lèvres. Un cri muet, déchirant sa chair, sa langue plus lourde qu'une pierre. Mais jamais, jamais il ne répondait. Elle était punie par les vivants et les défunts. Derrière ses tempes, martelaient les coups sourds de la migraine, les acouphènes et les vertiges. Où était la grâce du royaume promis aux baptisés ? Le père Jean avait menti. Tout le monde lui avait menti. Elle pleurait de la douleur de sentir flancher sa raison. Nulle part, elle n'était à sa place.

— *Je n'habite pas !* Je n'habite ni la cabane du fleuve, ni la chambre bleue, ni le sépulcre de mon tendre amour, ni la maison qui m'entoure. *Je n'habite pas.* Je n'habite ni les forces imparties aux femmes, ni ce nouvel enfant, ni l'amour de cet homme, devenu la stupeur et l'angoisse sans fin. L'amour ne rassure pas, l'amour n'apporte pas la clef d'un songe enfin consenti. *Je n'habite pas.* Ni le chai et ses cognacs, c'est à peine si j'ose emprunter le chemin de l'escalier, de la cour, du jardin, du chemin. C'est à peine si j'ose dire un mot aux servantes, moi, en dessous de la moindre servante. Sans Passerose, j'aurais fui, aux brouillards bienheureux du fleuve. *Je n'habite pas.* Je n'habite pas ce corps et ce visage, qui me dénoncent telle une suspecte. On m'a accusée des plus bas calculs. Ma mère, autrefois, avait conçu une grande terreur devant ce hasard qui m'avait modelée parmi les belles. Celles qui ne trouvent ni le repos, ni le respect, ni le secours de l'insignifiance. Le secours d'être confondue aux roseaux du fleuve, aux épis du champs, au fruit ordinaire, à l'oiseau invisible. *Je suis défigurée.* Ma mère ne m'aimait pas à cause de cette beauté, issue de son corps malingre, de son visage sans âge. Elle ne me reconnaissait pas, elle me donna à peine son lait et me confia à Passerose : « Prends-la, elle me fait peur. »

Les handicaps de ses enfants morts en bas âge, ses fils sans grâce, taciturnes, Passerose qui repoussait à la façon d'une ogresse, composait le lot amer, naturel qui était le sien. Tous issus d'elle, et d'un géniteur tout noir de peine, de labeur, tout noir du sang de la braconne, disparu aux champs d'honneur et d'horreur. Le glaneur, son géniteur, ce soldat inconnu. Les cendres peut-être mêlées à celles des obscurs, des petits, des moins que rien. La Fourve mettait sur le compte du démon cet effarant cadeau de la nature. Elle se fût voilée la face, elle eût préféré une fille borgne et boiteuse.

— *J'habite tout entière un malentendu.* Je suis prisonnière de la chambre bleue, seule serre qui m'empêche de mourir trop vite.

\*
\* \*

Qu'étaient devenus le port, les rives de la chambre bleue où dormait chaque nuit Jean Breuillet ? Elle tourbillonnait. Sa grossesse accentuait ses tremblements. Elle s'était mise à croire que l'âme de son enfant rôdait dans la chambre bleue et se persuadait devoir y passer sa vie pour attendre le moment où enfin, tout serait consumé.

Le docteur Renouard hochait la tête. Après ses couches, il envisageait les saignées, un traitement de bains chauds, prolongés, davantage d'opium, une purgation régulière. Il établissait avec Rose Delageon, devant Passerose, la nécessité d'un régime lacté, plutôt végétarien avec un peu de viande rouge, crue, chaque jour. Il ne jetait pas un regard à Jean Breuillet. Il n'osait formuler sa crainte : l'étape supplémentaire de cette mélancolie doublée de fixation. Il ne fut pas étonné quand elle se mit à boire. Il serait bon de la mener à la maison de santé de Saujon, suggéra-t-il. On y pratiquait la balnéothérapie, des soins plus énergiques. Décidément, Jean Breuillet n'avait pas eu de chance avec le mariage. Le docteur Renouard enfonçait sa casquette doublée de laine de mouton, d'un geste mécontent. Il claquait le fouet qui entraînait le cheval et sa voiture vers d'autres malades.

*
* *

La campagne, les routes et les villages étaient déserts.
La campagne, la route et les villages savaient.

## 27

Toutes les nuits, Jean Breuillet laissait la porte communicante ouverte. Il montait de son bureau certains dossiers et travaillait tard. La veilleuse de la chambre bleue éclairait le fin profil, les épaules blanches, la chevelure nattée. Il refermait le dossier, éteignait la lampe à clocheton vert et rejoignait le lit de sa femme. Il refusait de la quitter. Mais la méfiance la reprenait, un tournoiement de lune malade verdissait son regard.

— N'aie pas peur, je suis là près de toi.

Elle se recroquevillait : comme elle était mince en dépit de ce ventre lourd ! Il posait sa joue contre ce ventre.

— Tais-toi, ne dis rien.

Elle se dérobait.

— Ne me touche pas, ne me touche plus, je ne veux pas d'enfant.

Elle claquait des dents, les mains glacées. Il remontait la couverture ouatinée sur elle. La journée à peu près apaisée, les soins du médecin, les gouttes d'opium, tout s'annulait encore une fois. Combien de temps allait-il supporter l'anéantissement qu'elle lui jetait au visage ? Combien de temps entretiendrait-elle la fraîcheur saignante d'une plaie jamais refermée ? Jean Breuillet refusait de toutes ses forces qu'elle l'entraînât dans le désespoir. Il ne quittait pas la chambre ni le lit. Il baisait la chair froide sous la dentelle. Il oscillait entre deux forces violentes, contraires. Rester là, dans cette couche, avec cette femme, rien que cette femme. Ou tout plaquer, le lit, l'épouse, l'enfant. Vivrait-il seulement, cet enfant si peu accueilli ? Il rêvait de la mer, du navire vers l'Angleterre ou la Hollande. Partir, œuvrer pour son cognac. Rétablir la fortune de ses vignes maltraitées. Abandonner la chambre bleue et sa démente. S'établir dans son ancien quartier, la chambre brune, la chambre des ombres, fermée, la chambre qu'il ferait ouvrir, rétablir dans la légitimité de sa paix nécessaire. Que lui importeraient les hoquets de Maria-la-bègue ! Qu'elle reparte dans la famille de Marthe ! Un émoi compliqué lui serrait la gorge quand il pensait à Marthe. La séparation, la décence si morne d'une vie active, vouée à ses vignes. Léonora. Leur bel enfant était mort. Il se raidissait, préférait passer pour froid et insensible. Léonora avait suffi à donner de lui la déplorable image d'un homme baroque, passionnel. Il courbait le front, il courbait sa vie, il devenait à son tour une sorte de glaneur qui cherche, les mains nues, écorchées, une pitance, une réponse. Il tâtonnait, chaque nuit, vers la chambre bleue, dans l'espoir absurde de protéger l'enfant à venir. Il lui manifestait par la caresse furtive, sur ce ventre qui bougeait, un signe d'amour. Léonora finissait par s'endormir. Jean Breuillet veillait le plus longtemps possible.

Depuis toujours, il avait pris l'habitude de dormir peu, de se lever aux aurores. Il buvait un café noir, et travaillait en robe de chambre, ses dossiers, ses trouvailles. Marthe : sa maladie et sa mort avaient été le seul désordre qu'elle s'était permis. Il regardait le jour blanchir les hautes fenêtres. Quand la passion d'amour – le malheur – avait cogné à sa porte, il avait ouvert toute grande sa demeure au lieu d'en barrer prudemment les issues. Il n'avait pas été sage.

*<br>* *

L'été s'avérait brûlant et le vieil Émile avait fui, quelques jours, à Pons. Au milieu de la nuit du 15 août, Jean entendit un feulement, une chute. Il se réveilla en sursaut. Le lit était vide. « Léonora ! » Il criait son nom avec terreur. La porte était ouverte, elle n'était pas dans l'autre chambre ni dans le cabinet de toilette.

On gravissait les étages. Passerose avait surgi, sa lampe au poing.

— Léonora ! hurla-t-il à nouveau.

Ils se rencontrèrent sur le palier, en haut de l'escalier. Léonora n'était nulle part. Il eut alors la vision glacée du fleuve, de ses roseaux, de sa vase.

— Léonora !

Tout à coup ils entendirent gémir et suivirent la piste de cette plainte.

Ils découvrirent Léonora sous l'escalier, au tournant en pas de vis de la seizième marche. Là où le recoin se fait cagibi obscur, où nul ne s'aventure, pas même les araignées.

Recroquevillée, défaite, à demi morte, elle avait bouté hors d'elle un enfant qui vagissait dans le noir.

J'étais née dans la nuit du 15 août, quand culmine l'été, au recoin d'un escalier de la maison.

Maria-la-bègue avait tout vu et n'avait rien dit.

J'ai besoin, pour dépasser l'effroi, d'images heureuses. Le bonheur de Léonora et de Jean Breuillet, il me faut y entrer au moyen d'une suave effraction.

Il l'avait trouvée sur son chemin comme on ramasse un précieux collier d'or perdu sur une route. Je vais souvent buter, à l'orée d'un mot, d'une phrase inachevée, du silence, en une brusque impasse. Je me heurterai au calvaire en pierre qui marque les chemins vers le fleuve. Passerose en avait trop dit ou pas assez. Il me fallait le roman de Jean Breuillet et de Léonora. Je voulais capter, vive et invisible, les images que reflètent les miroirs vénitiens, l'infini répété en images. Il me fallait franchir les espaces d'avant, dépasser les mesquines limites.

*
* *

Il y avait eu les grands traumatismes. Le 16 juillet 1870, à 6 heures du soir, la guerre était déclarée contre la Prusse. Ce fut Sedan, l'échec, la fin du second Empire, Napoléon III prisonnier, torturé de honte et de calculs de la vessie.

— On ne sait plus gagner les guerres, chevrotait le vieil Émile. Le bruit court qu'il y aurait des officiers juifs dans l'armée française. Inutile d'aller chercher plus loin les causes de la défaite.

172

La guerre avait atterré les campagnes.

Au printemps 1871, ce fut la Commune. Paris avait mangé du rat et abattu l'éléphant du Jardin des Plantes pour survivre au siège. L'éléphant avait pleuré à grosses larmes sous les cartouches insuffisantes. Il avait été long à mourir. Sa viande représentait quatre cents grammes par habitant du quartier. On fit une soupe populaire de ses pauvres grosses pattes. Ces échos parvenaient en Saintonge.

Mai 1871, il y avait eu le mur des fédérés. Les Versaillais avaient fusillé des hommes, des femmes, des enfants. Une certaine France, celle de M. Thiers, se dressait contre une autre. La Saintonge se détournait, circonspecte, de ces sanglants désordres.

Une catastrophe les sidérait.

Un monstre ravageait les vignes. Le phylloxéra *vastatrix*.

— Ma mère l'avait prédit, bêlait le vieil Émile.

Cet insecte hémiptère, invisible au premier coup d'œil, ce puceron parasite, collé à la racine de la vigne, la piquait et, sans relâche, extirpait sa sève vitale. Il allait, muni d'un suçoir, de deux antennes, de six pattes avec le cerveau obsessionnel du pou, de la tique. Il s'attaquait à la vigne par le haut et par le bas. Le phylloxéra développait des nodules. La vigne, essentielle en ces existences liées et bornées à son culte, se comparait désormais à un visage merveilleux rongé par un lupus infect. Le parasite allait fort et vite. La vigne s'étiolait, ses racines se brisaient dans un froissement de verre. Sur les feuilles, les œufs pondus développaient une gale. Les nymphes se régalaient des racines. Une vilaine mort, une défiguration, une lèpre, une infection, une pourriture vivante. Le parasite succédait à la prébine des vers à soie, la maladie de l'encre sur les châtaigniers. On en était venu à bout, grâce au soufre. On ne s'attendait pas à un tel hémiptère.

Le phylloxéra s'était introduit dans la région avec l'arrivée de quelques ceps américains qui portaient avec eux la maladie de l'oïdium et du mildiou. Il procéda à la manière des grandes épidémies. Un système, invisible, de reproduction se mit en place à la fin de l'été. Nul ne vit l'accouplement monstrueux des insectes mâles et femelles. La femelle pond sur les racines les plus profondes, un œuf unique, l'œuf d'hiver. Le mal se prépare. Au printemps, l'œuf d'hiver éclôt et donne naissance au rejeton maudit : le phylloxéra *aptère.* Invisible, sans ailes, il descend jusqu'à la souche, la racine dont il va vivre, qu'il va pomper de sa moelle. Hiérarchie du pire : le voilà promu phylloxéra *radicicole*, exterminateur de la souche. Une innombrable colonie se reproduit alors à grande vitesse, de souche en souche. En peu de jours, peu d'heures, la vigne entière est dévastée. Une avidité sans fin, une reproduction insatiable.

Transformation du mal en un mal encore plus grand, le phylloxéra *aptère* atteint sa croissance. Le monstre femelle se fait nymphe, puis phylloxéra *ailé*. La nymphe ressemble vaguement à une cigale ; elle frétille de ses mortelles élytres. Elle a pour complice le vent qui la pousse, elle et ses grandes ailes, sous forme d'une nuée visible, blanchâtre. Elle va, femelle maléfique, puissante, propage le mal au loin, toujours plus loin. Pas une seule vigne n'échappe à ses fureurs. Une nouvelle ponte a lieu. Une progéniture d'enfer, des mâles et des femelles qui vivront quelques jours, destinés uniquement à la reproduction de la ponte d'hiver. Ainsi va rebondir le cycle mortel.

L'affolement domina. On inonda les ceps. Les plus sensés, dont Bonne-Maman et Jean Breuillet, allèrent jusqu'à admettre l'exorcisme. On vit des rebouteux longer les ceps noircis, jeter d'étranges formules, inonder les vignes d'urine de porc ou de femme enceinte. On étala de la chaux, de la cendre de bois. On proposa de battre le sol à la pioche, à lourds et rudes coups, de la même manière que le bourreau, au temps de François I$^{er}$, né à Cognac, rouait les assassins. Rouer le puceron et sa femelle ailée afin de mieux les déloger du reste nébuleux d'une vigne.

On devint fou en cognant la terre, en frappant la vigne, en heurtant la fétidité des souches. On criait des blasphèmes. La vigne se cassait, sèche, noire, vidée de sa vie, cadavre qui empestait le musc et la vase. Certains vignerons, du côté de Chassors, Jarnac, Saint-Même-les-Carrières, ruinés, pleuraient en frappant le sol. Ils sanglotaient, à genoux sur les épaves, demandaient pardon à la vigne, hissaient un poing vers le ciel pour accrocher leur désolation aux nuages, à un Dieu impassible. Ils grattaient la terre, l'ouvraient à mains nues pour traquer la chose, la repousser au profond des entrailles rouges, en feu, en lave brûlante.

Le bon sens revenait et la guerre reprenait. Attaquer encore et encore le puceron invisible à la force des pioches et des bêches. Lui mener la danse, le réduire en sang. Jeter à la mer pour ne point polluer la Charente, cette terre désormais outragée, pelletée en longues traces noires, où se mêlait, espérait-on, le puceron par milliers démembré, roué.

Un rebouteux lança une idée qui venait de Pline l'Ancien : placer un crapaud mort sous chaque cep. Une proposition scientifique vint d'Ardèche : le sulfure de carbone. On l'injecta pendant des jours et des jours, à l'aide d'un pal. L'air sentait le soufre, la cendre et la charogne, mais rien n'y faisait. On s'apercevait que l'eau noyait aussi le mal et que le phylloxéra était sans effet sur les plants de vigne américaine.

En 1852, madame Eugénie avait tremblé devant un premier mal qui rongeait la vigne : l'oïdium. En 1855, on avait trouvé le sulfatage au soufre qui entraîna un long répit. En 1864, Marthe Breuillet entrait dans la

175

maladie et le mildiou crachait son rejeton abominable : le phylloxéra. Dix ans plus tard, Marthe mourait, des centaines d'hectares avaient été détruits (les trois quarts du vignoble). Le fléau perdurait. Sur une terre asphyxiée, un désert morne. Pas même vendable. Le Bordelais, la Bourgogne vivaient un grand marasme, avec la ruine et son cortège de suicides. Les plus chanceux, taciturnes, poussaient les fûts sur les gabarres, trouvaient de l'embauche aux ateliers de tonnelleries chez Hennessy, Martell, Hine, ou Jean Breuillet. Les plus démunis entraient dans un groupe en dessous des glaneurs : les bordiers, qui survivaient des restes de la glane et de la braconne. Quelques-uns s'exilèrent en Algérie. Vivien Lelindron ne savait plus où situer son plus grand malheur. La fin de sa vigne ou la trahison de Léonora ?

*

*  *

On géra au mieux les plants de la vigne américaine, celle qui résistait. Les grandes maisons, dont Jean Breuillet, allèrent aux États-Unis chercher les greffons nécessaires. Les vignes américaines se nommaient le clinton, le jacquez, au goût de cassis, l'isabelle, à saveur de framboise, le noah, au goût d'airelle. Il y avait un grand obstacle : ces vignes américaines n'aimaient pas les sols calcaires. Il fallut réfléchir, ruser, patienter. On songea à des porte-greffe, pour réanimer les cépages français mêlés désormais à ceux d'Amérique. La III<sup>e</sup> République était proclamée, le Président se nommait Mac-Mahon. La Charente s'en moquait, frémissant de son seul vrai cataclysme, le phylloxéra *vastatrix*. Hors la vigne massacrée, tout n'était qu'une lugubre péripétie. Même si des enfants de cette terre étaient morts à Sedan, on entendait surtout, jusqu'au fond des murs des domaines, le grignotement affreux du puceron. L'ennemi redouté était ici un insecte.

La victoire finale n'allait pas porter le nom de généraux et de traités, mais se nommerait le sulfatage. On mêlait le sulfate de cuivre au sel, à l'eau, à l'acide sulfurique. On ajoutait du plâtre puis on pulvérisait sans relâche cette bouillie bordelaise, un lourd appareil sur le dos, les mains et les yeux irrités, la gorge brûlante.

Ces végétaux avaient crié, jusqu'à la purulence de leurs plaies vives, quand l'insecte les vidait de leur sang. On le savait, on le disait. Le tapage de l'insecte rongeait, jusque dans leur insomnie, les entrailles des hommes. Le phylloxéra *vastatrix* faisait un bruit d'enfer. Il y eut les crémations de ces restes anéantis. La crise dura jusqu'au tournant du siècle.

*
* *

On assimila la mésalliance de Jean au malheur général. « Phylloxéra et Léonora, clabaudait la malveillance, sont deux types de rongeurs mortels. » Le père Jean s'indignait, tonnant dans une église quasi déserte que l'unique parasite en ce monde, la race de vipère, n'était que l'homme et son arrogance.

Jean Breuillet avait arpenté ses vignes, sulfaté avec ses hommes, mais il n'y avait plus rien à tirer de ces cépages convulsés d'une arthrose secrète qui crevaient en pustules noircies.

— Le vrai malheur de cette maison a été le décès de madame Marthe, répétait, sentencieux, le vieil Émile.

Maria-la-bègue opinait. Elle contemplait longuement les ceps tordus, calcinés. Elle levait la tête vers la chambre bleue. Elle baissait les yeux sur le cépage torturé. Léonora, le phylloxéra. « La malédiction apporte la malédiction », grondait-elle avant de marmonner une prière pour Marthe Breuillet. « Qu'elle intervienne, ange de fer, glaive de feu, qu'elle extermine l'imposture ! Qu'elle redonne la vigueur à ces vignes autrefois verdoyantes, gorgées de miel ! Qu'elle anéantisse la progéniture issue de la faute de Jean Breuillet. Qu'elle achève de brouiller la raison de la folle qui ose régner là-haut ! » Maria-la-bègue tremblait en pythonisse qui suppute davantage dans les forces obscures, interdites que dans les Écritures. Quel défunt avait, en ce bas monde, la puissance d'exaucer ce qui était sage, ce qui était juste, ce qui était bon ? Tout n'était que silence dans la chambre brune, au lit houssé de blanc funèbre. Nos morts sont si faibles, si loin, la terre si petite, surencombrée de leurs cendres.

Un sanglot nouait la gorge de la servante.

## 29

Jean Breuillet avait eu de la chance. Le libre-échange, une période de paix qui avait été longue, avant et après Sedan, avaient multiplié les ventes. Les cognacs atteignaient 500 000 hectolitres au début de la crise du phylloxéra. Il pouvait courber le dos et attendre la fin du drame. Les victimes étaient les viticulteurs, non les grands négociants.

*
* *

Vivien Lelindron était ruiné. Sa terre était devenue plus noire qu'une planète inconnue et sans vie. Jean Breuillet l'avait engagé à sa tonnellerie, dans l'atelier derrière le long chai en angle de la maison du souffleur de verre. Vivien Lelindron vivait seul et sifflait, mélancolique, hermétique, la ballade de l'amour et de la rose. Le bruit courait, vite étouffé, qu'il avait espéré épouser, autrefois, la belle Léonora.

On avait du mal à lui donner un âge. Il était resté figé dans une fausse jeunesse, la trentaine brûlée de soleil. De taille moyenne, mince, nerveux, il penchait sur les fûts à cercler un profil brun, aigu, le pli amer d'une bouche close. Il avait les yeux noirs, ardents, souvent baissés sur l'ouvrage. Secrètement, il était resté épris à en mourir de Léonora, cette femme qu'il

suivait, autrefois, de champs en chemins, tel un renard. Il eût tué quiconque l'aurait approchée. Du
temps de sa modeste prospérité, il embellissait sa maison basse et simple dans le but de recevoir un jour, en
épouse, la glorieuse fille des glaneurs. La mère La
Fourve aimait bien ce projet.

Quand il était revenu de Sedan, sa vigne était déjà
atteinte du grand mal, et Léonora perdue pour lui. Un
chagrin indépassable broyait sa gorge. La maison basse
était humide, sinistre. Dans un premier mouvement il
se jeta tout vif contre le mur, y cogna ses poings, son
front. Il songea au fusil, à le décharger dans sa bouche,
pour en finir. Derrière le carreau brouillé, sa Folle Blanche était un cadavre noir, une soue que même le cochon
dédaignait. Le viticulteur était désormais dédaigné. Vivien Lelindron, fils unique de Juste Lelindron, le veuf
trouvé raidi un soir d'été, le front contre sa terre aimée,
sa vigne aimée, accepta de travailler aux ateliers pour
apercevoir Léonora. Qui l'empêchait d'aimer, sans jamais le dire, la fille des glaneurs ? Est-ce parce qu'on
ne voyait jamais Dieu qu'on cessait de l'adorer ? Mais
Dieu n'était rien pour lui, en deçà de la cendre de sa
vigne. Dieu n'était pas là quand, du côté de Sedan, des
hommes hurlaient, la jambe arrachée, le foie percé d'un
coup de baïonnette. Ils tombaient, disaient « Maman »
ou « Mon Dieu » et seules les pierres criaient.

À La Burgandière, on prit l'habitude de voir chaque
jour « le viticulteur ». Il disparaissait dans l'atelier,
s'en allait à la nuit vers son champ dévasté où plus
rien ne poussait, pas même le chiendent. Son ombre
était celle du loup dont le piège a broyé la patte. Il
partait vers la maison, jadis blanche et pimpante, devenue aussi noire que le champ, masure dont il prenait la forme voûtée de tanière désolée. À l'aube, il
revenait à l'atelier et quand il levait les yeux vers la

chambre bleue, ses yeux ressemblaient à deux diamants noirs.

*
* *

Madame Eugénie se vantait que le phylloxéra *vastatrix* avait permis de dégorger un excès de stocks. Il y en avait, prédisait-elle, pour au moins vingt années de vente en fin de crise. Les Breuillet et les grands négociants entreprirent le stockage des eaux-de-vie. Du malheur, on déboulait, pour les plus prospères, dans l'âge d'or du cognac. La ville elle-même croissait. De cinq mille habitants en 1850, elle triplait ce chiffre en 1878. La multiplication des ateliers liés à la tonnellerie, à l'emballage, à la première machine à embouteiller avait compensé l'arrachage des pieds de vigne. Cognac se transformait en ville ouvrière. Conséquence de cette mutation, on releva, partout en Saintonge, un front houleux décidé à ne pas se laisser vaincre : la vigne renaîtrait. Les cognacs La Hournerie, ceux de Jean Breuillet, formaient une puissante réserve, le pineau aussi. La maison avait de quoi tenir, de quoi agir. Jean Breuillet s'occupait de moins en moins de Léonora… et pas du tout de moi. Il passait ses jours et ses soirées au chai, ce précieux paradis. De mon côté, je poussais drue et vive, au bras de Passerose. Des impressions, des perceptions chaudes, avec parfois le choc d'un cri, celui d'une mère blessée. Pour m'en prémunir, on m'emmenait, à grandes enjambées, vers des chaudes tanières de laine et de lait vanillé.

*
* *

Mon père se rendit à New York avec son frère Léon. Ils embarquèrent à Bordeaux et traversèrent l'océan pendant des jours et des nuits. Leur cabine embaumait l'acajou et le cuir. Les négociations, dans des grands bureaux, en hauteur, avançaient : les cépages américains serviraient de porte-greffe. Des cépages, disaient les commerciaux locaux, admirablement faits pour le sol calcaire de la Charente. Des cépages prêts à faire renaître une vigne encore plus vigoureuse qui venait de la Californie. Ils ressemblaient à la Folle Blanche, donnaient un fruit rosé, gorgé de sucre, riche. Un grand marché était en train de s'ouvrir. Les contrats s'engageaient sur les moissons à venir, le cognac futur, celui des grandes maisons. Léon Breuillet paraphait la procuration de leur mère. La moitié des parts de son cognac lui revenait, mon père ayant investi les siennes à La Burgandière. Moins argenté que son frère, il avait choisi la maison de son père et son indépendance. Madame Eugénie était en effet plus riche que feu son époux, Jean-Eudes Breuillet, natif de la Borderie, riche viticulteur, qui avait lancé avec succès son propre cognac. La famille La Hournerie, celle d'Eugénie, avait vu d'un œil prudent une alliance matrimoniale avec cette maison, plus modeste que la leur, mais prometteuse. Léon, le cadet, choisit le joug maternel, sa décision de le marier à Madeleine Lelaurier, une héritière des Fins Bois. Il avait fallu le phylloxéra *vastatrix* pour que les deux frères acceptassent de s'allier afin de sauver la vigne.

Pendant le voyage et les négociations, ils ne parlèrent que de leurs affaires. Pas une seule fois, Léon ne demanda des nouvelles de Léonora ou de la nouveau-née. Jean Breuillet, raidi dans un costume bleu sombre, donnait le ton. Le moindre dérapage eût tourné à la querelle, rompant trop gravement les amarres entre les familles. Jean Breuillet connaissait la faiblesse de Léon, le gel de sa vie privée : Madeleine n'avait toujours pas d'enfant. Protestante, maigre, avare, le menton avalé dans un col dur, un bruit de clefs à la ceinture, elle passait sa vie à surveiller les servantes, leur disant « vous » du ton spécifique de certains tutoiements destinés à humilier. Madame Eugénie s'irritait de Madeleine et de Marthe la défunte, blêmes épaves dont elle avait enferré ses fils. Quand il y avait eu la fille des glaneurs, la vieille femme s'était même mise à douter.

## 30

Eugénie détestait le doute. Elle le cachait sous des ordres secs lancés à sa bru au ventre vide. Léonora ne se souvenait pas que la vieille femme avait accouru, empêtrée dans son mantelet, avertie aussitôt du drame de la mort de Louis. Elle ne se souvenait pas de la compassion de l'aïeule qui se penchait, donnait des ordres, ramenant d'autorité la mère et l'enfant dans sa demeure, au fond d'un jardin noir, derrière la haute grille en fers de lance. L'enfant enveloppé de linges avait été étendu dans une chambre à l'étage, gisant perdu sur un lit immense. Elle ne savait pas qu'il y avait eu le docteur Renouard, Jean Breuillet, le cauchemar du retour, la traversée du grand pont, les secousses d'une voiture qui grinçait. Elle ignorait que madame Eugénie avait mordu ses lèvres pour refouler un terrible sanglot, qu'elle avait partagé ce dur voyage du retour, que jamais elle ne s'était appuyée contre le dossier d'un fauteuil ni n'avait montré une émotion. L'orgueil de se dominer sans cesse menait sa vie, la tenait vivante et précise, lucide, habile en affaires, mordante dans ses jugements, mais au fond d'elle elle avait souffert. Elle avait beau avoir dit : « Ne pleurez pas, ma fille, cela ne sert à rien », c'était la première fois qu'elle disait « ma fille » à celle que tous méprisaient. Elle préférait taire son attirance pour l'enfant aux boucles de bronze, sa préférence pour l'aîné et cette indépendance scanda-

leuse qui lui avait permis d'oser un choix de vie personnelle même si ce choix tournait mal. Elle taisait la
rumeur intime qui plaidait en faveur de Léonora. La
chair, la belle chair rose de Léonora, la chair pesait
donc un poids plus lourd que des quintaux de raisins
en rouleaux d'or ? Mais que savait-elle de la chair ?

Elle avait eu horreur d'accoucher, de porter par deux
fois un gros ventre. Elle avait une prédilection de fauve
pour l'aîné, Jean Breuillet, elle ne s'occupait guère du
cadet, dont la soumission l'agaçait. La famille Delageon, de mère en fille, la servait. Une petite Rose de
treize ans épluchait les légumes, astiquait les casserol-
les. Les cuivres étincelaient, si beaux, qu'on eût cru des
ornements. Amélie, sa sœur aînée, cousait bien. Une
glaneuse, la mère La Fourve, allouait son lait de nourrice. Ce qui la titillait, c'était la religion.

— Hélas, c'est une catholique, avait dit Eugénie. Il
faut se faire une raison. Les glaneurs, les servantes de
La Burgandière, sont catholiques. Aux maîtres, à nous,
de rester protestants.

*

*  *

La mère La Fourve avait à l'époque accouché à la
suite de quatre enfants. Seule survivait l'aînée, Passerose, âgée de cinq ans. Massive, garçonnière, les pieds
nus claquant dans des sabots en bois, vêtue d'un sarrau
en toile bourrue, elle avait l'œil sombre, perçant sous
une broussaille de sourcils épais et noirs. Sa chevelure
roussie ressemblait à la toison d'un mouton. De sa
mère, elle avait le teint noiraud, la volonté farouche. Du
père, l'orgueilleuse soumission de la glane à mains
nues, le mépris de l'ortie qui fait saigner, de la ronce
qui déchire. Passerose était si forte que son père l'atte-
lait parfois à la houe pour tracer le sillon dans la pauvre

terre qu'on leur laissait. Le père La Fourve ne croyait ni à Dieu ni à diable, mais aux jeteurs de sorts. Il était loti d'une insolite fortune : une paire d'yeux qui oscillaient entre l'émeraude, le mauve, le gris. Vingt ans après la naissance de Passerose, ce trésor se transmettait à la dernière-née, Léonora.

Léonora rassemblait l'héritage complet de beautés éparses sur l'incompréhensible lignée des glaneurs. Assauts lointains d'une soldatesque errante, chevelue d'or rouge, aux chairs d'une fille noiraude, elle-même issue d'une graine sarrasine, portée par les tempêtes guerrières, elle avait tout pour séduire. La mère La Fourve était fière de Passerose, mais détournait les yeux de Léonora comme d'un forfait. Qu'adviendrait-il de cette fille à la peau trop parfaite ? La Fourve se signait. Elle avait enfanté une beauté, une maudite.

Le lait de la mère La Fourve étant connu pour sa richesse, le docteur Renouard l'avait recommandé à Eugénie Breuillet. À dix-neuf ans, la nourrice en paraissait trente. Une silhouette maigre, scoliosée par le poids du lait, des enfants, de la glane. Une taiseuse au profil de chat maigre, à l'ouïe fine. Sa seule douceur était de se rendre à pied à la messe du père Jean, lequel avait baptisé ses enfants, sauf les mort-nés sans baptême. Ils n'avaient ni vécu, ni respiré, ni péché, glane perdue des naissances sans linceuls, ou funérailles. Comme la commune payait une caisse si petite, il arriva souvent à Passerose de la porter sous son bras. Le fossoyeur ouvrait la terre au coin le plus reculé du cimetière, sur la route de Javrezac. On n'attendait pas que les os deviennent poussière pour les rassembler, à grandes pelletées, et les brouetter dans la fosse commune. Le père Jean se contentait de bénir l'ossuaire.

Le prêtre avait appris à La Fourve le catéchisme. Il lui avait donné le modeste livre cartonné de gris, préfacé par l'évêque de La Rochelle. C'était son trésor. Elle baisait la couverture peinte d'une croix noire avec un élan d'amour pur qu'elle ne dédiait à personne. Elle apprit par cœur les prières, les paraboles. Elle acceptait sans murmurer le joug de l'homme, le poids du ventre et du lait. Elle accepta le froid, la faim et même la Providence, cette famille Breuillet, qui soulageait leur misère. La porte du riche, elle le savait, se ferme avec violence au visage du pauvre qu'il offense de sa gifle de bronze. La porte du riche se ferme de la même manière au visage du moins riche et ainsi de suite jusqu'au glaneur qui barricade sa misérable cabane au mendiant, lequel tue à coups de bâton la bête affamée prête à le déchirer pour du pain noir. La mère La Fourve se vivait en exil parce que l'existence était un exil. Sans l'espérance, elle eût cédé à la tentation de se jeter au fleuve, derrière le chemin des roseaux. Elle vénérait ce que disait son catéchisme, et le père Jean dans l'église si vide. C'était son autre lueur d'espoir. Un vent anticlérical soufflait sur la France, mais La Fourve vénérait ce Dieu qui avait offert son seul fils pour le rachat de tous les hommes, ses enfants, ses glaneurs. Au plus petit d'entre les siens, au plus petit des glaneurs, il ouvrirait le frais royaume de la lumière.

Et la glaneuse fermait les yeux, ouvrait son corsage, donnait le lait. Qu'elle ne voulait pas qu'on lui payât. Cette provende-là, bénie, nourricière, elle l'offrait. De ce don, elle devait faire le don. Elle acceptait qu'on lui payât le temps passé à nourrir les enfants d'Eugénie Breuillet, la nourriture et quelque argent quand Passerose aidait à la lessive. Le lait rachetait l'enfant déchu aussitôt que né. Son lait était « la glane », qu'elle, si pauvre, offrait, d'abondance, au riche. Eugénie Breuillet refusait la trivialité du lait. Elle s'était fait bander la poitrine très serrée et avait pris maintes purgations pour couper cette source que, par deux fois, ses fils avaient quêtée, en aveugle et cris d'affamés. La glaneuse s'assombrissait de ce refus qui touchait au sacré.

La Fourve était connue comme le loup blanc. On finissait par dire « La Fourve » qui signifiait « la nourrice » mais aussi « la fausse route », du verbe « se fourvoyer ». Le langage glissa et, rapidement, « La Fourve » devint le surnom de Léonora. La voie perverse de Jean Breuillet, La Fourve de Jean Breuillet, sa vouivre. Fille pétrifiée au sépulcre de la chambre bleue, mère reniant la fille, fille privée du lait de la mère. Une bannie.

— Tout a été la faute de ce lait catholique, éclatait parfois madame Eugénie.

## 31

Eugénie Breuillet avait accouché dans la chambre brune, la chambre décente des maîtres, la chambre qui serait celle de Marthe. La chambre de sa nuit de noces, cet incontournable désastre. La chair, la procréation, cette honte confuse et chirurgicale, représentaient la dure frontière à franchir pour assurer une descendance au cognac. Eugénie Breuillet accepta deux grossesses. Deux mâles. Une contrainte qui lui prit quatre années. Elle s'en tint là et imposa ensuite l'abstinence à son époux. Elle bouleversa l'arrangement de la chambre conjugale et pria Jean-Eudes Breuillet d'occuper la chambre communicante – qui ne pouvait ouvrir chez elle sans son accord. Dès lors, elle n'accorda plus rien. La chambre aux rideaux bruns devint l'antre de la maîtresse de La Burgandière. Personne ne pouvait résister à la régente. Jean-Eudes Breuillet l'eût offensée s'il avait manifesté quelque désir. Il dissimulait qu'il aimait sa beauté austère, sa chevelure noire, son impérial mouvement des lèvres quand elle disait « non ». Son caractère lui plaisait. Elle s'investissait dans leurs affaires, l'éducation des enfants, la gestion de la demeure. Elle partait souvent à Cognac, « dans sa famille La Hournerie ». Une famille réduite à deux hommes qui l'écoutaient. Son oncle qui déclinait et son père devenu, suite à une attaque, à demi paralysé, immobile dans le grand fauteuil grenat contre la fenêtre. Un sourire errait sur sa bouche aphasique quand elle entrait, vêtue de soie ponceau, chapeautée de longues plumes, d'un élan de grand oiseau volontaire.

\*

\* \*

Elle n'aimait pas La Burgandière, « ce trou perdu », préférant sa ville, sa maison natale où tout était sombre, des rideaux au jardin. Elle n'avait pas connu sa mère, décédée à sa naissance. Une nurse anglaise, miss Temply, l'avait élevée. Une maîtresse de piano et de broderie de la ville, un maître de danse, natif de Barbezieux, avaient achevé une éducation de bon ton. Eugénie s'ennuyait au piano, jouait froidement *La Poule* de Rameau, chantait juste et d'une bouche exaspérée quelque romance. Elle détestait les travaux d'aiguille. Les romans l'irritaient. Elle avait lu *Indiana* de George Sand et méprisait *Lélia*, « cette soupe », disait-elle. Elle aimait danser le quadrille des lanciers, fière manière d'observer le danseur, *la proie* nécessaire au mariage qui enrichirait sa demeure. Il était obligatoire qu'elle eût une prospérité. Pour cela, il lui fallait un mari. Le bal conservait sa fonction sociale, puisque dans la danse, la tête menait le jeu alors que les jambes, les bras étaient juste de gracieux accessoires, elle avait jeté son dévolu sur fond de musique.

Elle excellait dans les figures du quadrille mais davantage encore – déjà ? – dans les chiffres et l'intendance de la maison. Personne ne pouvait résister, en ce temps-là, à ses ordres lancés de haut, parfois sans parole. Un geste de la main désignait la poussière sur le meuble, l'eau ternie d'un miroir, la trace de cire sur le plancher, la disparition du beurre à la souillarde. Les servantes tremblaient, le domestique s'empressait. Le jardinier craignait son œil oblique, infaillible. Tout le monde obéissait à Eugénie La Hournerie. Elle épluchait les comptes, aux côtés de son oncle et de son père qu'elle accompagnait aux chais. Le bouilleur s'empressait. Eugénie n'avait pas vingt ans et avait peu à peu engrangé les forces de la solitude quand elle s'assimile à un règne. Miss Temply était repartie en Angleterre après lui avoir enseigné, entre autres vertus, un anglais impeccable, la foi protestante, l'obligation de retenir ses émotions et de ne jamais verser de larmes. Il n'existait aucune raison de pleurer, c'est-à-dire de se répandre, arguait-elle. Les deuils ne se pleurent pas, c'est vulgaire, mais nécessitent une vigilance accrue, une réflexion sur soi, sur ses limites et ses capacités. Dieu seul décide, se venge si nécessaire, et la porte est étroite. Il est donc inutile de larmoyer, d'oser cette incontinence. On se doit de châtier aussi sévèrement la douleur physique. M. La Hournerie, lucide dans sa paralysie, était un exemple. Pas une plainte, pas un cri.

— La douleur physique, étalée, est une crise d'obscénité, précisait la nurse. Elle a quelque chose de catholique, de mahométan, de sémite, d'abaissant. Il n'est point nécessaire, telles ces engeances hérétiques, de faire la grimace.

L'Anglaise méprisait la faiblesse, Eugénie aussi. Elle aborda elle-même le sujet de son mariage, étudia froidement le choix du partenaire. L'héritier de la Borderie lui convenait, quoique de prestance inférieure à leur maison. Elle laissa son père et son oncle engager les négociations. Tout s'accomplissait.

*
* *

Jean-Eudes Breuillet vivait mal depuis le refus sensuel de son épouse. Il eût voulu émouvoir le marbre délicat d'une chair abondante et ferme mais la bouche aux lèvres rouges se détournait, les paupières se fermaient sur une invisible lueur de mépris. Au soir de leurs noces, c'est lui qui avait peur et qui devint tout à coup un bûcheron ivre cognant au flanc d'un jeune bouleau. Mais déjà, si vite, elle avait disparu de la chambre, du lit, le ventre chargé de la sève nécessaire à la postérité – la puissance et la gloire du cognac.

Il était seul, il multiplia les voyages d'affaires. Ayant laissé à La Burgandière une maîtresse femme, il ne craignait ni pour sa vigne, ni pour son chai, ni pour ses biens. Il redoutait ce lent enténébrement, ce sentiment de solitude mortelle. Il parlait peu : il se tut davantage. Eugénie Breuillet feignait d'ignorer certaines haltes dans ses voyages à Bordeaux, à Paris, à Londres. Il allait dans les maisons aux murs de velours rouge pour trouver la chair, opulente, les filles si blanches, à la chevelure andalouse, à la jarretelle noire sur le bouillonné ouvert des dentelles. Il payait l'ineffable luxure, sa merveille louche, au fanal des bouches, qui s'ouvraient, pour lui, en d'infinies profondeurs maritimes d'où il revenait, naufragé et seul sur la moire cramoisie. Parfois, l'inconnue était si fougueuse – celle qui ressemblait à Eugénie – qu'il déchiffrait au coin de ses lèvres peintes la trace argentée de sa sève. Existerait-il un monde où, enfin, l'époux pourrait traiter l'épouse telle la bienheureuse fille du bordel ?

Ses fils grandissaient. Il les formait au cognac. Il communiquait avec une sorte de grâce et sans beaucoup de mots avec l'aîné, Jean. Sur bien des points, y compris le regard ardoise, ils se ressemblaient. Le cadet restait distant, totalement soumis à cette mère dont Jean-Eudes Breuillet n'avait plus jamais approché la chambre. Son valet, le jeune Émile, le rasait d'un air de compassion respectueuse. Eugénie vivait si détachée de son époux que son décès – une crise cardiaque à la fin d'une grande vendange – marqua davantage les servantes que la veuve. L'aîné, à son agacement, avait osé pleurer. Elle fut plus affectée, l'œil sec toujours, de la disparition de son père. Son oncle, vieux garçon impénitent, était mort avant le paralytique, « d'une goutte remontée vers le cœur ».

*
* *

Eugénie revint à Cognac. On avait pris l'habitude, partout, de l'appeler « madame Eugénie ». Les partages et les arrangements étaient simples : elle héritait de tout. Elle marierait au mieux ses fils, en temps et en heure. Jean Breuillet était attaché profondément à La Burgandière, la Borderie, la mémoire de son père. Léon ployait aux ordres maternels. Elle l'installa à Cognac, qui lui reviendrait. Elle lui trouverait une épouse dans la famille Lelaurier, des Fins Bois, alliés par cousinage aux Chassin, prospères vinaigriers. Elle avait accompli les rituels, agrandi les fortunes, elle avait donc fait un bon mariage. Elle ne s'attardait jamais sur la fadeur d'un regret.

Tous ignoraient qu'elle avait frôlé un petit roman, un authentique regret, bien enfoui, bien châtié. Il s'agissait d'un officier rencontré le jour de ses fiançailles, dans le grand salon, à Cognac. Elle portait une robe blanche en organdis à triple volant et long corsage à manches gonflées, sa taille serrée dans un ruban en taffetas changeant fermé par une boucle de perles. Sa chevelure, bouclée au petit fer, noire, brillante, s'ornait d'une grappe de fleurs blanches retenues par des épingles d'or. C'était le printemps. La « corbeille » de la fiancée contenait un triple rang de perles rares, les bracelets assortis, des pendentifs en diamants, et surtout, les hectares de la Folle Blanche... La bague de la fiancée brillait, grosse perle d'Orient, cernée d'une fine poussière de diamants. Elle ne se souvenait guère de son futur, correct et ganté, qui parlait à son père, dans un coin du salon. Les violons et le piano entamèrent le quadrille des lanciers quand un officier inconnu s'avança. Elle accepta et ils dansèrent sans se toucher. Une force d'aimant ; une force d'amants. Il la regardait d'un feu outrageant tandis qu'elle frémissait d'une convulsion inconnue, au niveau du ventre. Elle n'avait jamais ressenti cette émotion, cette surprise physique, viscérale, humiliante, invincible. Quand Jean-Eudes Breuillet l'avait embrassée sur la main puis sur les lèvres dans le jardin, le matin même, elle était resté de marbre alors que le quadrille, l'officier de velours bleu et de satin rouge aux bottes brillantes l'avait agitée. L'ombre argentée d'un sabre, la main aux gants blancs, la moustache noire sur une bouche mauve... L'austère fiancée de Jean-Eudes Breuillet s'était mise à vibrer d'un émoi qui l'épouvantait. Coucher, se coucher, nue, contre la peau de cet inconnu, devint pour elle une envie. Eugénie La Hournerie, fiancée glaciale, avait chancelé d'un coup de foudre sensuel. Elle apprit en quelques secondes et sans la moindre initiation qu'il n'y a pas d'autre amour que charnel. Elle flamba, la chaste fille en blanc, couronnée de roses, de perles, de boucles de soie noire. Elle flamba le temps d'un quadrille des lanciers. À quelle figure, déjà ? La ronde, l'échange, le quadrille ? Elle ne sut jamais comment elle acheva sa danse, sans tomber, sans fléchir, sans mourir, sans rien laisser voir. Elle quitta le salon, très pâle. Jean-Eudes Breuillet voulut la suivre.

— Laissez-moi, gronda-t-elle.

Elle se réfugia dans un petit salon désert encombré de manteaux, de chapeaux, de cannes. Elle palpitait, elle mourait. Elle avait mal au cœur.

— Quel cœur ? balbutiait-elle.

194

Elle cogna son front contre le mur tapissé de vert sombre. Une marque bleue, *la honte au front,* fut le résultat d'une telle journée. Elle avait désiré un homme à en mourir et banni mentalement à jamais, en quelques minutes, celui qu'elle avait choisi d'épouser.

Des années plus tard, Jean Breuillet avait osé emporter dans sa maison, la bête, la fleur, la chair, la fille Léonora. Jean Breuillet, le fils d'Eugénie, celle qui n'avait pas dérogé, celle qui avait châtié sa chair jusqu'à refuser le lait.

Le scandale Léonora, l'oïdium, le mildiou, le phylloxéra, les deuils agitaient Eugénie. Elle refusait le
doute, ce parasite de l'âme, préférant puiser dans sa fortune la certitude, le plaisir sans fin de la puissance.
Puissance, jouissance, une seule manière de penser.
Madame Eugénie allait au temple, le dimanche, le cœur
froid. Sa vraie religion demeurait la route des vignes,
les ors du cognac. Le cognac menacé lui tenait lieu de
vrai tourment. Tuer la vigne, c'était blasphémer, toucher au Sacré. La mésalliance de l'aîné l'avait, dans un
premier temps, suffoquée d'un malaise si grave qu'elle
le crut physique. Son cœur cognait à grands coups, le
sang gonflait les veines de ses tempes, elle allait avoir
une attaque. Le docteur Renouard était venu la voir ;
de méchante humeur, selon son habitude. Elle accepta
la saignée, la honte d'être faible. L'épouse de Léon l'agaçait, Léon aussi. Pourquoi ne lui avaient-ils pas donné
d'enfants ? La glaneuse était grosse, disait-on, d'un enfant. Elle laissa échapper un gémissement. Elle aurait
donc, infamie, une descendance, mi-terreau, mi-boue ?
La boue du fleuve, sa vase. La glaneuse née de la vase.
Un vers de M. Victor Hugo, lu dans *Les Ondines,* la
mettait au bord de la nausée :

*Et la vase fond morne, affreux, sombre et dormant.*

Elle suffoquait, jetait des mots en pierres tranchantes qui égratignaient le visage livide de la bru. Elle s'accrochait à sa ceinture de clefs, misérable sauvetage d'une vie enchaînée à ces murs si noirs de la *Torulla*. La méchanceté de madame Eugénie était sa façon de lutter, de reprendre pied avec âpreté. Comment chasser la glaneuse de la maison de son fils ? Un divorce ?

*
* *

Le docteur Renouard bougonnait, de son tutoiement universel, quel que fût l'âge ou le rang de ses patients, qu'elle ferait mieux de penser à autre chose.

— Continue à te tourner le sang et il te montera vraiment au cerveau ! Tu resteras paralysée, la bouche tordue sur ton venin.

Le médecin méprisait l'humanité, les riches, les pauvres, la matriarche, la bru stérile, la glaneuse trop belle, la folie des uns, celle des autres. Il avait compassion des nouveau-nés mais s'en méfiait. Combien vite la graine pousserait et deviendrait à son tour un être âpre au gain, affaibli de désirs, affolé d'une moisson perdue. Il partageait l'amertume du père Jean. Il cautérisait la souffrance, le mieux qu'il le pouvait, mais se sentait impuissant devant ces passions qui envahissaient d'inextricables lichens le corps et l'esprit. Veuf depuis longtemps, un fils parti aux Antilles, il vivait seul, à la sortie de Javrezac, dans une maison où rien ne fermait à clef.

— Il n'y a rien à voler, bougonnait-il quand sa servante s'affolait.

Sa servante n'avait pas de nom, on disait « la servante du docteur », et le vénérait. Elle soulageait aussi, à l'occasion, ses reins. Le jour, la nuit, à l'aube, au crépuscule, il allait, sans repos, sans espoir, dans son mauvais cabriolet mené par une jument aussi lasse que lui. Ils allaient, sa jument et lui, sur la route froide ou brûlante, les chemins en ornières, au-delà des vignes, vers les fermes isolées, les cabanes des plus pauvres ou la demeure des riches. Il accouchait, pansait des plaies hideuses que la faux avait inscrites dans des chairs noueuses, ajustait des attelles au laboureur dont les jambes soudain, l'abandonnaient, voyait se déformer à grande vitesse, la jambe, ou le bras ou les deux jambes de ceux que le microbe du marais handicapait. Il arrivait à vaincre la fièvre à coups de saignées, et d'eau d'alcali, conseillait les frictions alcoolisées, le long du dos, le long du membre vaincu, cachant sa pitié à ces demi-paralysés, souvent jeunes, qui se relevaient péniblement, une jambe maigre comme un bâton, se traînant sur une béquille en forme de faux renversée.

— Marche mon gars, avance, ma fille. Tu as plus de chance qu'un bossu ou un pendu. Ta jambe de laine ne t'empêchera pas de te marier et d'avoir des enfants.

Il se taisait devant le paralytique, homme ou femme, crucifié sur une couche, le regard épouvanté, la bouche tordue. Le supplice durait parfois des années. Il fermait les yeux sur une pensée fugitive, humanitaire. L'amer poison eût soulagé une telle misère. Les yeux lucides de l'éprouvé(e) le fixaient, rejoignaient la même pensée éloquente et l'encourageaient.

— Je ne peux pas, bougonnait-il. Je reviendrai te voir.

Il posait des cataplasmes à la moutarde sur des poitrines rongées de fièvre. Il s'approchait sans trembler du varioleux, du pustuleux, du goutteux, du tuberculeux, soulageant au chloral la toux, le feu des poumons qui finissait par anéantir. Il assistait à ces agonies, ou à celle de l'enfant pris d'entérite ou vaincu par une mauvaise rougeole. Les chambres puaient de ces rigoles que les entrailles lâchaient. On venait le chercher en pleine nuit si un désespéré était retrouvé, pendu à l'étable ou noyé au fleuve. Il tirait du ventre des femmes en gésine une vie en boule de chair rouge, vigoureuse. Le premier cri du nouveau-né avait l'éclat d'une fureur horrifiée. Il s'en allait à l'aube, ou en plein jour, ou la nuit, les joues envahies de barbe, épuisé et sans illusions. Il rejoignait la jument, patiente, qui attendait, somnolait en menant les rênes de la voiture, oubliant parfois de tirer la capote. La pluie le réveillait. La jument retrouvait le chemin du bourg. Il allait, somnambule de tant de secrets, du bord du fleuve à la chambre bleue, à tant de chambres où tant de vies et tant de mourants semblaient l'attendre, tout attendre de son bougonnement sans haine.

Il assistait les femmes qui s'en allaient d'une hémorragie trop forte pour avoir bu les herbes abortives, ces innocentes qui avaient succombé aux caresses du vendangeur ou du gabarrier, à même la terre ou dans la paille odorante. Un peu de vin, l'éclat d'un rire, l'ivresse à mi-chemin entre les caresses et le viol, puis le mâle disparaissait, la fille se relevait, lourde du fruit défendu, épouvantée de ne plus voir son sang. Elle n'avouait pas et prenait les herbes du rebouteux. Si elle ne pouvait s'offrir ces mixtures, elle se résolvait à des moyens pires comme le roseau mal enfoncé dans les chairs. Rien n'était plus surveillé – avec la croissance des vignes – que le ventre des filles. Le docteur allait vers ces femmes, mais aussi vers celles qui se consumaient d'absence d'enfant. Il leur tenait le même langage qu'il avait tenu à la bru stérile de madame Eugénie.

— Ton bassin est trop étroit, tes cycles inexistants, tu es trop maigre. Fais-toi une raison. Bois un peu de pineau. Occupe-toi le plus que tu le peux. Va au temple ou à l'église, c'est la même chose. Fais la lessive. Brode un fauteuil. Soigne une bête, adopte un perroquet, torche un paralysé. Oublie-toi et n'embête pas ton mari.

Soigner les femmes qui à leur tour soignaient les hommes. La toux déchirante de Marthe Breuillet, les crises de délirium de Léonora, les doutes d'Eugénie qui acceptait uniquement de lui quelques semonces.

*
* *

Madame Eugénie se remettait mal de son malaise. Même si sa fortune doublait, le phylloxéra, la vue des vignes à l'agonie, l'avaient ébranlée. Elle soulevait le rideau de son salon. Elle regardait l'ombre du jardin, celle de la rue de l'Isle d'or. Le quai de la Charente n'était pas loin, le cri des gabarriers, le va-et-vient des charrettes non plus. Elle tentait d'oublier la rue greffée du sillon mortel. L'enfant Louis, lié, au-delà de tout, à ses fibres, était mort là. Avec une part de ses fibres. Pourquoi, de l'aîné tant chéri, venaient tant de peines ?

Elle allait quelquefois, en voiture fermée, à La Burgandière. On l'entendait arriver. Ambroise, le palefrenier, ouvrait le portail mais elle ne remerciait jamais. En mantelet de velours sombre, la voilette tirée jusqu'au menton, elle gagnait directement le chai, cachant le plaisir réel de voir son fils. Le bouilleur ôtait sa casquette. Elle devinait aux étages l'ombre du vieil Émile dont elle n'aimait pas l'allure de croque-mort, ce masque de blâme qui ne le quittait plus.

Elle haussait le ton, comme un ordre.

— Comment va cette malheureuse ? demandait-elle sans attendre la réponse.

Elle croisait sans le regarder Vivien Lelindron à l'ouïe de chat qui regagnait la tonnellerie où l'on entendait les coups hachés, cardiaques, du marteau sur le bois. Ambroise donnait une ration d'avoine à son cheval. L'écurie de Jean Breuillet comportait quinze belles montures auxquelles Ambroise parlait avec amour.

Madame Eugénie, la tête haute, montait l'escalier désert jusqu'à la chambre bleue. Léonora l'identifiait à un grand oiseau nocturne mais n'avait jamais peur de ce spectre en velours noir. Elle relevait sa voilette, s'adoucissait devant le portrait cerné d'un ruban de deuil. D'un coup d'œil, elle voyait tout. La bouteille à demi vide, le tremblement des mains, la beauté délicieuse des épaules, la paupière rougie. La voix brusque, hautaine, descendait en un mezzo presque doux.

— Ma fille, il ne sert à rien de pleurer. Vous buvez à l'excès, je le sais. Vous allez enfler.

Elle jetait à la volée, non la demande mais l'ordre :

— Je veux voir Marie.

Passerose n'était jamais loin. Elle voyait à travers les espaces, devinait à la manière d'une paysanne fine ce qui la touchait de près. Passerose posait sur ses genoux, dans une couverture de laine mousseuse, la fillette de quelques mois. L'aïeule ne s'appuyait pas au dossier du fauteuil bleu mais comparait le visage de Léonora à celui de la petite fille. Elle fermait les yeux sur un reflet doux, lointain, revoyait, dans l'enfant, son fils, autrefois. Elle retrouvait ses propres traits au dessin ovale et brun de la fillette. Sa voix s'enrouait et elle se raidissait davantage.

— Qui a nourri cette petite ? Elle a les yeux de son père. Quelle sottise d'en avoir fait une catholique ! Au fond, tout est de la faute de la révocation de l'Édit de Nantes. Un certain 16 octobre 1685, ce Louis XIV affaibli par sa bigote de Maintenon !

Les dragonnades, les peurs. La mémoire retenait ce qui avait navré, torturé les âmes, les corps, les peuples – les vignes. Les protestants n'oubliaient rien des guerres de religion. Madame Eugénie n'oubliait rien.

Cognac, peu à peu désertée. Trois portes qui donnaient accès à la ville. Au sud, la porte Saint-Martin, à l'est, du côté de la rue de l'Isle d'or, l'angoumoisine. Il avait fallu vivre l'ablation de la langue d'oc pour la langue d'oïl. Le commerce du sel, en ces temps convulsés, faisait la fortune de la ville. Les La Hournerie avaient été saulniers avant de s'aventurer dans l'alcool. Avec quelques autres, ils avaient pris le risque de ne pas fuir pendant les guerres de religion. Les aïeux de madame Eugénie avaient vu s'installer une vague de catholiques dans la ville et aux alentours. Des Vendéens, des affamés du Poitou, quelques boucheleurs ruinés du côté de Marennes et de Brouage : des « gavaches. » Léonora, les glaneurs, les servantes, le viticulteur, le palefrenier, le souffleur de verre, petit Louis, Marie, tous des « gavaches ». Dieu n'était pas juste et c'était là son rôle, il avait mis sur sa route, pour nourrir ses fils, le lait de la reine des gavaches, la mère La Fourve. Au décès de l'enfant, La Fourve s'était réfugiée chez le père Jean. Son antique servante, Françoise, agonisait sans fin de la maladie qui dévore la mémoire des vieillards. Elle radotait, immobile dans un fauteuil en osier, sous deux couvertures à chien. La Fourve la soignait et servait le père Jean. Elle lavait, au nom du Christ, les pieds de l'antique Françoise qui marmottait des mots sans suite. Elle s'était détournée de sa progéniture enfuie, disparue ou dans le péché. Elle refusa de voir Marie Breuillet. Parfois, il fallait lier l'antique Françoise prise du délire de fuir sur le chemin, sans savates et sans raison. La Fourve était devenue simple et dure comme une sainte. Madame Eugénie n'en avait pas fini avec l'ironie du ciel.

— Qui nourrit Marie ? répétait-elle.

Passerose apportait alors le biberon en verre loti d'une pipette en lin blanc. Elle avait sauvé l'enfant comme on sauve un faon dont les chasseurs ont tué la mère.

— Je la mets contre mon cœur, elle boit tout. Elle reconnaît son biberon.

*
* *

Au début je pleurais, horrifiée d'avoir égaré la source maternelle. À la chaleur aimante de Passerose, j'acceptai peu à peu la dure pipette de toile où ma survie s'inscrivait. Bonne-Maman avait, dans un premier temps, envoyé une nourrice de Jarnac, recommandée par Adèle Toussainte. Je criais et détournais la tête. Elle bloquait, impassible, impatiente, mes lèvres sur le dur mamelon. J'étouffais, la gorge empêtrée sous cette montagne inconnue, bâillonnée de cette poire violacée d'où je n'aspirais rien. Quand elle usait du biberon à pipette, je vomissais. Passerose surgissait alors pour m'emporter avec elle. Elle me faisait sucer ses doigts trempés dans du lait tiède. Vexée, la nourrice s'en alla, se plaignant d'abord à Bonne-Maman qui la traita d'incapable. Adèle Toussainte en fut froissée. Le docteur Renouard haussa les épaules, et bougonna de « laisser faire Passerose ».

— Pourquoi cette rustaude ? s'emporta madame Eugénie.

— C'est la moins méchante de vous toutes, éclata le docteur Renouard, sa casquette vissée jusqu'aux oreilles. Les méchantes sont des folles et des avares qui n'ont pas de lait ou ne veulent pas le donner.

Passerose déjoua le manque d'amour et se fit nourrice sans jamais avoir enfanté. Elle usa de sa chair fleurant la frangipane et modula une tendre berceuse autour de ma peur. Elle avait réchauffé la pipette dans ses grandes mains d'homme doux pour que le lait vienne à moi, en cascade délicieuse. Passerose la munificente m'avait aussi menée au baptême, du grand pas implacable des saints. Elle était allée au logis du père Jean, gardé par La Fourve qui feignait de ne pas la connaître puis, d'un même élan d'archange, était partie quérir Jean Breuillet au chai. Ainsi m'avait-on baptisée « Marie, Eugénie, Rose », moi la fille de Jean Breuillet, dans la cuisine, entre les torchons qui séchaient, les cuivres étincelants et le flamboiement d'une prière d'eau, d'huile et de sel. Nul ne savait que chez le père Jean, à genoux près de l'antique Françoise qui bavait, la tête sur la poitrine, La Fourve levait en même temps au ciel un visage resplendissant, et disait merci.

Madame Eugénie exigeait à chaque fois le récit de ces hérésies. Elle s'agitait, rougissait, suffoquait, se levait, s'asseyait. Elle n'aimait pas cette joie inconnue qui la forçait malgré elle à rester trop longtemps dans la chambre bleue, plus heureuse qu'elle ne l'était rue de l'Isle d'or.

Elle puisait un bonheur malcommode à regarder Passerose nourrir Marie dans la chambre bleue devenue tout à coup la chambre nourricière. Léonora somnolait, au creux du fauteuil contre la fenêtre, les mains posées sur ses genoux. Madame Eugénie se penchait, et malgré elle, oscillait doucement son corps dans le sens de la berceuse. Qui donc l'avait nourrie, elle, Eugénie, veuve de tout le monde y compris de sa mère et cela depuis toujours ? Le cadeau – si bref – d'une grande paix descendait dans la pièce. Passerose chantait : « Lune, co-quelune, mets tes souliers gris et monte au paradis » d'une étonnante voix de cristal dans son corps de char-retier. Madame Eugénie, née La Hournerie, veuve Breuillet, glissait dans la honte exquise de s'endormir à son tour, le dos bien calé au dossier du fauteuil. Pour une fois, la lutteuse se reposait.

Elle s'en allait presque en courant. Ses visites à La Burgandière ressemblaient à l'escapade fascinée dans un lieu louche.

— Cette Burgandière, quelle pétaudière, aimait-elle à répéter tout au long de la route. En plus, je m'endors, avachie pire qu'une vieille portière avinée !

Elle s'indignait, mécontente d'elle et, plus injustement, de ses stériles enfants de la rue de l'Isle d'or. Madeleine redoutait le retour de ses équipées à Javrezac. Madame Eugénie grondait alors sans répit, au milieu du salon grenat, le cœur en chamade, dissimulant un chaud regret : la fille de Jean Breuillet.

— Cette maison est triste. Madeleine, ma bru, pourquoi n'avez-vous pas du bleu dans votre chambre ? Ce vilain vert et ce marron sale vous font le teint jaune.

Madeleine la regardait, prise entre l'ironie, la détestation, et la quête misérable d'un regard affectueux. Elle engrangeait, peu à peu, le plus rude des crimes : la haine de soi.

Madame Eugénie voulait les vrais coupables. Elle voulait des châtiments et non cette émotion trop douce.

*

* *

Il fallait à la régente, pour se remettre, visiter ses chais. Un chai ne se compte pas en mètres, mais en kilomètres, en hectares, en volume, en hautes voûtes. Madame Eugénie se ressourçait à ses chais, ce « paradis » dont elle ne laissait la clef à personne. « Je mourrai, cette clef sur moi », lançait-elle à quiconque.

Léon tremblait de la lui demander. C'était toujours elle qui introduisait les grands commerciaux dans son « paradis ». Un cognac noble, vêtu d'un sobre flacon longiligne, l'étiquette blanche et noire, carrée, reproduisait son écriture élégante, « Cognac La Hournerie ». Elle s'était passionnée, autrefois, à écrire à l'encre noire ces trois mots. Les lettres se dressaient, orgueilleuses, avec leurs pleins, leurs déliés, leur évidence. Elle avait vérifié, à l'imprimerie, la reproduction parfaite des étiquettes, collées à la main sur chaque bouteille. Elle avait vérifié le bouchonnage, la perfection d'orfèvrerie de l'habit de son cognac. « Mon cognac », disait-elle de la voix sourde d'une amante qui dit « mon amour ». Elle savait le goûter mieux que quiconque, fermait les yeux, exigeait le silence, la demi-obscurité. Elle atteignait, sans qu'elle s'en doutât le comble de la sensualité quand elle goûtait à cet alcool sombre, d'un beau rouge veiné d'ambre à senteur de noisette et saveur d'abricot. Il prenait la bouche et l'arrière-bouche avec une force insinuante, marquait le corps et l'esprit d'une flamme chaleureuse, lente à se dissiper, se transformait en morsure de l'amour, de la chair heureuse. Il claquait sur sa peau telle une gifle trop chaude. Que serait l'avenir des vignes, les siennes et celles de Jean Breuillet ?

*
* *

Ses fils, ceux des grandes maisons, n'avaient pas voyagé en Amérique en vain. Les cépages remontèrent, par navires marchands, des terres d'outre-Atlantique à la Charente. Cela prit du temps. Ils descendirent lentement le fleuve, de gabarre en gabarre. Le cri ahané des gabarriers devint le chant de l'espoir. Ils hissèrent les cépages en fagots précieux, ajustés de manière à ne point périr. La terre, malmenée, ouverte, brûlée, cicatrisait lentement. Le cépage nouveau fécondait le sillon outragé. La vigne nouvelle, fine et puissante, allait naître. La vigne ressuscitait, alléluia !

Il fallut toutefois attendre 1888 pour s'assurer de la fin du drame. Cette année-là, un scientifique français se rendit au Texas, à Dennisson, et ramena les portegreffe seuls capables de résister totalement au phylloxéra. Cette année-là, mon père m'initia au cognac.

J'avais engrangé les premières aptitudes à endurer les luttes. Je ne pouvais comprendre mon histoire, celle de Léonora et de Jean Breuillet sans faire rendre gorge jusqu'aux pierres des chemins foulés par eux, avant moi.

## 32

Je recule dans le temps. Je m'y emploie sans répit. Jouer des coudes, des poings dans les silences, fouailler les marécages, tâtonner vers la place unique de la fille unique de Jean Breuillet. Me battre comme on se bat en amour, comme on s'était battu contre le phylloxéra *vastatrix*. Se battre comme on se bat pour naître.

Ma naissance, au noir de l'escalier, avait arraché à la bouche de ma génitrice les cris de la répudiation. Maria-la-bègue n'avait appelé personne. « Que cette couche anéantisse cette bête dans l'ombre et son fruit immonde ! » pensa-t-elle. Elle eût d'ailleurs volontiers tué d'un coup de talon *la chose* grouillant dans les sanies : *la fille de Jean Breuillet*. Mais il y avait eu Passerose. J'étais sauvée, j'avais gagné ma première lutte. Toute ma vie ne fut plus que luttes.

Il fallut, dès mon premier souffle, négocier ma place dans ces vies et dans cette demeure. Je ne parle pas de Jean Breuillet, de Passerose, de Bonne-Maman, de Rose Delageon et de quelques lares bienveillants, mais des autres, ces personnages malveillants, qui arrivaient dans mon histoire charriés par les ombres ou les propos, au moment où je les attendais le moins. Ils rappelaient, avec beaucoup de bassesse, que j'étais née de la mésalliance, qu'une moitié de mon être était voué aux gémonies, aux vases sans retour du fleuve. L'amour de Léonora m'eût aidée à rallier les deux morceaux saignants, à revendiquer une unité, à faire cesser ce tourment, alléger cette hâte à grandir, apprendre, comprendre pour devenir, à mon tour, l'arme et transformer la mésalliance en une double force. Mais elle avait lâché prise. Je n'appris pas tout de suite qui étaient la mère La Fourve ni Marthe Chassin. De la chambre bleue à la chambre brune, il y avait un long couloir qui s'ouvrait sur cinq chambres. J'occupais celle du milieu, aux rideaux de Perse gris à larges rayures roses, qui jouxtait à un ancien boudoir. Passerose y installa un simple lit d'où elle veillait sur moi et sur Léonora, devenant, plus que jamais, une sentinelle. De la chambre bleue à la chambre brune, je fis donc seule l'épineux chemin de la clairvoyance.

*

\* \*

À sept ans, j'avais appris l'histoire de Louis. L'expression « mon frère » ne passait pas ma gorge. L'indulgence ne me venait pas, elle est impossible aux enfants floués dont la mère (ou le père) se détourne. Je n'aimais pas la maladie de ma mère, qui la frappait de cris soudains et de tremblements. Je n'aimais pas sa stupeur quand elle me voyait. Étais-je coupable de tant de tourments ? Le tourment me saisissait à mon tour. Je fuyais la chambre bleue qui pâlissait en gris avec les années, mon père n'osant la faire tapisser de frais. Léonora hurlait qu'on lui volait les murs, les rideaux, les tissus qu'avait aimés son enfant. Le portrait serti de noir, fleuri de blanc, qui la rendait folle, déchaînait, à la longue, ma fureur. J'appelais l'enfant de mots durs pour le tuer une nouvelle fois. Je désespérais et tentais d'exister à part entière.

— Ce n'est pas mon frère, ce n'est rien, je ne l'ai jamais vu.

Je m'enrouais, mes mots se transformaient en cailloux lancés à la volée, ceux qui font des ronds dans les eaux profondes. Les mots me revenaient au visage, me blessaient, et je détestais le sanglot de Léonora, son repli vers le portrait honni.

— Tu n'as pas de cœur, disait-elle. Tu es comme eux.

Dans un geste vague, elle englobait l'espace, la porte sombre, ma silhouette vêtue de coton clair, de brodequins lacés et de nattes brunes. Je m'enfuyais puis revenais, aimantée, vers la chambre bleue.

*
* *

Un qui-vive m'habitait. À mon tour, j'apprenais à écouter le visible et l'invisible. J'avais hérité le trésor des glaneurs, ce prodige des sens affûté de l'animal. La mésalliance créait dans mon sang à double ruisseau contrarié, des compensations d'infirme.

Je savais lire la traîtrise ou l'amour au frisson de la terre ou des visages. Je devinais la frayeur de la vigne, la montée d'une tempête quand tout est blanc, trop immobile. J'acquérais l'odorat d'un chien de chasse. Je humais la descente des eaux au grand fleuve, ses muscs, l'agonie d'une couleuvre prise aux roseaux étrangleurs. Je humais les trésors épars en une seule gorgée de cognac. J'entendais craquer finement la terre, forcée par les mâles bulbes du printemps. Je traquais l'indicible au mouvement d'une paupière, d'un cil. Je forçais ces paupières, ces cils, ces lèvres closes, à devenir le sablier renversé. J'y lisais, peu à peu, l'histoire de Jean Breuillet. Je plongeais au vertige du secret des chambres, des naissances, des agonies. J'atteignais ainsi à l'avant-

Léonora, le temps de Marthe pour pénétrer ce particulier désordre. J'ouvrais sans répit l'album des images occultées pour tracer peu à peu mon vrai chemin, celui dont j'écartais, avec violence, les broussailles et les roses.

## 33

Quand j'eus sept ans, Bonne-Maman me fit un cadeau intempestif et qui portait loin. Elle arrêta d'autorité un précepteur anglais pour mon éducation. Il s'appelait mister Fox, ce qui signifie « le renard » en cette langue.

— Cette enfant, dit-elle à Jean Breuillet, ne doit pas grandir dans l'illettrisme qui l'entoure. Tu es bien capable d'engager une molle institutrice catholique et Marie ne saura rien. Les Anglais partagent avec nous autres Charentais le goût des habitudes, du savoir taire, ce sont des casaniers, des cagouillards à leur façon. Ils aiment les alcools nobles, le commerce, savent gagner les guerres difficiles et sont de bons protestants.

Jean Breuillet retint une moue irritée. Il eût préféré démêler seul l'avenir de Marie mais tenir tête à madame Eugénie c'était forcément entrer en querelle. Mr. Fox, après tout, n'était pas une mauvaise idée puisque cet Anglais avait achevé l'éducation d'un héritier de la Grande Champagne, à Juillac-le-Coq, où on recevait volontiers madame Eugénie, laquelle avait, avec sa permission, assisté dans la salle d'étude à un cours de logique. Elle s'était émerveillée d'avoir tout compris. Ah, si elle avait eu un précepteur de cette trempe ! À ses yeux, Mr. Fox était un grand professeur au même titre qu'il y a des grands maîtres de chai. Madame Eugénie n'avait pas hésité longtemps : abandonner Marie à la pétaudière de son destin ou lui donner Mr. Fox qui en ferait une digne héritière du cognac, l'arracherait à la navrante ambiance de sa folle de mère, des servantes superstitieuses, de ce père enferré. Jean Breuillet, certes, aimait sa fille, l'initiait au cognac, à la vigne, la confiait à Ambroise pour qu'elle montât bien à cheval. Rose Delageon lui inculquait volontiers, de son côté, l'univers de la cuisine, sa noblesse, son art. Passerose tenait bien sûr auprès de la petite le rôle d'une mère glaneuse, lui enseignant le jardin, les saisons, les grands jours de lessive, les bêtes, la terre, et leurs secrets essentiels. Amélie Delageon égayait à son tour la petite en lui apprenant à coudre et à broder. Mais il fallait mieux.

Ne serait-ce que pour tempérer la mauvaise influence de Maria-la-bègue qui tenait dans la maison un rôle complexe. Il y avait en elle autant d'ivraie que de bon grain. Le bon grain, elle l'avait offert sans mesure, jusqu'au sacrifice, à Marthe. Jean Breuillet acceptait pour cela sa présence hostile. Lui, le coupable d'indifférence à sa première épouse, le coupable de passion à la fille des glaneurs, était incapable de repousser Maria-la-bègue, croix gravée sur une tombe, force d'un serment. Il acceptait ce tourment, l'abritait dans ses murs, le partageait avec sa fille. Un pain amer, la salure du monde, la salure de leurs âmes à tous. La venue d'un précepteur assurerait la protection de Marie, ouvrirait une brèche lumineuse dans son avenir incertain. Instruire Marie, sérieusement, nécessitait un quotidien consacré à cet effet. Jean Breuillet n'avait pas le temps, Léonora était vaincue dans ses navrances. Il songea à l'envoyer dans un bon pensionnat, mais recula devant la séparation. Mr. Fox apparaissait une solution audacieuse. Marie recevrait l'éducation que l'on ne donne qu'aux garçons.

Mr. Fox était reparti en congé dans sa campagne près de Cambridge. Donnerait-il à nouveau des cours de logique dans cette grande école ? De Cognac, lui parvint une lettre pressante signée « Eugénie La Hournerie, veuve Breuillet ». Il hésita. Il avait aimé la Charente, ses automnes luxurieux, ses doux hivers, son printemps de lumière et ses étés ravissants où brillait, au bord du chemin, la petite lampe émeraude des lucioles. Quitter l'Angleterre le peinait. Il détestait la foule, le bruit et s'occuper d'un seul élève convenait à sa timidité maladive due à un léger zézaiement. Avec son teint verdâtre, sa maigreur de vampire, une calotte de cheveux roux, un habit noir, un chapeau gris, un paletot râpeux, des fortes chaussures campagnardes, et des guêtres à l'ancienne, ce vieux garçon vouvoyait tout le monde, même les chiens. Mr. Fox ne s'était jamais occupé de l'instruction d'une fille. Il accepta, en souvenir de madame Eugénie enchantée par son cours de logique. C'était la première fois qu'une femme lui posait des questions pertinentes, dignes de ses propres interrogations.

— Le probable ne serait donc qu'une idée ?

Au bout d'une demi-heure, il avait oublié son élève, son zézaiement et argumentait que le raisonnement est un art aussi entêtant que le cognac. Qu'il existe un art de raisonner, un art de classer : scientifique, moral, religieux. S'obstiner à classer déboulait sur une impasse.

— À trop vouloir étiqueter vos cognacs, lui avait-il dit, vous arrivez fatalement dans un répertoire où se trouve l'exclusion. Il en est de même quand on pense le monde en le figeant en catégories, sans jamais imaginer une possibilité de le penser autrement.

Madame Eugénie avait opiné à haute voix :

— Mr. Fox, la logique me semble une nécessité pour améliorer nos stratégies et nos ruses viticoles. Nous ne sommes, après tout, que des rustres. Ainsi nous tient Bordeaux la haïssable. Je ne parle pas de ces rustauds de Bourguignons, et leur production en plomb fondu. Il y a bien l'engeance des champagnes… mais ces gens de l'Est n'ont pas d'imagination. Un vin qui ose faire des bulles relève d'un esprit crétinisé. Nous, de Cognac, apportons beaucoup de réflexion à ce que nous faisons.

Elle s'était ensuite empourprée de joie et de colère mêlées et avait quitté précipitamment les lieux. L'Anglais, impassible, avait repris sa démonstration.

Mr. Fox était tenté de revoir la subtile aïeule et d'enseigner la logique à sa descendance.

*<br>* *

Tout était, pour lui, logique pure. De la simple lecture aux diverses sciences, aux arts, y compris la cuisine, les alcools et la guerre, tout était la logique. Il laissait dans la campagne de Cambridge une mère encore jeune qui paraissait âgée, veuve d'un pasteur, son père, et quatre sœurs non mariées. L'aînée avait épousé un négociant en brandy, à Londres, et avait un fils, Ralph Barnley, qui suivait le chemin de son père. Mr. Fox, aidé des Barnley, pourvoyait au bien-être de sa famille. Élevé en constante religion, entouré de puritains et surtout de livres, Mr. Fox était totalement, *logiquement,* athée. Dieu était une abstraction, un point géométrique, un axe aussi valable que ce qui servait à calculer une surface. Dieu, cette mathématique, permettait de développer la logique. Mr. Fox puisait dans les mathématiques des joies très grandes. La logique l'entraînait vers des sommets de bonheur. Une Bible à la main, il adorait démontrer, d'un ton glacé, le sommet de la logique contenu dans le Livre de Job.

— Le Livre de Job est la preuve absolue de la logique triomphante, disait-il. La plus magistrale des démonstrations. Au commencement était la logique. Tout principe du mal ou de destruction ne mène qu'au bien. L'amour de Dieu est le bienfait absolu de la logique. Job aime Dieu quelles que soient les épreuves qu'Il lui inflige. Rien ne tient devant ce paroxysme de la logique. La sous-logique, c'est Satan. Une infériorité qui tente de convaincre avec une démonstration perverse. Dieu – la logique – ne peut que restituer à Job ses richesses et dérouter le mal. La logique triomphe. Le mal régresse dans son néant. Le mal n'est pas logique. Il contrefait la logique. Le mal raisonne bien sur des bases fausses. Il peut convaincre des foules entières. La logique – le Livre de Job – traque, une à une, les bases fausses. C'est un véritable triomphe de la clarté.

— Tu blasphèmes ! lui avait dit un jour son père.

— Non, j'argumente, répondit le fils.

Le père ne fut pas fâché qu'il s'éloignât en France. Qu'au moins il ne contamine pas ses sœurs avec son hérésie. Aux vacances, il était bien accueilli. Il herborisait, cherchait des papillons, des pierres. Il allait dans la campagne, sac en bandoulière, une grosse loupe à la main. Il classait, en latin, ses plantes, ses papillons, les pierres qu'il trouvait dans ses promenades. Il perdit son père quand naquit Marie.

La lettre de madame Eugénie lui parvint au printemps 1886. Ses sœurs le poussèrent à accepter, sa mère rechignait : « Je suis bien âgée. » L'aînée, à Londres, tenait le livre de comptes de la maison de commerce, Mr. Fox avait su la former à l'arithmétique, et ses autres sœurs raccommodaient du linge, tricotaient sans relâche. Il n'eut guère de remords. Il eut la vision d'une enfant, peut-être digne de l'intelligence de sa grand-mère, destinée à raccommoder des vieux caleçons au lieu d'apprendre la logique. Il se décida brusquement. Il écrivit à madame Eugénie, mettant longtemps à rédiger, pesant chaque mot. Il accepta la proposition sous condition de s'en aller vite si la petite ne répondait pas à son type d'enseignement. Madame Eugénie proposa des gages confortables, la certitude du bon accueil. Jean Breuillet à son tour lui écrivit, posant ses conditions. Il donna un mois à Mr. Fox, non qu'il doutât de ses perfections, mais nul ne pouvait prévoir les réactions de l'enfant, ses capacités à endurer les huit heures d'études préconisées. Quatre heures le matin, l'après-midi consacré aux sciences naturelles et, selon le temps, aux promenades instructives. Mr. Fox laissait deux matinées ou deux après-midi par semaine à son élève pour les exercices d'équitation, l'initiation approfondie au cognac, les visites des vignes, le contrôle du sulfatage, la santé des porte-greffe. Il en profiterait pour l'initier à un peu de chimie. Il demandait un après-midi par mois pour se rendre à Cognac chez madame Eugénie. Peu importait le jour, le dimanche était un jour comme les autres. On pouvait très bien se reposer un vendredi. En outre, rien ne reposait autant que les études. Il ferait de cette notion du dimanche, jour du Seigneur, un petit cours de théologie. Il serait bon, expliqua-t-il, que Mlle Marie Breuillet sache qu'il existait plusieurs religions en ce monde, plusieurs concepts, plusieurs logiques, issues de la crainte des hommes devant la mort. Bien sûr, il respecterait la foi de Mlle Marie Breuillet.

— Vous me donnez un mois pour tenter cette expérience, concluait-il sa lettre d'un froid optimisme. Huit jours suffiront pour se faire notre double opinion. L'opinion d'un enfant compte autant que celle d'un adulte. Plus on apprend, plus on peut apprendre. Je ne crois pas au surmenage mais à l'aptitude du cerveau à assimiler. Plus un enfant est jeune, plus sa chance de comprendre est grande. Je me réjouirai d'enseigner le latin à Mlle Marie Breuillet. La plupart de mes cours auront lieu en langue anglaise, sûre méthode pour que Mlle Breuillet soit bilingue sans fatigue inutile.

Il se mit en route peu de jours après avoir reçu l'accord de madame Eugénie. Une signature de Jean

Breuillet, penchée sous celle de l'autoritaire aïeule, avait confirmé l'arrangement. Madame Eugénie l'attendait à Cognac. Elle le mena elle-même à La Burgandière où on l'installa au mieux, à l'étage, non loin de la chambre de son élève.

*
* *

Passerose, Rose Delageon et sa sœur s'inquiétèrent. Maria-la-bègue s'enferma longtemps dans la chambre marron : elle montait la garde. Léonora traversa une crise où elle hoquetait : « Je ne sers à rien. » Et moi j'attendais avec impatience cet étranger chargé de m'instruire. Passerose souffrait. L'instruction dessécherait mon cœur, pensait-elle. Que deviendrait-elle à mes yeux de fille devenue savante ? Elle avait peur de me perdre et me couvait de son grand regard de louve maternelle. L'été finissait.

## 34

J'aimais la bibliothèque où auraient lieu les leçons. Je m'apaisais dans cette pièce au parquet de chêne, lotie d'une armoire vitrée aussi large que le mur, remplie d'ouvrages reliés. Le portrait de Marthe souriait froidement. On l'avait laissé là et il ne me gênait pas. J'aimais la longue table ovale, ses sous-main en cuir et velours verts. Les tiroirs du meuble secrétaire regorgeaient de fournitures. Du papier bleuté, des cahiers, de l'encre, des porte-plume, des plumes d'acier de différentes tailles, des crayons de papier, de couleurs. Je mordillais un pain en cire, destiné à cacheter les lettres. La colle avait une odeur de pâte d'amande. La mappemonde, devant l'une des fenêtres, inclinée sur son trépied, était aussi haute que moi. On pouvait d'une simple poussée la faire tourner. J'allais enfin pouvoir donner un nom aux bosses orangées des montagnes, aux fleuves gravés en noir, aux terres vertes, aux déserts ocre, aux glaciers blancs, aux océans qui dominaient les terres, du bleu de la turquoise. Partout, ce bleu entourait les dentelles des pays, de l'eau qui rompait leurs soudures et dessinait des îles. J'allais enfin savoir nommer ces galettes découpées, ces sucres d'orge rongés, ce monde où je vivais, où flamboyaient et agonisaient les vignes et les hommes. C'était la Terre, bleu turquoise, orange, verte, rose, ocre, rouge, noire, blanche et encore bleue où se dissolvaient depuis des siècles et des siècles les cendres humaines, animales, végétales. Un monde ouvert et clos à la fois, où le feu en certains endroits vomissait en bouches écumantes. Jean Breuillet avait punaisé une épingle argentée sur la Saintonge, ce coin d'une France au dessin délicat, allongée au sud par la botte italienne et le lourd quadrangle espagnol. La France, tournée du côté des mers, soubresaut respiratoire, tentation de la liberté. La France, bosselée, épaissie, enchaînée aux terres de l'Est jusqu'à la ténébreuse Mongolie. Il m'avait fallu manier la loupe pour repérer l'endroit où nous étions nés. Je trouvais exaltant de nous situer d'un coup d'épingle dans cette immensité, d'être en deçà d'une parcelle visible.

*
* *

Un matin, Passerose aménagea la chambre de Mr. Fox. Du côté de la chambre marron. Maria-la-bègue marmotta ses malédictions, claqua avec violence toutes les portes possibles du côté de la tour couverte de lierre. On entendit le chiffon de laine manié d'un pied furieux sur le parquet sans cesse entretenu. On entendit le bruit des contrevents ouverts et vite refermés. On entendit l'épais silence. Maria-la-bègue délimitait, encore une fois, à sa manière, le sacré du territoire. Passerose haussa les épaules et continua le ménage.

La chambre prévue pour Mr. Fox était austère et belle. Un lit bien houssé de gros satin ponceau, aux draps de lin, une couverture de laine et un édredon rouge bourré de plumes d'oie. Une toilette en marbre, équipée entièrement, du porte-savon au broc dans la cuvette en porcelaine. Un bureau pour écrire, une table et deux fauteuils, une armoire à corniche travaillée. Une commode de même sorte, une cheminée tirant bien, des chenets en cuivre à tête de lion. Point de parquet, mais des tommettes blanches et noires sur lesquelles s'étalait un riche tapis turc.

— C'est un cadeau de M. Louis Marie Julien Viaud, de Rochefort-sur-Mer. Il se fait appeler M. Pierre Loti. Il est déjà venu à La Burgandière, je me souviens bien de lui. Il apprécie le cognac de ton père. C'est un marin, porte-enseigne à bord d'un vaisseau. Sa maison à Rochefort-sur-Mer est sise rue de Fleurus. Amélie y est allée faire de la couture. Elle nous a tout raconté. M. Louis Marie Julien Viaud a aménagé dans sa maison à étages un salon arabe, un autre turc, une mosquée. Amélie est même entrée dans une salle remplie de chinoiseries. Elle a cousu avec des tissus précieux, des rideaux, des coussins. Tout le pays en a causé. M. Louis Marie Julien Viaud est petit. Il m'arrive à peine à l'épaule. Il doit porter des talons pour paraître plus grand. Il a une moustache et une barbichette bien taillées, blond foncé et des yeux en boutons de bottines, d'un marron si clair que sous la lumière on dirait de l'or. Il a de la famille dans l'île d'Oléron, à la Brée. Il parle d'une voix douce et étouffée, il a des mains aussi fines et blanches qu'une demoiselle. Il est venu déjeuner chez ton père, quelques années avant ta naissance. Il admirait ta mère, il ne cessait de la regarder. Il avait offert ce tapis qui vient paraît-il, de Turquie. Un an après ta naissance, il a envoyé à monsieur un livre. J'ai retenu le nom qui me semblait aussi beau qu'une fleur, *Aziyadé*. Amélie Delageon m'a affirmé que M. Viaud Loti a aimé une demoiselle turque de ce nom. Elle est morte, il en a eu grand chagrin. Il paraît que dans son salon arabe, il a ramené la stèle de la jeune morte. Tout ça n'est pas bien chrétien d'autant plus que M. Viaud Loti a des enfants. Rose Delageon a su par sa sœur, qui l'a appris du bouilleur, qui le tenait d'un gabarrier, qu'en 1876, M. Louis Marie Julien Viaud s'était produit comme clown acrobate dans un cirque arabe, à Toulon.

Le babillage de Passerose ne me distrayait pas de mon attente de Mr. Fox. Était-il, tel M. Pierre Loti, chaussé de petits talons et d'un costume d'officier de la marine ? M'apprendrait-il à lire *Aziyadé* ?

*
* *

J'en étais là dans mes questions quand Mr. Fox atteignit Cognac et le salon de Bonne-Maman.

Elle le reçut d'un grand élan qui embarrassa un peu l'Anglais. Le déjeuner était prêt. Madame Eugénie fit asseoir Mr. Fox à la place d'honneur, à sa droite. Elle occupait la place du milieu, celle du maître de la maison. L'usage voulait qu'elle fît toujours mettre le couvert de son père défunt, à sa gauche. Léon haussa un sourcil étonné, Madeleine pinça une bouche jalouse. La contrariété augmenta quand madame Eugénie annonça, triomphante :

— Vous aviez entendu parler de Mr. Fox, précepteur d'élite ? Je le réserve à l'éducation de Marie.

Léon prit très mal la nouvelle et osa le manifester. La place d'honneur réservée à un simple précepteur, un précepteur pour éduquer la fille d'une glaneuse !

— Pourquoi, ma mère, ne nous avez-vous pas prévenus de cet arrangement ? Mon frère ne m'a rien dit.

Il ne regardait pas Mr. Fox, qui se tenait droit, le teint vert, indifférent. Madame Eugénie s'empourpra et devint brutale.

— Nous n'avons pour seule postérité que cette enfant. La glaneuse de ce pauvre Jean est devenue folle. Il serait étonnant, dangereux qu'elle accouchât encore. Madeleine, prenez-vous-en à vous. Toi aussi, Léon.

Elle s'échauffa, respirant à grandes saccades.

— Nous n'avons que la fille de Jean Breuillet pour sauver La Burgandière et son cognac. Il convient de l'instruire au mieux. Quant à mon cognac, je n'ose penser à son avenir. Pourquoi n'as-tu pas d'enfants, Léon ? Tu es assommant, à la fin ! C'est ma faute. J'aurais dû te choisir pour épouse la seconde cousine de Madeleine et de cette pauvre Marthe, Pulchérie aux hanches de truie. La voilà à Chateaubernard, mère de quatre fils, mariée à un domaine de Grande Champagne.

Elle continua sur ce ton, jusqu'à ce que ses enfants se lèvent de table brusquement. Madeleine s'en alla, le dos courbé comme sous une averse. Son mari repoussa sa chaise et la suivit. On en était au potage.

Madame Eugénie, qui avait choisi la férocité pour tenir tête à sa propre désolation, poursuivit son monologue lapidaire aux côtés de Mr. Fox qui ne répondait rien. On servit la suite du déjeuner. Plus indélicate qu'un baron féodal, elle s'irrita de ses paradoxes. Mr. Fox fixa avec une lenteur dégoûtée un plat d'huîtres, réfléchissant sur les organes mâles et femelles à la fois qui composent le mollusque. Il n'écoutait plus madame Eugénie mais sortit sa loupe, examina en détail l'huître de Marennes, grasse, verte, baignée d'eau de mer. On servait les coquillages avec des grattons de Saujon, du vin blanc de Montbazillac, une sauce au vinaigre Chassin et à l'échalote, du beurre de Surgères.

*
* *

Dans cette famille, beaucoup de scènes contrariantes avaient eu lieu au moment du repas. Madame Eugénie avait aimé petit Louis. Si son amour ne se manifestait pas par la mièvrerie, la berceuse, les caresses, elle avait pris un jour l'enfant par la main et lui avait ouvert le « paradis » de son chai. Léonora n'y avait jamais été invitée.

— Regarde, Louis Breuillet, ces belles couleurs.

Fasciné, l'enfant fixait cette grande femme au visage blanc comme une bougie, les yeux ardents. Elle lui tendait un morceau de sucre trempé dans son cognac le plus prestigieux. Elle baissait le ton, émue sans l'avouer, le trouvait beau, digne, vêtu en petit homme de quatre ans, le regard couleur topaze brûlée. Elle le ramena à sa mère qui attendait dans la cuisine, debout comme une servante.

— Eh bien, ma fille, vous n'êtes pas au salon avec Madeleine ?

Elle avait repris son ton tranchant, rapetissé son regard, mécontente de la glaneuse à la cuisine, de la dérobade de sa bru. Elle lui en voulait de n'avoir aucune audace, de se tenir, malgré elle, à la place des humbles. Elle eût aimé sentir une lutte, une affirmation, la vulgarité d'une intrigante, l'insolent goût du pouvoir, mais elle avait devant elle la fille la plus belle de ce pays et la plus humiliée.

Dans la salle à manger, le couvert était mis. Madeleine se déroba, Léon disparut. L'aïeule présida entre l'enfant et sa mère. À La Burgandière, l'heure du thé s'exprimait de manière plus rustique : « faire quatre heures ». Madame Eugénie disait, exprès, « prendre le thé ». On avait apporté la théière argent, la chocolatière. Madame Eugénie servait elle-même le thé dans la blanche porcelaine de Limoges. Elle découpait la galette plate et servait d'abord l'enfant. Le chocolat moussait. Le garçon trempait la galette dans sa tasse et elle riait, heureuse de sa faim farouche. Léonora se tenait mieux qu'on ne l'eût pensé. Elle avait de la simplicité, de la grâce. Madame Eugénie l'épiait de côté et ne trouvait rien à redire à sa manière de manier la fourchette à gâteau, de boire le thé sans brusquerie, fascinée par la beauté de ses mains, de ses poignets, qui embellissait les objets en les touchant. Elle parlait peu, écoutait beaucoup, laissait son fils tâtonner vers les gestes exigés par la société. Elle le laissait aussi se tromper, tremper la galette dans la tasse, puis retenait doucement la petite main potelée :

— Essaye avec la fourchette, ce sera aussi amusant et plus joli.

Il se renversait contre le dossier et répondait « non ». Léonora ne se fâchait pas. Elle ôtait de sa portée l'assiette, la tasse.

— Tu les auras à nouveau si tu essayes de manger autrement.

Il s'obstinait, Léonora ne le regardait plus, il éclatait en pleurs, elle ne cédait pas. Il se calmait peu à peu, elle lui tendait l'assiette, la fourchette, la part de galette et il essayait, progressait, devenait naturel. Madame Eugénie, muette, appréciait ce système éducatif. Elle avait agi avec ses fils de manière autrement plus militaire, lançant un grand coup de badine sur les petites mains quand ils se tenaient mal à table avant de les renvoyer sans dîner dans leur chambre.

— Je ne partage pas mes repas avec des petits porcs. Mal se tenir est davantage une preuve de bêtise que d'éducation. Vous êtes de petits porcs bêtes, tempêtait-elle.

Mais depuis, elle avait changé, regardait Léonora, appréciait sa nouvelle petite-fille. La fille de Jean Breuillet mérite qu'on s'occupe d'elle, pensait-elle. En temps et en heure. *Elle me ressemble.*

C'est ainsi que madame Eugénie avait fait venir, *en temps et en heure*, Mr. Fox.

— Allons, dit-elle brusquement à Mr. Fox qui goûtait au canard aux navets. Il est temps que je vous mène chez la fille de Jean Breuillet. Vous avez assez mangé et moi aussi. En route !

# QUATRIÈME PARTIE

## 35

Mr. Fox arriva à La Burgandière une matinée de fin d'été. Passerose mordait une lèvre méfiante.

Elle maugréait, en me savonnant les épaules et le dos. Je ne tenais pas en place, elle eut du mal à serrer ma longue natte brune, ajuster le col en dentelle de ma robe indienne, fermer dans le dos le tablier volanté aux manches et aux poches. Je laçai mes brodequins en peau noire enfilés sur des bas en fil blanc. Rose, à la cuisine, soupira en comblant de beurre et de confiture les tartines de mon petit déjeuner.

— Madame Eugénie a de drôles d'idées ! Et monsieur qui laisse faire ! Confier Marie à un Anglais ! De quoi a besoin une fille si ce n'est de tenir au mieux sa maison ? Ne sommes-nous pas là pour tout ça ? L'institutrice de Jarnac aurait suffi à lui apprendre ce qu'une demoiselle doit savoir. Enfermée avec cet Anglais, elle va perdre ses couleurs, et tomber malade. Ce sera encore de la mauvaise chance dans cette maison !

Maria-la-bègue, dans un grand bruit de pompe, remplissait un seau d'eau savonneuse. Son hostilité passait par le lessivage du vestibule qui menait aux étages de la chambre marron. Elle fixait le vide, ravalait ses lèvres, haïssait cette intrusion, cet inconnu qu'on avait osé installer si près de la chambre de madame Marthe. Les dures mains sèches saisirent le seau trop lourd. Elle fit exprès de lancer à la volée son contenu sur les dalles et, à genoux, de les brosser, insensible à ses douleurs d'arthritique.

— Deux tours, deux folles, résumait parfois Bonne-Maman. Tout est de la faute de ce pauvre Jean.

*
* *

La voiture de Bonne-Maman avait dépassé le coude des peupliers. Ambroise ouvrit tout grand le portail. Mon père s'avança. Je m'étais fait mille images de Mr. Fox, d'un bonhomme rondelet et bienveillant à un long lutin sévère. Bonne-Maman descendit la première et le masqua un moment de sa silhouette à mantelet. Je tenais la main de mon père et mes pas résonnaient sur les pavés de la cour. C'était sans doute cela, l'espoir mêlé de crainte : des sonorités accentuées, d'autres diminuées, le début d'une surdité. Des sons trop forts, d'autres trop bas, la fatigue soudaine de l'attention. Ma mémoire recompose ces voix, superposées, les unes par rapport aux autres, isolant en une gamme brève mon nom et celui de Mr. Fox.

— Marie, trompeta Bonne-Maman, voici Mr. Fox.

L'Anglais parut, vêtu entièrement de noir, des chaussures à boucles à la casquette à soufflets. Il s'inclina légèrement devant mon père et devant moi. Il y eut soudain beaucoup de monde dans la cour pavée. Passerose, aussi large que le puits, Rose Delageon qui, fait d'exception, quitta sa cuisine et, d'un mouvement de pudeur, se frotta les mains à son tablier. Du côté du chai, Vivien Lelindron apparut.

— Soyez le bienvenu, dit mon père.

Bonne-Maman redevint madame Eugénie : elle prit la tête de notre petit cortège et procéda à l'installation du précepteur.

— Ne t'offusque pas, Jean. Je connais cette maison par cœur et hélas, le déplorable caractère de la bègue. J'en ai parlé à Mr. Fox ainsi que des humeurs de ton épouse. J'espère qu'Émile lui fera bon visage. Mr. Fox ne s'impressionne de rien ni de personne.

Le nouvel arrivant, d'un calme parfait, approuva la chambre, qui respectait la lumière et l'ombre. Il marqua son émotion dans la bibliothèque, appréciant la vitrine aux livres, la mappemonde, le tableau en ardoise fiché sur un trépied. Ambroise avait déposé ses bagages dans la chambre. Une malle serrée de courroies contenait des livres, des carnets, ses ouvrages.

— J'espère que monsieur Fox se trouvera bien ici, bêla le vieil Émile, qui reconnaissait chez l'Anglais un aspect de lui-même, distant, inébranlable.

Le vieil Émile fuyait, dégoûté, toutes les femmes. Madame Marthe et jadis, madame Eugénie, avaient forcé son respect – il daignait même acquiescer à leurs remarques, les saluer de haut et de loin. La Burgandière, depuis Léonora, l'offusquait, mais l'attachement qui le liait à mon père et jadis au père de celui-ci le retenait. Ainsi que la force des habitudes. Le désordre venait de cet excès de femmes dont aucune n'avait la tenue de madame Marthe ou l'autorité sacrée de madame Eugénie. La présence de l'Anglais lui plaisait. Il avait dégagé une armoire et une commode pour ses effets.

Nous étions dans la bibliothèque. Mon père perdait un peu de sa gravité. Mr. Fox me tendit la main, il parlait avec un léger accent.

— J'espère, Miss Breuillet, que nous nous entendrons. La bonne entente se dit aussi « intelligence ». Je suis là pour vous enseigner quelques sciences destinées à mieux comprendre le monde et sa logique.

Il m'appela dès ce jour-là, et pendant des années, « Miss Breuillet ».

Il avait des mains longues et blanches, il dégageait une fine odeur de lavande et de laine brûlée.

— Si votre papa le permet, Miss Breuillet, nous commencerons nos leçons dès demain. Nous saurons vite, l'un et l'autre, si une bonne entente est possible. Si nous ne nous convenons pas, je partirai aussitôt. Je ne veux ni entraves ni sacrifices inutiles.

Je fus soulagée de sentir ma crainte s'évanouir, d'apprécier ce visage verdâtre aux rares cheveux roux, ainsi que son doux regard gris, myope, derrière des lunettes rondes cerclées d'acier.

— Je vous laisse ! décida Bonne-Maman. Je n'ai pas le temps de déjeuner, je reçois deux clients hollandais. Je reviendrai aux nouvelles. Ne m'accompagne pas, Jean, je connais le chemin.

Elle s'en alla, dans un grand mouvement de portière claquée, laissant un nuage de poussière blanche, tel l'enchanteur ayant rempli sa mission.

## 36

Mr. Fox visita la maison et le chai. Il apprécia chaque chose, sut goûter le cognac de Jean Breuillet, eut un arrêt fasciné devant l'alambic, sortant sur-le-champ un calepin pour le croquer. Je les entendis parler du phylloxéra, des vignes, des chevaux. Mr. Fox montait bien et mon père lui promit de l'emmener visiter le domaine.

— Êtes-vous bonne cavalière, Miss Breuillet ? demanda-t-il.

J'étais fière qu'il tînt compte de ma présence, de mes goûts.

*
* *

Je montais depuis un an un jeune cheval, le plus petit de l'écurie, noir avec une crinière de feu, appelé Rubis. Il me connaissait, il m'aimait bien, je caressais ses naseaux. Au début, je trottais dans le parc, sur le chemin vers le fleuve, en compagnie d'Ambroise ou de mon père. On m'avait laissé améliorer mes leçons avec Théophile, le dernier fils du pasteur né la même année que Louis. Il comptait six années de plus que moi. Ma vraie fête était de galoper à ses côtés. Mon père et le pasteur avaient donné leur accord depuis le jour où Céleste, que j'appelais « tante Céleste », avait trouvé que j'étais trop isolée. Théophile serait le frère, le cousin, l'ami qui manquait. Solaire, gai, brusque, passionné, ce garçon entrait à cheval, sans façon mais sans vulgarité, à La Burgandière. Mon père aimait bien son sourire éclatant. De taille moyenne, bien prise pour son âge, il penchait vers moi l'éclat fauve de sa chevelure, le bleu outrecuidant de ses prunelles. Son sourire un peu moqueur tirait vers le haut des pommettes piquées de taches de son.

— Salut, la drôlesse, disait-il. Je t'emmène faire un tour.

Il m'appelait « drôlesse », expression familière, en Saintonge, pour parler des filles non mariées. Je n'osais répondre « Salut, le drôle », et disais « Bonjour Théo ». Il m'apprit à sauter des haies, à ne plus craindre de tomber.

— À cheval, criait-il, tout est là, ma drôlesse, tomber ou ne pas tomber !

Passerose tremblait de me voir partir au galop, à la suite de ce garçon, gai, entreprenant, que rien n'intimidait, qui parlait peu et riait quand je tombais.

— Tu n'as rien, ma drôlesse ?

Il revenait sur ses pas, au trot. Je relevais un dos humilié, un léger tremblement de tout le corps.

— Remonte tout de suite, Marie, tout de suite !

J'avais peur. Il sautait à bas de sa monture et me faisait de ses mains croisées un étrier.

— Monte, ma drôlesse, ou jamais tu ne remonteras à cheval. Tu n'as rien, pas même un accroc à ta robe.

Je montais à califourchon, au grand scandale du vieil Émile. Rose Delageon trouvait indécentes ces chevauchées, jupons à l'air. Passerose s'indignait. Maria-la-bègue espérait-elle que je me casse le cou ? Du côté de Cherves, personne ne commentait. Amélie Delageon, enfin, trouva la solution.

— Je vais confectionner des culottes de garçon à Marie.

Ce fut un tollé général mais, une semaine plus tard, je suivais Théophile, en pantalon serré aux chevilles, courtes bottes, une jaquette sur mon chemisier fermé d'un foulard. Cette tenue me fut longtemps familière. C'était un bonheur d'aller ainsi, de dominer la terre, la voir filer, aller le regard droit et non baissé vers le sol comme je le voyais si souvent à tant de femmes. Nous aimions nous reposer dans un petit bois, à la croisée des vignes et des champs, que j'avais appelé « le bois des abeilles ». Il contenait, en fleurs sauvages, de quoi contenter les abeilles les plus difficiles. Nous comptions, émerveillés, ses trésors. Il y avait un étang gorgé de grenouilles et de nénuphars, entouré de jacinthes sauvages et de crocus d'un bleu outrecuidant qui pailletait le regard de Théophile. Sous un églantier rosé, clapotait le murmure d'un ruisseau. Des rouges-gorges chantaient, parfois une pétrelle s'envolait à la présence des chevaux. Nous nous asseyions côte à côte, sur la mousse devant l'étang ; épris de fraîcheur, d'amitié silencieuse. Nos montures broutaient tandis que nous lancions des cailloux dans l'étang.

— Fais un vœu, ma drôlesse, murmurait Théophile.

— Toi aussi.

Nous lancions chacun un caillou blanc. Il ne créait qu'un seul cercle.

— C'est le même vœu, dit Théophile.

Pour rien au monde nous n'aurions ajouté un mot. Je m'appuyais contre l'épaule de Théophile, je fermais les yeux, rattachée au monde par le bruit léger du clapotis de l'eau, le souffle de Théophile, la menthe sauvage… Le bois des abeilles était notre jardin secret.

*
* *

Bonne-Maman avait fait semblant de s'offusquer en découvrant ma tenue de garçon. Elle s'éventa à grands mouvements, gronda mon père qui souriait, se calma en exigeant de me voir sauter par-dessus le massif du parc.

— Saute, Marie ! encourageait Théophile.

Bonne-Maman palpitait. Mon père pâlit quand j'éperonnai Rubis. Je sautai par-dessus le massif, au mécontentement du jardinier, effrayé pour ses rhodo-dendrons, ses sauges rouges et ses roses thé. Le vieil Émile bêla, à l'étage, « qu'on en voyait ici, des vertes et des pas mûres ». Passerose eut peur et se signa. Rose s'était enfermée dans la cuisine : « Je ne veux pas voir un massacre pareil ! » Maria-la-bègue croisait des mains farouches sur son châle de deuil. Je portai invo-lontairement les yeux vers la chambre bleue. Nulle ombre ne s'y profila. Je sautai avec une force au-delà de mon âge. Suspendue dans l'air, un moment, un mo-ment seulement, je frôlai la course dans les étoiles fi-lantes. Madame Eugénie eut un air pensif et ne dit plus rien. Elle regarda Théophile qui approuvait d'une bou-che puissante et rieuse : « Bravo, Marie. »

— Les gens vont jaser, gémit Rose Delageon, sortie de son antre.

— Eh bien, les gens jaseront, conclut sèchement ma-dame Eugénie, un sourire aux lèvres.

Elle enfermait en elle l'image d'une fille libre d'entra-ves qui franchissait le massif le plus haut, menant un cheval difficile. Marie était bien de son sang, loin des terreurs imparties à son sexe. Marie, qui serait instruite par Mr. Fox. Théophile s'en allait au collège, à Roche-fort-sur-Mer et ne venait qu'aux vacances. Théophile, issu de ces Chassin qu'elle n'avait guère aimés. Le père de Théophile, le pasteur, frère de Marthe la défunte. Théophile, gorgé de sève vive... Bonne-Maman dissi-mulait ce qu'elle admirait en Théophile. Le bleu pro-

236

fond du regard, la chevelure bouclée, épaisse, fauve, le sourire bien endenté, le cou robuste, l'allure d'un jeune tambour. « Malheureusement, il n'est pas riche. » Elle était contente, sans le montrer, que Marie eût un ami, elle qui croissait en ces lieux pénétrés de tristesse, entre ces êtres meurtris, à l'ombre de la mortifère chambre maternelle.

— Allons Marie, tu as bien sauté, bravo. Et vous jeune homme, mes compliments à vos parents.

Madame Eugénie signifiait le congé, mais déjà, Théophile s'était éloigné au galop.

*
* *

Mr. Fox savait donc que j'avais sauté par-dessus le grand massif. Il approuva en silence. Il aurait à sa disposition, lui dit mon père, le phaéton attelé et Ambroise le mèneraient où bon lui semblerait. Il pouvait s'assurer une simple monture, selon sa convenance. Mr. Fox le remercia avec la distance qui ne le quittait jamais. Nous avions visité le jardin, le verger. Nous étions au potager. Mr. Fox nomma les légumes, les fleurs, les fruits, de leurs noms en français en anglais et en latin. Mon père tint à lui présenter Léonora.

Dans la chambre bleue, ma mère était assise, le fauteuil tourné vers la fenêtre. Elle se leva, s'avança vers Jean Breuillet, tenta de saisir ma main. Mr. Fox s'inclina.

— Merci de bien vouloir vous occuper de Marie, dit-elle.

Elle était calme, vêtue de blanc, la chevelure roulée en nattes sur la tête. Elle était pâle, le visage légèrement bouffi. Une de ses chevilles était enflée.

— Ce n'est pas ma faute, merci de vous occuper de ma petite fille, ajouta-t-elle en posant sur moi un déchirant regard lucide. Elle fondit en larmes et tenta de caresser mes cheveux. Je m'enfuis. Mr. Fox s'inclina à nouveau.

— Je suis heureux de vous rendre service, madame Breuillet, dit-il.

Elle tressaillit d'être appelée « madame Breuillet » avec simplicité.

*
* *

À table, Mr. Fox avait d'excellentes façons et un grand dégoût de certaines nourritures charentaises. Il verdissait devant un plat d'escargots gorgés de beurre et d'aulx et une fricassée de cuisses de grenouilles. Il appréciait le chapon accompagné de haricots blancs, « les monjhettes piates », que Rose préparait avec amour. Elle faisait rissoler oignons et carottes dans la casserole à fond épais où fondait un morceau de beurre salé. Elle ajoutait les haricots, tournait sans cesse à la longue cuillère en bois. Elle mouillait le tout un tiers au-dessus, ajoutait l'ail, le bouquet garni, posait le couvercle pendant la lente cuisson. Rose salait ses haricots à la fin, du sel gris d'Oléron. Le chapon fondait dans sa graisse, farci de raisins noirs et de girolles, flambé au cognac.

Il était rare que Léonora descendît à table mais elle le fit ce jour-là. Elle ne toucha toutefois à presque rien. Le docteur Renouard avait coutume de se fâcher qu'elle ne se nourrisse que d'un verre de lait ou de thé noir. Quand il venait la voir, il tâtait sa cheville, mécontent.

— Tu enfles parce que tu te nourris en dépit du bon sens. Tu remplaces la viande par l'alcool.

Vivien Lelindron trouvait toujours le moyen d'entrer dans la maison quand Léonora quittait la chambre bleue. Il demandait à la volée si on avait besoin de quelque réparation, amenait une caisse d'outils, prétendait que le vieil Émile lui avait demandé de huiler les charnières des contrevents. Dans la chambre bleue, il se faisait plus léger qu'un chat, tournait la poignée de la fenêtre, une fonte en forme de sirène, pour que la lumière entrât en un flot argenté. Il ne se retournait pas vers la longue femme statufiée dans son fauteuil, mais sifflotait doucement, pour elle, la ballade de l'amour et de la rose. Autrefois, quand elle était la simple fille des glaneurs, elle l'entendait siffler, dans les chemins blonds. Vivien Lelindron n'avait jamais cessé de l'aimer.

*
* *

Les leçons avaient lieu le matin, chaque jour, dans la bibliothèque. Bonne-Maman ne s'était pas trompée. J'apprenais avec une avidité d'affamée. Mr. Fox appliquait sa méthode pédagogique. Je pris goût à la clarté de ses explications. Les règles de grammaire, de géométrie, de calcul, tout se mettait en place. Mon précepteur établissait les liens subtils entre les différentes matières, sachant, par son type d'enseignement, ôter le fastidieux, l'accablant. Il expliquait les systèmes, n'imposait jamais l'ingurgitement par cœur.

— Vous n'êtes pas une oie, Miss Breuillet, vous n'avez pas à être gavée de savoir jusqu'à l'écœurement.

Il m'évita les dictées interminables ou les problèmes à ressasser seule. Il m'amenait à écrire, peu à peu, une phrase juste, à comprendre les liens entre les mots, à analyser l'ensemble, la ponctuation. Tout était, disait-il, un outil logique qu'il convenait de bien manier. L'alambic, la distillation procédaient d'une logique. Il en était de même pour toute science, y compris les arts. Le dessin, la versification, la musique, la danse, le théâtre avaient leurs lois propres. À mesure des mois, j'entrai ainsi, sans douleur, dans l'histoire, la géographie et le latin. Il appelait chaque étude, « un langage ». Le cognac était, bien sûr, un langage.

— Dès que vous avez compris un langage, cherchez l'universel, vous irez plus vite, professait-il.

Quand je me heurtais à l'irrationnel, l'incompréhension d'un problème, d'un texte, il ne se fâchait jamais.

— Miss Breuillet, reprenons cette réflexion. Nous avons tout le temps.

Il savait calmer ma fébrilité, mon anxiété, l'humiliation de ces jours où je ne comprenais rien.

— Vous avez été à l'école de la patience en observant la fabrication du cognac. Il a fallu une grande logique et beaucoup de pugnacité pour vaincre le phylloxéra *vastatrix*. Conservez ces exemples. Améliorez tout ce qui touche à la logique. Vous gagnerez du temps, Miss Breuillet, en croyant en perdre. Réfléchissez à la solution, n'encombrez pas votre mémoire de formules toutes faites.

Quand il était satisfait de me voir soudain trouver la solution, le mot juste, il me gratifiait d'un « Well, Miss Breuillet », mais n'allait jamais plus loin dans l'art du compliment.

Il écrivait au tableau le mot nouveau, le nom du fleuve, le chiffre, la fraction. Il dessinait la figure géométrique, l'anatomie d'une fleur, d'un insecte.

— Regardez bien la forme, elle contient un sens.

L'œil devait imprimer les formes. Les formes se recomposaient avec l'obstination d'un bloc de mercure. Les leçons d'histoire procédaient aussi de l'entendement. J'analysais avec lui le contenu, le sens, le rythme, la psychologie d'une époque. Je relisais la leçon le soir même. Le lendemain, il me dictait un résumé que j'avais oralement retenu. Nous rectifiions ensemble les erreurs.

— Miss Breuillet, existe-t-il une répétition de l'histoire, une logique dans le comportement des hommes ?

Il avait pris le haut risque de m'enseigner, au bout de six mois, le temps de savoir lire et écrire correctement, toutes les matières en même temps.

— Plus un cerveau est jeune, plus il est capable d'intégrer.

Mr. Fox m'expliqua en détail une souris disséquée. Passerose avait eu un hoquet quand il lui avait réclamé une souris prise au piège, dans la souillarde. Mr. Fox maniait habilement une petite trousse chirurgicale. La souris morte était écartelée sur une planchette. Il me montra comment ouvrir la peau sans abîmer les organes. Une planche reproduisait en gros ce que nous étudiions : abdomen, intestins, estomac, cœur, poumons.

— Prenez la loupe, Miss Breuillet. Vous dessinerez ensuite chaque organe sur votre cahier avec leur nom exact.

Mr. Fox approuva mon progressif intérêt au détriment de la première répulsion de travailler sur ce qui avait été vivant. J'avais dix ans quand il m'enseigna le squelette, les os, leur nom, leur composition. Il révolta à nouveau Passerose quand il étala, un jour, sur la table d'étude, un crâne humain, une main complète, un fémur, des vertèbres. Le vieil Émile, à son étage, semblait enchanté.

— N'est-ce pas une machine magnifique, Miss Breuillet ?

Le bruit courut à la Borderie qu'il avait déterré un mort. On commentait, on s'agitait. Le vieil Émile méprisait ces « ragots de bonnes femmes ». Bonne-Maman était ravie. Le docteur Renouard dissimulait sa curiosité. Invité dans la salle d'études, secrètement épaté des planches d'anatomie, il bougonnait : « Est-ce bien utile à l'éducation d'une fille ? » Il m'oubliait et entrait en grande conversation avec Mr. Fox sur le rôle du foie dans la mélancolie.

— La digestion est d'une logique imparable. Une très belle construction. Une exaltation plus forte que la poésie.

J'avais douze ans quand il sortit sa plus belle planche anatomique sur la reproduction d'un veau. La saillie, le fœtus dans le ventre de la vache à ses différentes étapes, l'accouchement. Rose Delageon boudait dans sa cuisine, Passerose blâmait la crudité de l'enseignement. Mon père laissait faire. Bonne-Maman approuvait.

— Quand donc nos filles seront-elles totalement instruites sur l'essentiel ? De la vache qui vêle à la femme qui met bas, la différence est mince. Au fait, cette enfant est-elle pubère ?

*
*   *

Bonne-Maman aimait moins que Passerose n'abandonnât jamais, pour moi, l'enseignement des Évangiles. Aux heures de mes récréations, dans le jardin, elle taillait les rosiers et me racontait les paraboles. Elle m'apprenait à planter les pieds de reines-marguerites et me contait la Nativité. Elle m'enseignait comment ôter au rhododendron ses fleurs en fin de saison afin que jaillisse la prochaine floraison, et me narrait les quarante jours de Jésus-Christ au désert. Elle arrosait les phlox, les digitales, les géraniums en récitant avec moi et pour moi l'*Ave Maria*. Elle désignait d'un grand geste doux le jardin flamboyant et disait : « Remercie ».

À mesure de ces mois où j'apprenais tant de choses, la foi fortifiait en moi ses ramures, ses sources rafraîchissantes. Je priais pour que ma mère retrouvât sa lumière égarée. Je finis, peu à peu, par prier pour son enfant perdu. De la fleur jaillissante, du raisin odorant à la divine poussière, tout était une seule et même prière.

Je n'avais pas revu Théophile depuis une année. Après avoir réussi son baccalauréat, il avait été reçu au concours d'entrée de l'École navale, à Rochefort-sur-Mer. Tante Céleste et le pasteur avaient marié leurs filles ; le fils aîné voulait devenir pasteur à son tour. Tante Céleste, en toute ingénuité, me brisa un jour le cœur.

— Il y a dans l'air un projet de fiançailles de Théophile et d'une jeune fille, Catherine, de la famille Sornin, de la Grande Champagne, à Chateaubernard. Elle a seize ans. Supportera-t-elle un futur marin ?

Elle découpait une galette, ses yeux avaient la profondeur azur des yeux de Théophile, et une vipère inconnue venait de me mordre le cœur : la jalousie. Un mal si intense, si physique que je m'enfuis au jardin. « Ce n'est pas vrai ! se révoltait un double en moi, sans âge, blessé à l'extrême. Il ne m'a rien dit, il ne m'a jamais écrit, il m'a trahie. » Tante Céleste serait tombée des nues de cette souffrance adulte dans ce corps d'enfant – impubère. À ses yeux, je n'avais été qu'une jeune sœur, une camarade d'équitation. Ainsi quand il s'en allait, mystérieusement du côté des Fins Bois, c'était vers une autre, une femme très jeune, en boucles et ruché de soie, à qui il n'eût jamais osé dire « ma drôlesse ». Que faire de la soudaine privation des promenades à cheval, au cri joyeux de « Tu viens, ma drôlesse ? » Que la mer l'emporte, qu'une tempête le brise mais qu'il ne se lie pas d'amour à une autre ! Ne pas mésestimer l'amour écorchant un cœur et un corps d'enfant. Mes émotions, depuis toujours, dépassaient mon apparence. Le malheur d'aimer est soumis au dilemme du décalage. Être trop jeune, ou trop vieux quand un grand souffle ravage. Ne pas avoir encore les armes de la haute lutte – ou les avoir égarées à cause de l'âge. J'enrageais soudain du temps si lent, du temps si lourd. De retour à la maison, je m'enfuis au fond du jardin et sanglotai le front contre la terre. J'endurai une douleur amoureuse. Mais il y eut, miséricordieuse, Passerose.

— Viens botteler avec moi les œillets du poète. Un jardin guérit tant de peines ! Ne t'occupe pas de Théophile, il sera marin, peut-être fiancé. Qui peut dire ? On ne sait rien de rien sauf qu'un jour, ce sera ton tour d'être la fiancée, la bienheureuse. Espère, Marie !

Je tremblais de tous mes membres comme au temps de ma première chute de cheval. « Remonte en selle, ma drôlesse, tout de suite ! » Je bottelais les fleurs roses, mauves, au cœur jaune d'or, le triple rang à fins pétales de velours dentelé, élargis en une roue de paon, violette, rouge, festonnée de bleu... Les œillets du poète ? Des fleurs sur ma peine, des fleurs aux funérailles des enfances si longues, si riches en fractures et en moissons soudaines.

— Tu as de la chance, Marie, tu vas communier. Prions Dieu, la Vierge et ses Saints.

Je demandai à Mr. Fox :

— Croyez-vous en Dieu et ses saints ?

Il restait de marbre.

— Miss Breuillet, ne posez pas ce genre de questions et soyez libre de vos choix. Reprenons la merveilleuse histoire du chiffre zéro. Apprendre aide à dépasser les bruits si vains du monde et la méprisable sentimentalité.

## 37

La mère La Fourve ne s'approchait jamais de la maison, mais elle se souvenait de mon âge. Le plus important, à ses yeux, était ma première communion. Aucune science ne tenait devant l'Esprit. Ce n'était pas bien grave que Marie apprît comment naissaient les bêtes ou les hommes, le pire serait l'impiété. À sa manière, La Fourve repartait en croisade et n'abandonnait pas ceux qu'elle aimait désormais à travers la prière. Elle sublimait l'essentiel chez un être qu'il fût issu d'elle ou étranger : l'Esprit, le vent fou de l'Esprit. Qu'il sème et moissonne, le reste n'était rien. Oui, du péché d'Adam avait déboulé la condition bestiale de toute naissance. Oui, Adam était un Christ raté. Oui, l'humanité était née de la souillure. Le temps était venu d'enseigner à Marie la force de l'Esprit saint, la puissance de la miséricorde. La Fourve balayait dans sa prière intense la vanité du monde, les basses anxiétés dues aux fortunes, le destin mutilé de ses filles. Elle balayait la chair et son joug, l'enfantement, son origine infâme, racheté par l'amour, le lait, le don. Elle sublimait l'Esprit ; le vent fou de l'Esprit.

Dans sa prière ardente, mon nom, « Marie », devenait une perle sur ses lèvres, confondue à la Vierge qu'elle implorait.

Madame Eugénie occultait de toutes ses forces la mère La Fourve. Elle se réveillait certaines nuits, le cœur étreint, l'esprit assombri de rêves confus et désagréables. Elle se souvenait qu'au fond d'une cure, quelque part, si près, une vieille femme était *aussi* la grand-mère de Marie Breuillet. Elle s'asseyait, le souffle court, la main pressée sur le côté gauche. La veilleuse éclairait vaguement le lit, les oreillers, sa chevelure encore brune. Elle respirait vite et mal sous son bonnet de nuit, elle trempait un morceau de sucre dans un peu de cognac, surveillant, avec mépris, sa main qui tremblait. Il lui était insupportable, au point de se réveiller brusquement, le cœur dans un étau, de songer à la mère La Fourve. Madame Eugénie se heurtait à un dilemme : l'avenir d'une bonne partie de son cognac portait le nom de Marie Breuillet, fille et petite-fille d'une glaneuse catholique. Son orgueil la malmenait. Elle avait été persuadée que sa raison, la logique de Mr. Fox, l'amitié des protestants de Cherves, suffiraient à établir un nécessaire détachement. Dans le fond de sa nuit, elle comprenait qu'il n'en était rien.

Au diable La Fourve, sa religion superstitieuse et ces glaneuses ! Tant pis si Théophile s'en allait en mer ou du côté des Fins Bois. Que Marie, unique *garçon* de cette famille déplorable, s'endurcisse et apprenne jusqu'à plus soif. Toute guérison passait par une ascèse et ses règles. Marie Breuillet en était capable.

Apprendre ; la plume chargée d'encre noire. Apprendre ; sur la mappemonde bosselée, le sens véritable de la terre, sa structure, le fonctionnement des océans, des glaciers, des vents, des volcans, des fleuves. Apprendre ; le nom des déserts, la formation des mirages. Apprendre à classer les espèces animales, des vertébrés aux invertébrés. Apprendre les ensembles, les soustractions, les additions, les divisions, les multiplications. Apprendre qu'un chagrin se châtie, se disperse – puisqu'il tanne une âme, la nuit, le jour, aux heures froides de l'aube et du crépuscule.

— Miss Breuillet, l'arithmétique soigne les absurdes défaillances romantiques.

Apprendre, d'instinct, au-delà d'un tel maître, les comptes de la maison. Apprendre, avec madame Eugénie, que les tonneaux se comptent de telle manière, qu'il est mieux de commencer par les bonbonnes, que l'on doit savoir la quantité, la quotité, le volume des bouteilles en réserve. Apprendre, savoir, jusqu'au plus petit ensemble de flacons offerts à Noël. Savoir évaluer la part des anges. Savoir, d'un seul coup d'œil, évaluer la quantité de raisins d'un rang de vigne, de toute la vigne, de toutes les vignes. Savoir capter le nombre de grains de chaque grappe. Apprendre, compter, engranger. Tout savoir du coût des ventes, du bois nécessaire à la confection des nouveaux fûts. Tout savoir des retours, des pertes, des maisons rivales, en particulier l'obsédante Grande Champagne. Aimer apprendre, aimer compter, aimer les gains. Devenir celle qui, à son tour, inscrirait son nom sur les étiquettes mécaniques du nouveau cognac.

Apprendre le nombre d'hectares de chaque verger, chaque jardin, chaque potager et les bois alentours. Connaître la quantité annuelle des fruits, ceux qui se conservent dans l'alcool, en confitures ou dans les bocaux que l'on fait chauffer dans de grosses bassines.

Savoir, d'un seul regard, la part volée par les merles, celle impartie aux glaneurs. Connaître la profondeur exacte des puits, du fleuve, le nombre des anguilles qu'il est permis de pêcher, le nombre des bêtes consenties à la braconne, le nom et le nombre des gibiers à la table de Jean Breuillet.

Savoir, afin d'avoir à mon tour le droit de croître et multiplier, qu'avant ma naissance de nuit et de suie, mon père et Léonora avaient traversé des images radieuses. Oublier les souvenirs au profit des images. Classer les images. Classer, celles, précieuses, où un beau garçon aux cheveux fauves riait : « Ça va ma drôlesse ? » quand j'essuyai ma première chute. Apprendre qu'un jour, au portail de La Burgandière, la mère La Fourve, venue à pied de Richemont, avait frappé et dit :

— Marie doit faire sa première communion.

*
* *

Passerose alla à sa rencontre. Vivien Lelindron suspendit son martèlement à l'atelier des tonneaux. Ambroise et le jardinier jetèrent un œil suspicieux sur la vieille femme en sabots. Était-ce une bohémienne, une mendiante, une glaneuse ? Rose Delageon se signa, Maria-la-bègue disparut. Écœuré, le vieil Émile aussi. Mr. Fox était à Cognac, chez Bonne-Maman.

La Fourve me tendit ses mains tièdes et dures. Son regard, profond et noir, était la réplique de celui de Passerose. Elle parla avec l'accent du pays, un roulement chantant dans les voyelles.

— Viens, Marie, viens faire ta retraite à Richemont. Faut-il pour cela supplier ton père ?

Ainsi c'était ma grand-mère dont personne – sauf Passerose – ne m'avait entretenue. Je trouvai soudain naturel cette présence, cette demande et la lumière me parut très claire. Je souris, à peine étonnée de la soudaine présence de Léonora dans la cour pavée. Elle alla, fragile dans un châle mousseux, vers La Fourve qu'elle n'avait pas revue depuis des années.

— Je vais emmener Marie quelques jours chez le père Jean. C'est la retraite. Ma fille, laisse-moi la mener à sa communion.

On entendit siffloter la ballade de l'amour et de la rose.

Léonora tremblait, non d'alcool, ou de malaises, mais d'une grave émotion.

— Emmène Marie avec toi, dit-elle.

Elle ne demanda rien à mon père, ayant pris sur elle de décider. Elle osa ordonner à Ambroise de nous mener à Richemont et pria Passerose de préparer mes affaires. L'insolite chaleur qui descendait dans mon âme, dans le sourire tremblé de ma mère et de La Fourve, c'était la joie. Je fus, pour quelques secondes, suspendue dans l'air délicieux, une bienheureuse.

*
* *

Mon père ne souffla mot de cet événement. Le docteur Renouard affirma que l'attitude de ma mère notait une amélioration : elle avait pris une responsabilité, une autorité que l'on croyait égarée. Jean Breuillet baissa la tête, assombri. Il subissait ces femmes, leur religion, la folle liberté d'avoir aimé. Il avait autrefois subi sa mère, ensuite Marthe, qui l'avait abandonné dans une confusion glacée. La puissance détournée des femmes. Même Marie, sa fille, ouvrait un fossé entre eux. Il avait remarqué son bouleversement chez le pasteur, à l'annonce des fiançailles possibles de Théophile. La passion, cette malédiction, touchait déjà l'enfant de son joug. Marie avait suivi La Fourve sans discuter. Les êtres, les événements, lui échappaient. Léonora avait demandé à Amélie Delageon de confectionner une robe de communiante. Jean Breuillet oscillait entre l'agacement, une blessure anxieuse, une amputation mal identifiée. Il se sentait seul. Qu'on lui rende le temps où la petite avait sauté à cheval par-dessus le grand massif sous les encouragements joyeux de Théophile ! C'était gentil, ces deux enfants riant ensemble. Mais déjà la vie mettait en route sa banale destruction. Bizarrement, Jean Breuillet n'aima pas trouver Léonora apaisée, habitée d'un espoir qu'il ne lui avait jamais vu depuis la mort de leur fils. Il était jaloux de cette joie fugitive qui baignait le regard de Léonora. C'était lui qui, autrefois, savait allumer cette lueur délicieuse. Il s'en voulait de la préférer misérable, malade, à sa dépendance, soumise à son délicat despotisme. Quelque chose lui échappait, sa femme lui échappait. Marie aussi, qui, sans sa permission, avait osé suivre cette vieille femme rabougrie qui l'avait autrefois allaité. Marie qui avait chancelé, il s'en souvenait, quand Céleste avait évoqué Catherine Sornin. Jean Breuillet ne voyait pas très bien qui était Catherine Sornin, dans cette profusion d'enfants au domaine de Chateaubernard. Il s'était déjà rendu au domaine, invité par le maître des lieux qui lui avait proposé une collaboration auprès des commerciaux anglais. Catherine, voyons, c'était sûrement l'aînée, cette grande blonde, aux yeux trop pâles, qui chevauchait sans sourire et sans frémir un alezan couleur de feu. Sans s'y attarder, Jean avait souffert d'entendre le rire de Théophile aux côtés de la cavalière. M. Sornin lui avait présenté Léonce, un de ses fils, âgé de treize ans. Léonce cachait sous une grosse frange rouquine un front carré, des yeux bleu délavé. Léonce avait le geste brusque, un rhume chronique, des mains fermées souvent en poings carrés. Personne, là-bas, comme partout, ne parlait à Jean Breuillet de Léonora.

La Fourve était, dans leur esprit, en dessous de l'anguille, du roseau, de la ronce.

La Fourve, cette sorte de mère, s'était perdue dans la folle avoine de sa mémoire. Il avait tenté, non sans honte bien cachée, de l'évacuer de sa vie pour ravir Léonora dans sa passion. Il s'était acharné, dans le même temps, à lutter contre la ruine de son domaine. La Fourve ne pensait ni aux vignes, ni à la ruine. La ruine de l'Esprit, seule, comptait. Elle allait, plus forte qu'un grand vent, plus forte que les murs de La Burgandière. Jean courbait un front vaincu : il était plus aisé de détruire le phylloxéra *vastatrix* que cette détermination femelle. Tout était de la faute des femmes. Marie avait suivi La Fourve et le trouble de Jean Breuillet s'accentuait. Il s'en voulait d'avoir laissé faire – y compris le baptême de ses enfants. Il lui arrivait, parfois, comme sa mère, de se réveiller brusquement la nuit. Il ne s'aimait plus depuis qu'il avait subi la passion, consenti à cette faiblesse inique. Le rapt de Marie vers la communion ravivait en lui le sentiment dévorant d'avoir été floué. Il frôlait la colère, la vague envie de tout quitter. Mais quitter quoi ? Qui ? On n'emmène que soi dans ses bagages et on ne quitte que soi vers les rives inconnues. Il n'avait pas aimé Marthe, Léonora l'aimait-elle ? Il n'existe aucune route toute tracée. Marie, riant pardessus le grand massif, Marie, pleurant seule au jardin, Marie sur le chemin de La Fourve... Cette nuit-là, où Marie était à Richemont, Jean Breuillet veilla dans son bureau encombré des livres de comptes, cernés de noir tels des faire-part funèbres.

\*

\* \*

Je passai vingt jours à Richemont. Je couchais dans la chambrette qui touchait à celle de La Fourve. Une femme très âgée, percluse dans un fauteuil près de la cheminée, ployait son visage scellé d'une coiffe sur deux mains tremblantes croisées sur une canne. Cette salle servait autant de cuisine que de salle à manger. Le père Jean m'avait accueillie simplement.

— Entre, Marie, et que Dieu te bénisse.

Le souper se composait d'une soupe de poireaux et d'un gratin de courge. La Fourve (je l'appelais grand-mère) fit manger à la cuillère l'antique Françoise. Elle avait étalé un large torchon sur ses genoux. Elle essuya ses lèvres, la fit boire, la mena au lit jumeau du sien. Elle la déshabilla, la coucha. On entendit un cri involontaire, celui de la souffrance. J'ai tout aimé de ce séjour, de cette maison si simple qui ouvrait sur le potager. J'ai tout aimé, même les soins donnés à Françoise. J'ai aimé ce qui me semblait insurmontable, haïssable, le tremblement d'insecte d'un corps décharné, dont il fallait changer le linge, nettoyer les plaies. La Fourve y mettait une ferveur et un tact indépassables. Tout devenait simple, y compris le rituel odieux de porter la vieille femme vers certaine chaise. À mesure qu'avançait la retraite, le partage de cette vie silencieuse, où tout était donné, jamais compté ni mesuré, je me rapprochais de ma mère. Je ne pensais plus à Théophile sous l'angle d'une trahison, mais d'une amitié que personne ne pouvait me dérober. Je revoyais ces heures où Passerose prodiguait à Léonora ses soins. Il y avait eu, autrefois, le dévouement de Maria-la-bègue à Marthe et j'en venais à comprendre la servante détestée. Quelle différence entre cette vieille femme usée, débile, et la belle Léonora, usée, gorgée de larmes, d'alcool, d'originel malentendu ? De la beauté trop évidente à la destruction, le chemin était une simple ligne brisée. Léonora, l'antique Françoise, autrefois Marthe : une seule et unique condition. Théophile, l'amitié ou l'amour, une seule et même fusion. Tout rejoignait une grande absence, une infinie gratitude.

J'ai aimé, à l'église, les paroles du père Jean. Nous étions peu d'enfants à suivre la retraite. La IIIᵉ République était alors cette secousse d'attentats anarchistes, de grèves ouvrières, de rejet de la religion. Il y avait eu le scandale du boulangisme et celui de Panama. On n'aimait guère les prêtres, on désertait les cures. Le phylloxéra avait pris toute la place dans les têtes, dans les cœurs. Que de fois avais-je entendu dire « arracher la vigne, c'est arracher les entrailles ». Dieu était confondu à un piège douceâtre, une statue de plâtre aux yeux vides. Le Christ tenait la modeste place d'un grain de sénevé. Le rôle de La Fourve avait consisté à faire croître en moi ce grain de sénevé. L'immense cadeau de ce séjour fut une paix retrouvée. Le cadeau de La Fourve, cette pauvresse sublimement riche. La Fourve, mon sang.

Nous étions une vingtaine de filles et de garçons – surtout des filles. La plupart étaient en blouses et grosses chaussures, certains en sabots. J'ai aimé la tartine de pain bourru et de beurre partagée à quatre heures. J'ai aimé les prières en commun, j'ai aimé les paraboles, les questions évoquées. J'ai aimé aimer. Je suis une solitaire qui aime les autres.

Amélie Delageon vint à la cure, accompagnée d'Ambroise. Elle étala sur un drap un coupon d'organdi blanc, sortit d'un sac en tissu un col confectionné par ma mère. Un col immaculé, brodé de liserons et de feuillages, blanc sur blanc. De la soie, une finesse d'orfèvrerie. L'aumônière était ouvragée de même sorte. À l'intérieur, sur un mouchoir en soie, était brodé « Marie Breuillet » entouré d'une branche de liseron. C'était le cadeau de ma mère, cousu point par point durant ces heures où je la méprisais, quand elle tremblait, penchée et les yeux rouges. Amélie babilla, prit mes mesures, découpa les étoffes, narra mille petits événements. Mr. Fox, resté impassible à la nouvelle de mon départ, herborisait, classait des insectes, écrivait. Le vieil Émile lui apportait, avec dévotion, en pleine campagne, lui qui avait horreur de l'extérieur, un repas froid dans un panier. Madame Eugénie ne décolérait pas de ce qu'elle nommait « cette ridicule hérésie ». Elle avait dit à Rose, lorsqu'elle établissait le menu du grand jour, qu'elle n'irait pas à ces stupides agapes.

Amélie affirmait que j'avais de jolies épaules et une taille bien faite en dépit de ma jeunesse. Catherine Sornin avait des salières pour clavicules, la taille basse et des cuisses de hanneton. Je m'en voulais de sourire, bien contente de ces informations. Léonce Sornin, papotait Amélie, était un mal élevé. Il lui faisait les cornes quand elle venait coudre chez eux et tirait les cheveux de ses sœurs. Amélie soupirait, d'un air de fausse ingénuité.

— On se demande qui pourrait épouser une fille qui a des yeux de merlan frit… Toi, Marie, tu as l'œil d'une madone italienne, des cils aussi longs et soyeux que ta chevelure.

Rien n'arrêtait son bavardage. Je jetais quelques brindilles dans son débit pour en savoir davantage sur Théophile. Elle arrondissait une bouche gourmande : M. Théophile avait réussi son concours à l'École navale, les Chassin de Cherves ont des relations avec M. Louis Marie Julien Viaud, commandant de la canonnière *Le Javelot,* stationnaire de la Bidassoa, à Hendaye. Théophile va le rejoindre et y faire son école navale. M. Louis Marie Julien Viaud l'apprécie beaucoup.

Amélie s'échauffait.

— J'ai du mal à dire M. Pierre Loti, cela ne fait pas sérieux. Il m'a passé commande pour coudre les coussins dans sa mosquée. Parfaitement, Marie, sa mosquée ! Tu ne peux imaginer le gourbi de sa maison. Il a transformé la rue de Fleurus en un théâtre où il donne des fêtes. Je ne sais si ces fêtes seraient du goût de M. Théophile ou du pasteur – ou du père Jean. Est-ce sérieux pour un officier de la marine, de se maquiller les yeux au khôl, de recevoir en babouches et djellaba ?

Je n'écoutais plus, reprise du mal d'absence. Quand reverrai-je Théophile ? Théophile, en mer, la grande haridelle de Chateaubernard avait le droit de lui écrire. Rose, chuchotait Amélie, préparait un beau déjeuner pour ma communion. Maria-la-bègue devenait moins sauvage et on l'avait même vue à la cuisine dire quelques mots à Rose. Un événement insolite s'était produit peu de jours après mon départ.

— Madame Léonora prend des cours de dessin avec Mr. Fox. Elle a commencé ton portrait.

Amélie Delageon ne disait presque rien de mon père. Il avait reçu des clients anglais, on le voyait chevaucher le long de ses vignes, aller du chai à la ville, à ses affaires. Il passait de longues soirées dans son bureau où le vieil Émile lui servait son thé. Madame Léonora ne mangeait presque rien. Vivien Lelindron était allé à la préfecture de la ville. Le bruit courait qu'il préparait un départ à l'île de La Réunion. Il avait repeint l'intérieur de sa maison.

J'essayai la robe et son voile. Amélie Delageon joignit les mains, plus contente de son œuvre que des intentions de cette toilette. La Fourve, radieuse, traça une croix invisible sur mon front. La robe et ses accessoires furent rangés dans un grand carton. Il y avait des bas blancs, des chaussures vernies.

*
* *

Le matin de la communion, Ambroise fit un seul voyage. Je m'étais éveillée à l'aube. Une joie profonde

balayait tout prétexte à chagrin, même l'absence bou-
deuse de Bonne-Maman et des siens. « Je serai marin »,
avait dit Théophile. Que même les solitudes se fassent
ces ailes légères ! Où était ma mère ?

— Elle est malade depuis quelques jours, murmura
mon père.

Il me donna de sa part un chapelet en perles, un mis-
sel recouvert de nacre, à tranche dorée, loti d'images
encadrées de papier dentelle. L'une d'elles représentait
un ciboire d'or flottant dans un soleil. À son dos, ma
mère avait écrit : « Pardon, Marie. Je t'aime. » Elle avait
daté et signé cette petite phrase qui, malgré moi, me fit
mal. Mon père, en costume sombre, portait sur son visage une infinie tristesse. Cette cérémonie lui rappelait
la furtivité de son mariage, l'abandon qui perdurait.

Un petit groupe de femmes d'un milieu si différent
du sien, une impression de clandestinité, un blâme
muet. Où était passée sa fille si vive au chai, capable de
goûter son cognac, capable de suivre le rythme d'un collège de garçons ? Il n'aimait pas me voir perdue dans
ce que sa mère nommait « un piège d'organdi et de sou-
tanes ». Je vis à sa pâleur qu'il maudissait sa faiblesse.
Aimait-il encore Léonora qui, émergeant peu à peu de
son marasme, évitait son amour ? Il ne s'était pas réjoui
devant l'aquarelle qu'elle avait achevée et réussie : un
portrait délicat de Marie penchée sur un remous rosé
de fleurs. Il se fâcha, et le regretta aussitôt, contre
Mr. Fox : il ne l'avait pas engagé pour apprendre l'aquarelle à son épouse. Mr. Fox, flegmatique, lui sourit.

— Votre mécontentement est logique, Mr. Breuillet,
tout à fait logique.

La messe lui fut un supplice. Il avait aimé à en perdre
l'esprit la chair de nacre et de lait de Léonora. Il avait
aimé la violence de leurs étreintes, sa froideur de marbre qu'il forçait vers des fougues enfin révélées. Il avait
aimé devenir violent dans l'étreinte. Elle avait été la

Fille, la Bête, la Fleur, la Serve, l'oriflamme de la vigne foulée, mordue, blessant ses lèvres d'un miel amer, sa fierté et son déshonneur.

Il tressaillit quand, à genoux devant la grille, le père Jean dit : « *Corpus Christi* » et tendit à Marie l'hostie étincelante. Il tressaillit, hanté du corps de sa femme. Depuis la naissance de Marie, Léonora se refusait à lui. *Corpus Christi*. Dans ma bouche irradiait la plus exquise des forces dans cette rondelle de farine et d'eau. *Corpus Christi*. La Fourve tourna vers moi ses rides éblouies. Le temps de se quitter était venu. Elle me laissa aller, telle sa glane la plus luxuriante. Elle joignit entre les siennes mes deux mains gantées de dentelle blanche.

## 38

Le déjeuner de Rose Delageon était un bel acte d'amour.

Elle avait, depuis l'aube, tronçonné six grosses anguilles. Elle avait fait revenir un morceau de jambon coupé en dés, déposé dans un plat creux, vernissé. Elle avait glacé un kilo de petits oignons du potager. Dans ce jus, elle avait fait frire les anguilles passées à la farine, rangées à mesure sur une plaque. Le tout fut mouillé de saint-émilion et d'un verre de cognac. La matelote avait cuit une heure, lentement, dans l'épaisse casserole en cuivre. Rose surveillait la puissance des feux en crochetant les ronds de la cuisinière. Elle touillait les braises, y jetait un peu d'eau. Elle versait doucement dans la cocotte, le jambon coupé en dés, les petits oignons. Elle faisait griller les croûtons au dernier moment.

*
* *

La daube saintongeaise avait été préparée la veille.

Le boucher livra à Rose son plus beau morceau. Deux kilos de « macreuse ou jumeau », et un pied de veau. Il fallut la demi-livre de beurre de Surgères, d'un blanc beige, à fin goût de noisette, qui conservait sa perle de lait, son sel délicat. Elle avait gratté un kilo de jeunes carottes, pelé et émincé deux cents grammes d'échalotes et découpé le lard en tranches fines. Elle s'était servi du cognac le plus rouge, corsé, à goût de muscade. Elle ajouta en cours de cuisson le bouquet garni, un zeste d'orange. La confection de la daube avait exigé sept heures. Nul n'entra dans son sanctuaire, la cuisine. Un sourire mystérieux flottait sur ses lèvres. Un bonnet blanc sur la chevelure tirée afin de marquer l'extrême propreté entre la cuisine et elle, la virginité absolue des éléments à cuire et la moindre souillure. La chute d'un seul cheveu eût provoqué son désespoir. Elle avait fermé la porte et pendant ces heures, ensachée du grand tablier en calicot bleu et noir, croisé dans le dos, elle avait procédé avec lenteur, réflexion, justesse. Elle fit revenir les morceaux de viande et les carottes dans la cocotte en fonte aux larges flancs. Elle nappa de lard le fond d'un plat épais de faïence crémeuse, orné d'un coq bleu. Elle déposa lentement chaque morceau de viande et le pied de veau avec une fourche d'acier. Elle ajouta les oignons revenus dans le beurre. Elle fit flamber le demi-litre de vin rouge qui éclairait d'un feu violet son visage sévère et doux, son sourire énigmatique. Elle avait une confiance quasi religieuse dans ses gestes d'officiante. Un art noble, un art digne d'accompagner le cognac, de servir son maître, de servir les mânes de cette terre où elle était née. Le sel de Ré avait été ajouté avec une attention d'apothicaire. Quelques grains de poivre gris suffirent. Elle versa le demi-verre de cognac et laissa cuire le tout, très doucement, six heures d'affilée. Le couvercle, creux, était mouillé d'une louche d'eau. Rose remua régulièrement la daube avec une cuillère en bois, de sa main courte, noueuse, puissante, aux ligaments apparents. Une main habile aux fines œuvres culinaires, solide quand il s'agissait de découper, vider à plein poing les entrailles d'une volaille. Une main sûre d'elle quand elle farcissait un chapon, bourré d'un croûton aillé, bouchant l'ouverture entre les pattes, passées au préalable à la flamme. Une main qui savait égorger sans défaillir le poulet pétrifié en un long cri bref. Recueillir le sang frais, le poêler avec des champignons. Une main qui savait, d'un seul coup à la nuque, tuer le lapin, dépiauté ensuite dans un bruit de soie déchirée. Une main, blanche de farine, qui pétrissait, le temps de le dire, la pâte des galettes. Rose, bâtie en fine paysanne, plus solide qu'un sarment de vigne. Rose, au regard gris et perçant, capable de dureté intuitive, de douceur soudaine. Un œil qui s'était embué aux deuils de cette famille, ces Breuillet qu'elle servait depuis des siècles et des siècles.

*
* *

Rose avait songé au dessert depuis des jours. La matelote d'anguilles, la daube, les fromages de Pont-Labbé et de Saint-Porchaire seraient présentés avec des noix fraîches et du raisin noir. Elle avait confectionné, chou après chou, une pièce montée gorgée de crème pâtissière et une mousse au chocolat amer nimbé de cognac. Pourquoi avait-elle la tête baissée, l'œil mouillé d'une larme et un coin du tablier contre sa bouche ?

Une lumière orangée baignait la cour pavée. Maria-la-bègue, gauchement, m'offrit un bouquet de lys et de camomille. J'eus peur de cette offrande comme j'avais eu peur de l'image pieuse où Léonora avait écrit : « Pardon Marie, je t'aime. » Pourquoi le vieil Émile surgit-il dans la cour, en bêlant, « Nous n'avons rien vu venir » ? Il y eut un remue-ménage soudain. Je ne sais qui parla en premier. Maria-la-bègue, pour la première fois de ma vie, me livra un regard humain. Une tristesse humaine. Elle bégaya une petite phrase dont la portée terrible jaillit sur mon père tel un coup de poignard :

— Elle est partie.

## 39

Ma mère Léonora s'était enfuie, ce matin-là, avec Vivien Lelindron, vers l'île de La Réunion. Je ne sais plus qui poussa un long cri de blessé à mort. Je glissai d'un coup dans un tourbillon noir, suffoquée et les genoux tremblants. Du sang sur l'organdi blanc.

C'était mon premier sang. Il y eut la voix de mon père :

— Ne me dites pas, Mr. Fox, que cela est logique ou je brise tout !

Il criait : « Je brise tout, je brise tout. » Le vieil Émile chevrotait : « Monsieur Jean, ô monsieur Jean » et tentait de le retenir par la veste. Jean Breuillet avait foncé dans la chambre bleue. On entendit des fracas, des arrachements de tissus, du verre brisé, une fureur et un raffut d'enfer.

*
* *

Jean entreprit de détruire entièrement la pièce. À coups de pied, à coups de poing. L'enclos de son fol amour devait disparaître. Il cassa les bois du lit, arracha le matelas, jeté au sol comme une personne vivante qu'il piétinait. Il brisa en morceaux le bois, arracha la soie, déchira la moire et les draps. De la fenêtre s'envolèrent les plumes d'un édredon, oiseaux sinistres sans tête, sans pattes, sans ailes. Tout fut lancé par les fenêtres, des étages jusqu'au rez-de-chaussée.

La consternation régnait. Jean hurlait à mesure du saccage. Ambroise, Thomas le régisseur, les uns, les autres, reculaient, effarés devant ce qu'ils considéraient comme une crise de folie. Personne n'avait parlé et pourtant tout le pays, déjà, savait les choses : la fuite de la fille des glaneurs avec le viticulteur, la fureur de Jean Breuillet. Le lit en morceaux brûlait sur le fumier, Jean Breuillet avait allumé lui-même les flammes. Un grand feu rouge qui craquait, un lit disloqué qui prenait les formes convulsives d'un être vivant. Maria-la-bègue se signait et dressait vers le ciel des poings ouverts qui enfin semblaient désarmés. Les uns, les autres, tous avaient la gorge serrée.

— Une colère pareille, commenta plus tard Bonne-Maman, a été salutaire. Jean aurait pu se tirer une balle dans la tempe ; ce lit de cocotte était nul et non avenu. Au fond, Jean a été sage, quoique je n'apprécie pas le gâchis : un meuble dure plus longtemps qu'une personne et celle-là ne valait pas le fauteuil que Jean a mis en pièces.

Mr. Fox fut le seul à conserver son sang-froid pendant cette tempête.

— Absolument logique, disait-il, hochant la tête devant le bûcher qui flambait derrière la cour pavée.

*
* *

On m'avait oubliée et dans un grand fracas de foudre, de poussière, de rumeurs, je sombrai. Il y eut la nuit. La fièvre. Il y eut le jour et ses lentes guérisons. Il y eut les nuits et les jours. Avec les mêmes personnages.

De la maison avaient disparu Léonora, la ballade de l'amour et de la rose. Léonora nous avait jetés à la porte de sa vie.

Il n'y avait plus de chambre bleue.

Je tombai malade d'une paratyphoïde que Mr. Fox, imperturbable, continua à nommer « la logique des événements ». Il aurait dit au docteur Renouard :

— Miss Breuillet n'est pas en danger. Sa maladie est utile. C'est une grande purge de l'esprit.

Bonne-Maman me veilla plusieurs nuits.

Je grelottais, je claquais des dents, saisie de misère morale et physique. Un violent mal de tête m'embrumait de bienheureuse rupture avec la trop dure réalité. Je souffrais trop pour laisser mon mal moral l'emporter. La fièvre était intense. Je sentais sur mon corps des mains légères, fraîches et habiles à ne pas me malmener quand on changeait mon linge. Passerose, ou Rose, ou Bonne-Maman ou La Fourve ? Je n'avais plus peur de Maria-la-bègue. Je la confondais parfois avec les ombres bienveillantes qui luttaient pour m'arracher à un précipice rouge et noir. Des gémissements m'avaient échappé quand on avait ôté, un à un, mes vêtements blancs que le sang avait maculés.

— Son pouls est au comble de l'accélération, bougonnait le docteur Renouard.

Des silhouettes se penchaient, on frictionnait mes muscles tendus, douloureux. J'avais chaud, froid. Je grelottais dans la chemise en coton blanc.

— Elle est devenue pubère, c'est le choc.

Le docteur Renouard brandissait l'éclat métallique d'une lancette. On me saignait, à la coudée du bras. Des guêpes noires envahissaient mon crâne, piquaient et sifflaient sans relâche. Cet affreux essaim répétait un seul prénom : Léonora. On posait sur mon front et mes poignets des compresses fleurant le vinaigre. Une potion amère, désaltérante, était glissée dans ma bouche.

Mes yeux si las s'entrouvraient à peine sur la chambre bleue, la chambre brune, la chambre de Marthe, toutes les chambres de tant de mortes. Où était passée ma chambre d'enfant, mon lit de toujours ?

— Faites-la boire le plus possible. Donnez-lui trois fois par jour cette potion. Je reviendrai la saigner si la fièvre n'a pas baissé. Il ne faut pas s'effrayer du délire, il fait partie de la fièvre. Marie est robuste.

Dans ma bouche où une main aimante versait une cuillerée de potion, le mot « robuste » prenait la forme et le goût du laurier noir. Sont-ce mes funérailles, où l'on offre au visiteur une branche de laurier ? Avec le réflexe d'une goûteuse de cognac, je concentrais l'attention de ma bouche sur la potion et sa funèbre amertume. Amertume des grands cognacs ; amertume de la perte d'amour.

— Sa mère ne s'est jamais occupée d'elle. Pourquoi Marie s'est-elle effondrée ainsi ? Je crains plutôt le mutisme de Jean. Sa belle colère en fumée, le voilà raide et pâle comme un mort.

La voix impérieuse de Bonne-Maman, dans la chambre où je peinais. Elle veillait et j'entendais des tronçons de phrases où revenait, dans un bref sanglot : « Ne pas perdre Marie ».

\*
\* \*

— La fièvre de Marie a baissé. Elle a avalé un peu de bouillon. Elle a reconnu Passerose ; elle a souri à son père et à madame Eugénie. Mr. Fox a conseillé de cesser les saignées. Marie a réclamé sa grand-mère La Fourve.

Qui bêle dans le couloir que le parfum des roses et la chaleur pourraient me fatiguer ? C'est le vieil Émile qui veille à fermer les contrevents car nous tenons, dit-il, une forte chaleur. Qui fait les cent pas dans la bibliothèque, argumentant d'un murmure de foule en oraison, les derniers mots de son traité sur la logique ? C'est Mr. Fox. Qui répète, doucement : « Marie, reviens avec nous » ? C'est Jean Breuillet, mon père. Quelle est cette voix joyeuse, ce galop trop fort contre mes tempes : « Saute, ma drôlesse, saute ! » ? C'est Théophile le marin.

Mon cœur se déchire à nouveau et j'entends bougonner : « La fièvre remonte, Marie, aide-nous à te guérir, voyons ! » Et peu à peu je me suis mise à entendre sur le chemin de halage le net grincement des charrettes chargées des fûts. J'avais envie de la fraîcheur indicible du chai. Dans mes oreilles vrombissait le murmure maritime de l'alambic. Les choses me revenaient plus que les hommes. Je me souvins des choses. La Fourve me fit boire le *vin médecine*, piquette mêlée d'herbes du fleuve. Elle que personne n'osa empêcher de gravir les étages jusqu'à ma couche, porta à mes lèvres ce vin mystérieux un soir où le docteur Renouard était au comble de l'inquiétude.

— Bois, dit La Fourve.

Le *vin médecine* empestait un mélange de pourritures végétales, de musc, de raisin suri, et la fraîcheur désaltérante du tamaris.

— Bois, Marie, bois.

Ce vin soignait les engelures, les plaies, les bosses, les cloques aux pieds nus dans les sabots, les cloques qui se transforment en un lacis de purulences. Le *vin médecine,* vin infect, soignait la gravelle, les entrailles échauffées. Il apaisa le feu de mon crâne, ce vent épouvantable où je suffoquais, seule. Il apaisa la brûlure sous mes paupières.

— Ouvre les yeux, Marie Breuillet !

La main tendre et sèche de ma grand-mère menait à ma bouche le *vin médecine*. Le docteur Renouard avait accepté en bougonnant de laisser faire une vieille femme douée d'amour et du sens de la glane quand elle est destinée à guérir. Une vieille femme qui savait voir, entre les blés et les vignes, l'herbe torve, cette mandragore inconnue qui, macérée dans le vin des glaneurs, le transforme en puissant contrepoison.

*
*  *

Je souffrais moins. De nouvelles images traversaient mes nuits transfigurées, où La Fourve et ceux qui m'aimaient me hélaient loin d'une rive qu'ils refusaient de me voir franchir.

— Guéris, Marie Breuillet. Guéris.

Je laissais aller les images dans leur sens fougueux, radieux ou maudit. J'affrontais cette moisson perdue d'où j'étais née. D'où je vivais et avais cru périr.

Léonora, au goût amer du *vin médecine,* devenait un vitrail radieux au fond d'une sépulture où couraient des bêtes rampantes. Elle devenait une fleur coupée, perdue aux immondices d'un grand champ de bataille, que se disputaient corbeaux et chiens.

— La fièvre revient. La Fourve lui a posé des sangsues sans qu'elle souffre. Madame Eugénie veille avec elle. Elles ont le même regard sombre et anxieux. Jean Breuillet a oublié sa propre peine. Il ne supporterait pas le décès de sa fille.

— Marie ne mourra pas, précisait La Fourve.

Ma fièvre se peuplait d'images bleu et or. Dans mon sang coulait un cognac d'ambre rouge. Je fusionnais avec Léonora pour mieux la dépasser. J'étais dans les belles images. La rencontre d'amour de Léonora et de Jean Breuillet, lui avec les traits de Théophile. Je bondissais, sur le chemin de halage. Mes personnages se modifiaient et j'allais vers eux, à travers eux, dans une totale apesanteur.

*

* *

Une immense fatigue me saisit. Je ne bouge plus.

— Bois, Marie, bois encore le *vin médecine.*

Je tremble.

— La fièvre remonte, donnez-lui de l'eau de gomme. Interrompez le *vin médecine.* Posez des sinapismes aux chevilles. Pressez un citron frais dans sa bouche.

Je pensais à Léonora.

— Elle ouvre les yeux, elle nous reconnaît. Posez une compresse d'eau vinaigrée sur son front et ses poignets. Jean, quitte la chambre ! Un homme n'est jamais à sa place au chevet d'une femme souffrante.

— Ce n'est pas une femme, c'est Marie Breuillet, ma très chère fille.

Léonora était partie. Ma mère avait fui. Et moi, en la rêvant avec sa bouche fruitée de cerise, j'avais envie de manger un morceau de clafoutis.

— Marie a faim ! Quel bonheur, c'est un signe de guérison ! Donnez-lui des cerises en sirop.

*

* *

J'ouvris les yeux. Il y avait de part et d'autre du lit Bonne-Maman, La Fourve, Passerose. Dans le fond de la chambre, vêtu en veuf, amaigri et pâle, Jean Breuillet. Perlaient aux yeux de Bonne-Maman deux larmes, deux diamants noirs.

C'était le plein été. Une déchirure de soie achevait mon éclosion vers mes forces définitives. C'était la guérison. Elle doublait mon cœur d'un précieux velours rouge et sombre. Elle faisait du chagrin un trésor particulier, une châsse à laquelle personne ne toucherait.

Le soleil perçait le contrevent. Un parfum de tarte à l'abricot montait dans l'air qui sentait le vinaigre, le *vin médecine,* l'eau de Cologne. Une abeille bourdonnait. On entendait le cri des gabarriers sur le chemin de halage.

# CINQUIÈME PARTIE

# 40

La chambre brune. Ni fantôme, ni cauchemar, ni anxiété. Rien. La chambre brune, celle, désormais, de Marie Breuillet. Aucun obstacle, sauf le coup de pied dans la porte qui grinçait d'abandon. Le bégaiement de Maria-la-bègue qui, lentement devenue folle, tendait ses poings vers le ciel. Madame Marthe était vengée, il ne restait en cette âme trop longtemps enténébrée qu'un immense désarroi. Était-ce madame Marthe qui était revenue ? Que signifiait l'investissement de la chambre par cette jeune fille si brune ? Maria-la-bègue régressait en une zone floue où elle refusait de faire la différence entre Madame Marthe et Marie Breuillet. Elle ne demandait plus rien à personne, Maria-la-bègue. Qu'on lui laisse sa chambrette à l'étage, manger sa soupe à la cuisine, chauffer ses mains tremblantes au feu de l'âtre. Qu'on lui accorde de rester dans sa niche. Elle ne maudira plus, elle ne jettera plus de sorts contre la chambre honnie. L'imposture a disparu dans les flammes.

Mais maintenant, elle tremble, Maria-la-bègue. Elle a peur. Le châtiment se retournera contre elle. Nul ne sait qu'elle a gémi : « Pitié, pitié » pendant la fièvre de Marie Breuillet. Elle suppliait madame Marthe d'intercéder pour que cessent le malheur et sa chaîne serpentesque. Que cesse le tourment, que cesse sa vie misérable. Que cesse l'immense fatigue d'avoir été obligée de haïr.

Elle a souffert à faire souffrir ; que vienne le repos. Et si le châtiment fait partie du repos, que vienne le châtiment ! Qu'on lui laisse la permission de se coucher en rond, bête fidèle, jusqu'au noir repos. Elle n'a fait le mal que dans l'intention de protéger Marthe, l'adorée. Qu'importe aujourd'hui si l'ombre disparue a laissé la place à Marie Breuillet. Maria-la-bègue a égaré la force de la haine. Elle est devenue un pauvre souffle, elle n'est plus rien, elle lavera, si la punition, l'exige, le plancher avec sa langue. Elle a dépassé les ombres. Elle n'a plus de force. Tenir ses poings levés est un effort terrible. Elle ne veut plus sortir de la maison. Elle a peur du ciel, des oiseaux qu'elle confond avec les anges, ces ravisseurs. Elle entend Marie Breuillet – ou Marthe – lui dire des choses bienveillantes :

— Personne ne vous chassera de cette maison, Maria. Vivez en paix.

*

* *

Passerose la soigne. La Fourve vient régulièrement nous fournir le *vin médecine* et caresse mon front. Elle ne s'attarde pas. L'antique Françoise ne pouvant désormais même plus quitter son lit, elle enduit d'onguent son dos et ses membres torturés d'escarres. Elle dit que l'antique Françoise est devenue en quelque sorte une fille à elle et qu'elle l'accompagne dans sa souffrance qui ne connaît guère de répit. Le *vin médecine* ne suffit plus, Dieu aura pitié. Il aura pitié aussi de Maria-la-bègue.

La Fourve a pour Maria, qui s'est approchée, dans la cuisine, tremblante, égarée, les gestes d'une nourrice. Elle lui fait place et lui tend un bol de lait. Rose est déconcertée, proche de l'irritation. La Fourve se lève et croise son fichu. Maria-la-bègue, aidée de Passerose, retourne vers sa chambrette. Elle crie faiblement si on la fait passer par la cour. Le ciel, le cri des pétrelles, des canards sauvages, l'aboiement des corneilles aux rives des vignes, une simple mésange la pétrifient. La Fourve ne s'en va jamais sans avoir prié pour elle et pour nous toutes – y compris Léonora. Elle s'en va, si légère qu'on entend à peine ses sabots sur les pavés de la cour. Elle aime aller à pied.

## 41

J'ai occupé la chambre brune pendant les vendanges qui suivirent ma longue maladie. J'ai entendu d'innombrables sons. C'était, dans la cour, le bruit des charrettes et des paniers renversés dans les cuveaux. C'était le chant et le sifflement des vendangeurs, le piétinement de la première pression au fond du cuveau. C'était, lié à l'effort proche d'une ivresse particulière, une montée de parfums véhéments. C'était le crissement orchestré, particulier, de la grappe que l'on coupe à ras et sans mutiler son bois. C'étaient tous les bruits de la vigne écumée de son or, les mains des hommes et les mains des femmes, unies dans la puissante chorégraphie de la récolte. C'étaient les chants d'une vigne répondant à une autre, la ritournelle à la manière des pastoureaux, des holla-hi ! mêlés à la stridulation des ramiers sauvages.

*
* *

Lors d'un déjeuner dominical, où tout embaumait le gibier, la galette chaude et le vin chaleureux, Bonne-Maman approuva fortement mon initiative d'investir la chambre.

— C'est bien, Marie, autrefois c'était ma chambre. J'aime à savoir que tu vas désormais l'occuper. J'aime à voir qu'à treize ans, tu n'es habitée d'aucune sotte peur. Il est temps que La Burgandière reprenne son ordre et sa paix. Cette pauvre bègue est pitoyable. Passerose a du mérite de la soigner. La malheureuse prétend que des anges ou des diables, bref, des salades catholiques, vont l'enlever au ciel. Sotte fille ! Jean, envoie-la à la maison de santé de Saujon.

Mon père répondit sèchement.

— Nous avons promis de la soigner ici. Partout ailleurs, elle irait encore plus mal.

Bonne-Maman haussa les épaules. Elle se tenait plus droite que jamais. Son visage avait changé. Je n'aimais pas cette couleur lilas qui courait le long de ses tempes. Je souffrais de ces fils invisibles qui tiraient vers le bas son visage majestueux. Un bouillonné de tulle, des perles, ne dissimulaient pas les rides de son cou, sa flétrissure cornée. Son souffle était plus court, ses mains portaient ces taches jaunes que l'on nomme vilainement « fleurs de cimetière ». Elle avait maigri. Je prenais à mon tour la défense de Maria-la-bègue que le docteur était venu voir.

— Elle fait de l'enfance, avait-il bougonné. Elle n'est pas dangereuse. Hors d'ici, elle serait perdue.

— Tu es bien bonne, Marie, répliqua Bonne-Maman. Elle était la haine personnifiée à ton encontre et envers, euh, envers...

— Envers ma mère ? Ne soyez pas gênée, Bonne-Maman. Elle avait déjà égaré une partie de sa raison. Passerose lui donne le *vin médecine* qui m'a tant soulagée. Elle n'est pas bien gênante. Elle va de sa chambre à la cuisine, s'assoit sur la dernière marche de l'escalier du côté de ma chambre. Elle a peur de l'extérieur.

Bonne-Maman soupira. Depuis toujours, elle détestait l'étalage d'une pitié avouée. Le vieil Émile aussi.

— Jean, s'écria Bonne-Maman, ta maison a été le spectacle de déplorables excès. Cela se sait et tu as sans doute perdu des bénéfices intéressants. Non, non, ne me fais pas tes yeux sombres et furieux ! Je tiens à te dire que je compte sur Marie, sur un reste de bon sens, comme je compte sur vous, Mr. Fox, pour changer tout ça.

Mr. Fox s'inclina légèrement.

— Miss Breuillet a repris ses cours. Nous travaillons autour des épreuves du brevet élémentaire. Je dois dire qu'en orthographe, géométrie et anglais, Miss Breuillet est déjà à la hauteur. Son... petit malaise n'a en rien altéré sa mémoire et ses aptitudes.

Rose apporta mon dessert préféré. Un « fromager » charentais, croustillant et chaud, accompagné d'une « jonchée », ou lait caillé parfumé à l'amande, gorgé de crème fraîche.

On servit un pineau blanc.

Bonne-Maman le compara au sien, son pineau rouge dont elle était très fière.

— Ton pineau est bon, Jean, mais il est trop jeune. Il a un an de tonneau.

Elle parlait de son pineau rouge avec une grande coquetterie. Elle avait fait planter, à son intention, de l'excellent millot dans sa meilleure terre, parallèle à sa plus grande vigne. Le bouilleur redoutait l'œil de madame Eugénie au moment capital du contrôle du taux d'alcool du moût : ne jamais dépasser quinze pour cent.

— Écoute bien, Marie. On ne répète jamais assez les choses qui valent la peine. Ton père t'a initiée aux mystères de nos alchimies. Guette avec une vigilance extrême l'instant où il faut « faire taire » le vin en cours de fermentation par « mutage » si tu veux un grand pineau. Guette « le mutage », c'est-à-dire l'arrêt absolu de la fermentation. Additionne pour cela en une seule fois la dose nécessaire de ton meilleur cognac. Sois intransigeante. Avant de le mettre en bouteilles, laisse-le au moins deux ans en tonneau. Jean, ton pineau blanc est trop odorant, trop fruité. Il lui manque une année. Il est bon pour aromatiser le melon. J'ai un très vieux pineau qui a déjà dix ans de barrique. Je le garde pour ton mariage ! À ta santé, Marie !

À ses yeux brillants et sa soudaine gaieté, Bonne-Maman nous accorda d'être légèrement ivre.

— Rien de plus traître qu'un pineau trop jeune, dit-elle.

Elle quitta la table en fredonnant la ritournelle des vendangeurs.

## 42

Occuper la chambre brune prenait source dans la ré-
solution farouche d'accélérer ma croissance, de dépasser les durs orages que nous avions affrontés. Je voulais
un domaine nettement retranché de la chambre bleue.
Elle avait en partie disparu, mais des images flottaient.
Il me fallait émigrer vers des espaces inconnus, ver-
rouillés aux tours d'écrou d'une morte qui, trop longtemps, rongeait l'esprit égaré d'une servante. Par cet
acte, je m'interdis la peur. La peur, je l'avais traversée,
j'en avais été la proie dans mes différentes solitudes. La
peur, c'était une goutte glacée le long du dos, la gorge
nouée, les genoux tremblants, un invisible guet-apens.
Le pire de la peur avait été l'abandon de ma mère, orchestré par le harcèlement sifflant de Maria-la-bègue.
Le départ de Théophile en mer, promis à une fille de
Chateaubernard, n'était pas la peur, mais la douleur. Le
pasteur, qui venait quelquefois, ne parlait jamais de
Théophile alors que tante Céleste se confiait plus volontiers à mon père.

— Théophile navigue, nous avait-elle dit un jour.
Nous recevons quelques lettres. Il salue toujours Marie
au moment de signer. Il a été inquiet de sa maladie. Il
ne parle plus de Catherine Sornin. Les Sornin ont l'air
de nous avoir oubliés. Il est vrai que nous sommes pauvres. Tout se réglera, d'une manière ou d'une autre, au
retour de Théophile.

J'avais lancé un « Quand revient-il ? » si intempestif que je le regrettai aussitôt. Je retombai dans ces horribles attentes. Combien de siècles fallait-il franchir avant d'oser parler d'amour ?

Les voix bourdonnaient, je lus sur les lèvres ce qui ne se dit pas. Le sac et le ressac maritime qui éloignaient Théophile de moi. Il ne m'écrivait jamais. Je souffrais de tant d'absence et d'attente. Je craignais cet assaut, ce mal de l'âme. La chambre brune devait être un exorcisme, la stimulation lucide, nécessaire, de l'orgueil. L'orgueil de madame Eugénie, qui avait franchi, droite et sans frémir, tant de caps. Maria-la-bègue avait égaré la haine et moi j'avais, à ma façon, égaré la peur. La fièvre avait brûlé mon sang, pâli mes joues, emporté les vaines angoisses.

Jean Breuillet avait lutté, je le savais, contre la tentation de tout laisser aller. Il conserva sa chambre mais fit tapisser en ocre l'ancienne chambre bleue pour la transformer en un bureau consacré à sa correspondance à l'étranger. La pièce perdit peu à peu son pouvoir de capture, ses mortelles souvenances.

\*
\* \*

Un trait de caractère nous unissait davantage mon père et moi. Nous avions, tacitement, procédé par l'élimination psychologique des lieux trop lourds. Nous étions circonspects quand la pitié de nous-mêmes nous saisissait, sans prévenir, à la nuque, au cœur, à la gorge et nous prîmes, l'un et l'autre, l'apparence de la dureté. Jean Breuillet répétait.

— Il y a le cognac. Il y a Marie.

Quand un flot de larmes risquait de tout compromettre, je mordais ma lèvre à m'en faire mal. Je scandais les mots à goût de survie.

— Il y a mon père. Il y a le cognac.

Je n'osais dire aussi : « Il y a Théophile. » Je répudiais la nostalgie d'aimer les absents. Le cognac était la source unique liant le passé, le présent, l'avenir. Le cognac avait souffert, la vigne avait souffert – nous avions souffert. Il y avait eu la résurrection, les cépages fleurant haut, à nouveau, leurs grains délicats. Le cognac, flamboyant, dressait sa flamme royale. Nous avions dominé, à notre tour, nos blessures. Jean Breuillet intériorisait ses victoires liées à un long combat quotidien. Chaque jour – chaque nuit – dans la chambre abolie, il lui fallait repousser la souffrance. L'évacuer telle une lie infecte, troublant la pureté d'un grand cru. Il avait brûlé, saigné d'aimer. La paix venait, lentement, avec sa dureté d'argile. La chambre, ce lieu du crime d'abandon, était devenue un domaine d'homme, le domaine de mon père. À mesure du temps, son amertume faisait place au « rancio » d'un souvenir auquel il faisait mauvais visage.

À la place de la chevelure d'or rouge, obsédante, de ma mère partie, apparurent les apaisantes colonnes de chiffres. Il parcourait en détail le cahier austère de Thomas le régisseur et s'obligeait au salvateur exercice de l'oubli. Mon père, qui devinait que je m'appliquais de la même sorte, dit à ceux qui le servaient :

— Vous obéirez à Marie comme à moi.

Par ces mots, il m'adoubait une seconde fois. Il me faisait confiance et reprenait confiance en lui. Une ride nouvelle barrait son front et quelques fils blancs traversaient sa chevelure soignée.

## 44

J'entrai dans la chambre de Marthe, d'un coup de pied. Je fus saisie par le silence, l'obscurité, des relents de cire, de moisissures. J'eus du mal à ouvrir la fenêtre. Passerose me suivait et se signa tandis que j'enfonçai d'un coup de poing le contrevent qui résistait. Il bascula dans un grincement lamentable, heurta le lierre où rampaient des lézards. Un nid de frelons brutalement dérangés s'agita en un bourdonnement hostile.

— Il faudra ôter ce lierre, nettoyer ces murs.

La lumière hésitait à entrer. Une araignée avait tissé un long fil du plafond au dos d'un fauteuil, bossu sous sa housse blanche. J'ôtai ces housses qui se déchiraient de fatigue. Les fauteuils étaient en velours marron, de belle forme. Une table ovale supportait un napperon en dentelle, un vase dont on avait oublié de changer les fleurs. L'eau était croupie, les glaïeuls pendaient, couleur de foin, la tige pourrie. Maria-la-bègue avait perdu la force lucide d'entretenir les lieux. Je n'aimais ni le paravent ni la toilette blanche où s'alignaient des serviettes nid d'abeille, à franges, marquées des initiales de Marthe. Le temps avait tout jauni. Je détestais le lit trop haut, trop étroit, ses bois si sombres. Une couche qui parlait d'effroi et d'agonie. L'armoire à corniche, la commode, étaient sinistres. Sur la cheminée, la pendule à boules tournantes était arrêtée. Maria-la-bègue avait cessé de la remonter depuis le décès de Marthe. La cloche qui recouvrait la couronne de mariée était terne.

— Passerose, ôtons cette toilette et ce paravent. Je garde les fauteuils à condition de les faire recouvrir. L'armoire, la commode s'en iront. On y mettra les miennes. La couronne de mariée ira chez Maria ou sur quelque console, en bas. Le lit... Il conviendrait de le brûler. La tuberculose... Je ne veux rien d'un tel passé.

Je remontai la pendule. Les boules hésitèrent et tournèrent doucement.

J'ouvris sans douceur l'armoire et chaque tiroir de la commode. Les robes, le linge de Marthe, y dormaient encore. Une vapeur de lavande surie s'éleva. Des trous, œuvre des mites, déshonoraient le linge.

— Donne tout ça à Maria, si elle fait trop de grimaces. Il ne manque pas de placards dans son couloir. Le feu serait mieux. Aide-moi à tout transporter, c'est lourd, ces robes. C'est triste. Du noir et du gris.

Passerose poussa un cri quand je décrochai les robes de leurs cintres.

— Ne crie pas de superstition, je t'en prie. Tu n'es pas Maria, et nous avons assez souffert du spectacle de la morbidité. Je ne veux plus jamais cela. La folie, la mort n'ont droit à aucun règne sur les vivants. On enterre les morts, on prie pour eux, on ne porte jamais leurs vêtements, on soigne les fous, on n'entre pas dans leur monde.

Je visitai la chambre communicante qui avait été celle de mon père, et avant lui, celle de Jean-Eudes Breuillet. Il fallut la poigne de Passerose pour ouvrir les fenêtres. Là aussi, poussière, tristesse, abandon. Des teintes désolantes, un lit morose. Sur le bureau courait une araignée. Du lierre entrait par la fenêtre disjointe.

L'armoire était remplie de draps empestant eux aussi la lavande moisie.

— Il faudra laisser tremper ce linge dans de l'eau chaude et des cristaux de soude, observa Passerose.

— Je ferai ici un bureau, j'écrirai, j'étudierai tard le soir. Plus de lit mais un canapé, ôtons ces rideaux désolants. Je veux du rouge, un grand nettoyage, un fauteuil Chesterfield. Sur cette étagère, mes livres. J'aiderai à ces rangements. Revenons à la chambre. Elle sera lumineuse. On y portera mon grand lit en noyer. Je cueillerai avec toi des fleurs fraîches pour ces vases. Je conserve ce tapis émeraude et bleu, cadeau de M. Pierre Loti.

J'avais lu *Aziyadé*. Je fermai les yeux, en proie à un espoir aussi délicat que les dessins du tapis d'Istanbul. Théophile à bord de la corvette de Marie Julien Viaud, commandant de la canonnière *Le Javelot*. Grandir, grandir encore, Théophile, de l'autre côté de la terre. La mer émeraude et bleue ; Léonora, de l'autre côté de la terre d'ici. La mer glacée.

Je tirai brutalement les rideaux marron. Ils s'écroulèrent sur le plancher.

— Je veux partout un beau rouge gai et profond, mêlé de pourpre. Cela ira admirablement avec la mosaïque émeraude du tapis.

On entendait renifler à la porte de la chambre. Maria-la-bègue pleurait doucement, sans fureur, peut-être sans mémoire. Elle pleurait car la chute des rideaux avait anéanti la toile d'araignée et l'araignée aussi. La pendule chanta quatre notes argentées.

Je n'en restai pas là. Je demandai à mon père la permission de faire arracher le lierre de la tour.

— Il soulève le toit, il ronge le mur, il abrite des araignées et des frelons.

— Elle a raison, approuva Bonne-Maman. Cette verdure retient l'humidité. Ton père, Jean, avait poussé des hauts cris quand j'avais pensé à faire comme Marie. Il avait l'air si contrarié que, pour une fois, j'avais cédé. J'ai eu tort.

Léon et Madeleine étaient outrés de ces changements. Bonne-Maman ne m'apprenait rien en soulignant qu'ils ne m'aimaient guère. Mon père s'irritait : était-ce une information utile ?

— Il est plus utile de connaître ses ennemis que ses amis, concluait Bonne-Maman. Les amis sont des ennemis possibles, les ennemis marquent un camp qu'il s'agit de dominer. Tout fonctionne en ce bas monde comme une guerre. Marie doit tout savoir, sinon à quoi bon ce chambardement ?

*
*  *

Ces propos avaient lieu le dimanche. Elle venait souvent, depuis ma maladie. Elle voulut assister à l'arrachement du lierre. Ambroise était mécontent. Le jardinier aussi. Le vieil Émile pinçait une bouche offusquée. Que d'habitudes chamboulées au nom des caprices d'une enfant !

— Marie n'est plus une enfant et, s'il le faut, je prends tout sous mon bonnet, s'agita Bonne-Maman.

J'osai l'interrompre.

— Non, Bonne-Maman. Tout a été ma décision avec l'accord de mon père.

Elle pâlit, rougit, s'éventa. Elle dépassa prudemment sa colère.

— Donne-moi un peu de cognac, Jean, s'il te plaît.

Elle s'adoucit en une complicité au-delà de son âge et du mien.

— Tu as raison, Marie Breuillet. À ton âge, j'avais fait poser des rideaux grenat dans le salon de Cognac. Ils y sont toujours. J'avais fait planter des thuyas et des lauriers-roses derrière nos murs ; ils y sont encore. Je contrôlais les comptes, je le fais toujours. Ah, Marie, vivrai-je assez longtemps pour te voir déployer les énergies que je pressens en toi !

Elle plissa ses paupières, filtra un regard aigu vers moi. Elle redressa son dos qui la faisait souffrir et dont elle ne se plaignait jamais. Elle décida de vivre encore quelques années. C'était une question de volonté.

— Il y a celles qui survivent trop longtemps par ignorance ou par bêtise. Je pense à l'antique Françoise et à cette folle de bègue. Ce sont des êtres pour rien. Ne frémis pas de répulsion catholique, Marie, avec moi cela ne prend pas. Laissons tes saints et ta Vierge bien tranquilles dans leurs niches. Je suis protestante, c'est-à-dire que j'aime mes biens, l'ordre et la raison. Il y a celles qui prolongent leur vie par bon sens, nécessité et volonté, j'en fais partie et je te souhaite la même chose. Je ne compte guère les hommes dans le calcul des prolongations. Ils sont trop vains, trop faibles ou trop sots. Nous sommes toutes des veuves. S'ils ont du génie, ils en crèvent. Mr. Fox, peut-être, vivra autant qu'une femme intelligente. Il a su se préserver des sottes émotions. Il n'a ni le cœur faible ni le corps fou.

\*

\* \*

Il fallut dix ouvriers, des échelles et trois semaines pour venir à bout d'un lierre quasi centenaire que l'on fagotait et brûlait à mesure. Il fallut replâtrer des trous, combler des crevasses, refaire les gouttières tordues, tuiler une partie du toit. De la belle tuile faite de la terre rouge d'ici. Le lierre n'avait été qu'une fausse protection. Sous sa beauté, se cachaient la pourriture, l'humidité, des insectes et des rongeurs affolés.

J'avais retrouvé avec un vrai plaisir la bibliothèque, la mappemonde, les livres. Je demandai à Mr. Fox ce qu'il pensait du lierre. Ce fut une belle leçon, entre la botanique et le mythe. À travers le mythe, je compris mieux les intimes dilemmes.

— On appelle le lierre *Hedera belix* et dans mon pays *Sulphur Heart.* Il est de la famille des lianes, une famille ligneuse, persistante, radicante. Vous avez raison, Miss Breuillet, de vous en méfier. Il assombrissait cet espace de la maison, sous un camouflage faussement agréable. Le lierre devient pourpre, selon la saison, *Atrepurpurea.* Il aime la terre fraîche, alcaline, il a besoin d'eau, l'attire et la retient. En Irlande, il a une forme plus douce, des feuilles ovales, à cinq lobes triangulaires. Il entoure volontiers les troncs d'arbre mais préfère les murs. L'ogre des murs. Si on le laisse faire, il soulève le toit, envahit la demeure. Je ne saurais trop vous dire, Miss Breuillet, qu'en fait de décoration, les hommes, souvent, se trompent. Y compris quand ils se font l'esclave d'un être surestimé à cause de la fallacieuse beauté.

En mythologie, le lierre étend ses pièges. Dionysos s'en revêtait. L'avais-je croisé, sans le savoir, dans les vignes de mon père ? Le piège de Dionysos, le piège éternel du mâle capturant la femelle. Le piège du lierre, plus sournois que le pouvoir de la vigne.

— Le lierre ne donne rien si ce n'est le poison de ses baies.

Les Tanagra, gracieuses figurines grecques, portaient sur elles des baies de lierre afin de se mettre sous la protection du Dionysos. Le mur dégagé du lierre porta longtemps une face écorchée, blessée. Le lierre, au corps des Tanagra, symbolise ce besoin de protection des femmes, ce doute de soi, au point de réclamer l'entrave, les chaînes fussent-elles végétales. La tour de La Burgandière, cernée si longtemps de lierre, avait été le domaine des femmes. Et l'homme épouvanté avait fui, était mort, ou s'était retrouvé spolié, les mains vides, étreignant son ombre.

— Les Minyades, disait Mr. Fox, vouées à Dionysos et à son lierre couraient, sans volonté, rejoindre les Bacchantes au fond des montagnes. La perdition, la reddition. Tout symbole a son double. Le lierre était consacré aussi à Attis dont Cybèle, déesse des moissons, s'était éprise. Elle avait capturé Attis avec le lierre. Le lierre devint alors le signe de l'amour dévorant, de la mort et des renaissances.

— Le lierre, c'est aussi *l'éternel retour*, ajouta-t-il.

L'éternel retour de Léonora, celui de l'amoureux enfanté du rêve, l'éternel retour des vivants aimés, plus silencieux que nos morts. Dionysos, mort et ressuscité. Christ, mort et ressuscité. Le lierre avait été, d'une certaine manière, le comble de la soumission.

— Vous avez arraché le lierre, Miss Breuillet. Vous voulez lui échapper. Vous refusez la vassalisation de votre sexe, toute attente d'un fallacieux *éternel retour*.

J'écoutais, la tête encore accablée de migraine. J'écoutais, face à l'aquarelle que ma mère avait peinte de moi. Une Marie si jeune, si petite, penchée vers une brassée de fleurs. Un souvenir pieux, destiné à la tombe d'une enfant. Les enfants de Léonora, disparus, engloutis au lierre dévorant.

— Miss Breuillet, quand on est capable d'arracher le lierre, on peut aussi bien se préparer un jour à devenir bachelière. Si nous révisions le théorème d'Archimède ?

Le sourire revint. J'apprenais l'humour. Grâce à Mr. Fox.

*
* *

Bonne-Maman offrit la dépense de ma nouvelle chambre.

— Ne dis rien à ton oncle Léon, souffla-t-elle. Bien sûr, Amélie Delageon a déjà bavardé, il suffit de voir la tête de Madeleine. Je m'en moque !

Le tapissier de Cognac était venu. Du rouge, une chambre rouge. Des rideaux pourpre, doublés d'un orangé solaire. Le lit, en cuivre doré, était recouvert de moire de même sorte. Le tapis émeraude et violet était devenu le fond d'un océan tropical. La lumière du jour déversait un flot rosé. Je ne voulus plus fermer les contrevents. Chaque soir, je tirais les grands rideaux rouges et j'allumais les lampes chapeautées de mauve. Un orient gai, un feu délicat baignait la chambre. Des ombres pourpres traversaient le lit dont les cuivres rutilaient. L'aube me réveillait selon les saisons. Un rayon rose, le crépitement de la pluie, parfois le moelleux apaisant d'une neige éphémère. En été, je laissais longtemps les fenêtres ouvertes, évitant les lampes pour ne pas attirer les moustiques. Le romarin, le thym, la citronnelle, la sauge, les abricots et les fleurs embaumaient. En hiver, je suivais le bourrelé offensé des orages qui m'exaltaient. Je les regardais tel un spectacle de choix. Ils éclataient au-delà du fleuve et des vignes, par-dessus le bois des abeilles. Ils entraînaient le tourbillon du vent et de la pluie, puis s'éloignaient, et tout respirait la menthe sauvage. J'aimais le ciel serein, pur et sec d'une partie de l'hiver. J'aimais l'automne, le reflet opiacé des cuveaux de raisins. J'avais fait disposer le bureau face à la fenêtre que le lierre avait failli arracher. Je révisais ainsi, la nuit, les épreuves du brevet élémentaire. J'allais sur quinze ans, une natte noire audelà de la ceinture serrant une taille menue. Une poitrine formée, le mollet impatient, des muscles de cavalière, le regard de mon père, la bouche de Bonne-Maman, un teint fouetté de rose et de brun.

— Marie devient charmante, sans basculer dans la sotte beauté, disait Bonne-Maman. Elle n'est pas blonde, Dieu merci, quel air sot et bovin peut donc prendre une blonde pour capturer un mari ! Marie a de belles dents et par conséquent un sourire ravissant. C'est une grande chance. Que de bouches déformées par de vilaines dents ! Voyez Madeleine !

*
* *

La nuit était devenue la compagne familière de mon labeur. Je révisais les épreuves du brevet élémentaire, mon père me donnait, en exercice, sa correspondance à traduire en anglais. Nous parlions du cognac, de ses affaires. Il promit de m'emmener en Angleterre chez ses négociants. La nuit était une richesse subtile. La nuit, une maison change, vit, craque et respire autrement. La maison, ses bois, ses pierres, ses planchers, travaillaient. La lampe du bureau créait un petit cirque lumineux. Les ombres étaient douces, une chouette hululait. La lune inondait de son mercure le carreau voilé de tulle. La nuit devenait l'alliée, l'apaisement. Je grandissais. Amélie Delageon défaisait l'ourlet de mes robes. Certains corsages n'allaient plus.

— Tu as une jolie poitrine pour ton âge. Un ventre plat, des hanches féminines. Tes jambes ont perdu leur raideur de héron, elles sont proportionnées juste ce qu'il faut en chair et en muscles. Je vais t'apprendre à rouler tes cheveux en papillotes.

Je riais et Amélie riait avec moi, grasse, rose, romanesque et intarissable.

— Catherine Sornin a des omoplates en ailerons de requin et des taches de rousseur le long du dos. Elle sent la rousse, c'est-à-dire le lapin. Sa colonne vertébrale est visible. C'est une grande perche prétentieuse. Je lui couds une robe de bal en plumetis vert pâle. On dit qu'elle a trouvé un parti plus intéressant que la famille du pasteur, le fils d'un grand négociant en liqueur.

Elle chuchotait ces confidences, d'un air gourmet. J'avais du mal à dissimuler ma joie.

*
* *

Au mois de mai, à Richemont, je fis ma confirmation. Il y avait La Fourve, radieuse, et Passerose. La main de l'évêque traça une croix sur mon front. Il y eut le parfum délicat du saint-chrême, mélange d'huile d'olive et du baume consacré au jour du jeudi saint.

— Marie Breuillet, je te marque du signe de la croix et je te confirme avec le même chrême du salut, au nom du Père et du Fils et du Saint-Esprit.

Il toucha ma joue.

— Que la paix soit avec toi.

L'huile, ou la douceur et la force de la grâce, le baume ou les vertus, disait le père Jean, que donne le Saint-Esprit. La surabondance de ses dons.

— La sagesse, l'intelligence, la science, le conseil, la force, la piété, la crainte de Dieu. N'aie plus jamais peur, Marie, et ne rougis jamais de ton titre de chrétienne, ni de la croix de Jésus-Christ.

Le jardin éclatait de roses blanches et de melons doux. La Fourve dissimulait dans la poche de son tablier une lettre de Léonora. La paix passait par le silence. La Fourve ne dirait rien.

Immobile sur son lit, l'antique Françoise geignait doucement.

\*

\* \*

Nous étions six filles du canton à présenter le brevet élémentaire. Les épreuves avaient lieu au collège de Cognac. Cela prit quatre jours en comptant le dernier après-midi des oraux. Un devoir de calcul, une dictée, une rédaction, une épreuve d'histoire, de géographie, de la physique et de la chimie à l'oral. Le dessin, la musique et la couture pour les filles. Un groupe opaque de garçons nous fixait, mi-goguenard mi-intimidé, dont Léonce Sornin, avec sa tignasse rouge et une insolence de redoublant. L'enseignement de Mr. Fox avait largement dépassé les questions de l'examen.

Rédaction : votre saison préférée, arguments. Second sujet : description d'un chai. Comment fabrique-t-on de la mine de crayon ? Comment reconnaît-on qu'un nombre est divisible par 9 ? Surface d'un triangle, d'un rectangle, d'un cercle. Dessiner le fleuve la Charente. Son rôle, ses affluents. Le comparer avec la Loire. Les principaux héros de l'*Illiade*. L'influence d'Aliénor d'Aquitaine en France et en Angleterre. Dessin d'un vase et sa perspective. Dictée musicale et solfège. Les sept bémols, la clé de fa. Chanter en mesure une petite cantate (Bach). Traduction en anglais d'une version. Conversation de dix minutes. Le verbe *to be*. Coudre une boutonnière pour veston.

Mr. Fox m'avait accompagnée. J'étais vêtue d'une robe de coton bleu marine, la natte serrée dans un catogan, un col blanc et des manchettes assorties. Amélie Dela-geon avait cousu trois galons de mohair sur la jupe. Nous logions chez Bonne-Maman qui ne cachait pas sa fierté. Les examinateurs étaient austères et vêtus de noir, tous des hommes. Léonce Sornin avait sifflé à mon nom :

— Marie Breuillet, fille d'une glaneuse en goguette.

Il y avait eu quelques ricanements. Je sursautai d'une horreur brûlante. Une voix tança Léonce. Mr. Fox le fit reculer contre le mur du préau. Ses yeux lançaient des éclairs. La scène fut brève mais Léonce, coincé par Mr. Fox, doué d'une force singulière, fut contraint d'écouter sa harangue.

— Je pourrai vous étrangler, méchant putois, mais je vous méprise. Miss Breuillet aussi vous méprise. Vous n'êtes, *logiquement,* rien. Vous allez, évidemment, tout rater.

Je suis entrée dans une classe qui sentait la craie, en mordant l'intérieur de ma joue. Ne pas pleurer, surtout ne pas pleurer. C'était l'épreuve de solfège. Bonne-Maman avait eu vent de l'injure de Léonce Sornin. Mr. Fox eut beaucoup de mal à l'empêcher de courir au collège « donner un grand soufflet à cet imbécile ». Mr. Fox argumenta calmement que la seule vengeance était la réussite. « Miss Breuillet réussirait, ce garçon au front bas échouerait. Il échouerait toute sa vie, peut-être jusqu'à la ruine de sa maison. Miss Breuillet était en constante progression, et le jour n'était pas loin où les insulteurs avaleraient leur langue au seul nom de Miss Marie Breuillet. »

On afficha les résultats : mon nom venait en tête, celui de Léonce Sornin était absent.

*
* *

Bonne-Maman nous offrit un magnifique déjeuner. Mon père cacha sa joie, mais opina quand Mr. Fox demanda, en levant nos coupes de champagne, de le laisser « instruire Miss Breuillet jusqu'au baccalauréat ».

# 45

C'était un été brûlant, les merles pillaient les cerisiers. La France vibrait d'une émotion grave depuis le matin du 24 juin. Le président de la République Sadi Carnot avait été assassiné à Lyon, d'un coup de couteau, par un anarchiste, un jeune Italien nommé Caserio. À Lyon, en représailles, des magasins italiens avaient été saccagés. Les anarchistes devenaient la hantise du pays.

Sauf en Saintonge. Immuable, l'été coulait, le raisin dorait, les chemins étaient ravissants et le bois des abeilles, un repaire de fraîcheur. Casimir-Perier succéda à Sadi Carnot. Il démissionna en janvier. En 1895, Félix Faure devint le nouveau chef de l'État.

Madame Eugénie s'échauffait.

— Bravo, Marie. L'anarchie, les assassinats, au fond, sont un luxe effroyable. Un luxe d'hommes. Quelle femme peut entendre la guerre ou ses hideux sosies ? N'écoute pas les barbaries, Marie. Occupe-toi du cognac et de tes études.

Elle n'osait dire : « Occupe-toi de ton amour, de celui que tu as choisi », mais nos regards se comprenaient. Je lisais désormais clairement au jais profond de sa prunelle.

Elle souriait, un feu identique empourprait nos joues. L'affaire du capitaine Dreyfus dont tout le monde commençait à parler, même en Charente, l'agitait d'un malaise compliqué. On avait trouvé à l'ambassade d'Allemagne un « bordereau », une tentative d'espionnage contre la France. Ce bordereau livrait, disait-on, des informations militaires aux Allemands. L'accusation portait sur le capitaine Alfred Dreyfus, âgé de trente-cinq ans. Bonne-Maman commentait.

— Ce fils de filateur alsacien, né à Mulhouse, a contre lui d'être juif. La famille s'était réfugiée à Carpentras après 70. De l'École polytechnique à l'École supérieure de guerre, ce Dreyfus n'a pas chômé. Le voilà à l'état-major, marié à la fille d'un riche diamantaire. Léon, abonné à *La Libre Parole* de Drumont, m'a fait lire l'article qui démontre que les juifs de France sont des traîtres vendus à l'Allemagne.

Mon père pâlissait, hors de lui.

— Léon est antidreyfusard et ce n'est pas mon cas. Je vous saurais gré, mère, de ne pas me parler de ce torchon de journal.

Léon se dressait sur ses poings. Une querelle montait. Bonne-Maman rougissait, Madeleine découpait fiévreusement une tarte aux fraises. Mr. Fox restait impassible.

— Je lis Drumont si cela me chante, éclata Bonne-Maman. Je le trouve détestable et ton Dreyfus follement dangereux. La France sera divisée à cause de cette sotte affaire. Une guerre s'ensuivra. Une grande, grosse, bête guerre. Je ne serai probablement plus de ce monde mais que deviendra le cognac ? Si les familles se haïssent pour ce Dreyfus, comment peuvent-elles rester unies pour l'essentiel ? Marie, n'écoute pas les hommes, je t'en prie, ils n'aiment que la casse. Tu as vu ton père et ton oncle se transformer en coqs haineux en quelques secondes. Marie, je compte sur toi. Mr. Fox, dites-lui…

Un bref sommeil ferma ses paupières. Elle dormait souvent assise, raide comme une sentinelle, puis se réveillait brusquement et reprenait sa conversation là où elle l'avait laissée.

— Les juifs sont de merveilleux commerçants. J'ai un grand souvenir de certains de nos négociants hollandais. Mais on a eu tort de leur laisser l'accès à l'armée. Rien de plus conventionnel que ces militaires, tous catholiques. Marie, si dans ton catéchisme tu lis « les juifs perfides », réfléchis à ce jugement déplorable pour les affaires. Marie, au nom du cognac, refuse les idées toutes faites sinon tu perdras tout.

Elle éclata en une série d'invectives, d'où le nom de Léonora sortit. Mon père s'en alla brusquement dans le jardin. Léon ne bougea pas. La matriarche se versa un cognac. Elle affirma avoir repéré une brume noirâtre, à peine perceptible, dans l'ambre pur de son alcool.

— Une affaire d'alambic. Je cours au chai. Je plains mon bouilleur. Je risque de hausser le ton.

Elle s'en alla d'un pas plus rapide que ne le supposait son arythmie.

## 46

Août déboulait dans le brouillard tremblé d'une grande chaleur. Je galopais tout mon saoul de longs après-midi. La natte coincée dans le chapeau, un foulard autour du cou, la veste en toile, le pantalon de garçon, les bottes ajustées. Je galopais sur Diamant, un alezan difficile que j'apprenais à mener en rase campagne. Je galopais le long du fleuve. À cheval, je devenais une autre – à la manière salvatrice dont la nuit faisait de moi un être amélioré, attentif. À cheval, au galop, mes peines, une certaine lourdeur de vivre s'envolaient. Je n'étais soumise à aucun joug et aucun lierre n'entravait son envolée. Au galop, je sentais mieux chaque parfum de la terre, je m'enfuyais dans les nuages, je fendais la brume argentée du ciel. Les vignes et le suc des raisins entraient dans ma bouche, tout m'était donné, tout venait à moi.

*
* *

Je ne pensais plus à rien, dans ces galops, sinon à ces haies qu'il était permis de sauter. Diamant avait les flancs noirs et une crinière de feu. Je pris mon élan, au carrefour des trois chemins, du côté du fleuve. Je sautai une haie d'églantiers et de roseaux. Une ombre soudain me devança. Mon cheval se dressa, hennit, épouvanté.

Quel était ce coup sourd dans ma poitrine, cette ombre animale et humaine à la fois ?

— Bravo, ma drôlesse !

C'était Théophile. À cheval, à mes côtés, penché vers moi, il osait rire de ma peur. Diamant s'affolait. J'eus du mal à le calmer.

— Ne tombe pas, ma drôlesse, débrouille-toi ! C'est bien !

Une colère hors d'âge me saisit. Je levai ma cravache contre ce garçon qui riait, contre la peine qui m'avait, depuis des mois, secouée aussi violemment que ce cheval prêt à s'emballer.

Il attrapa la cravache en riant, sauta au bas de son cheval, saisit les rênes de Diamant et, à pleins bras, me fit descendre de la selle.

— Marie, tu n'es pas plus lourde qu'une alouette.

J'avais devant moi, contre moi, un homme jeune dont je respirais l'odeur de bois chaud, de cuir, de menthe sauvage.

— Marie ! Bonjour Marie.

Il me serrait dans ses bras, c'était fraternel, charnel, c'était un tremblement secret de tout mon être, au creux du ventre. « Occupe-toi de ton amour », m'avait dit le regard de Bonne-Maman.

Il était plus grand que dans mon souvenir. Je retrouvais la chevelure en copeaux blonds foncés, qui devenait fauve dans la lumière. Le menton et le coin de sa bouche étaient grevés d'une fossette, les dents écartées – les dents du bonheur. Les sourcils foncés, rapprochés, tels les miens, étaient un signe de jalousie. Le bleu violent de ses prunelles n'avait pas changé. Un bleu d'une attirance terrible. Ne rien dire, ne rien montrer. Sa peau avait le hâle de la pleine mer. Je détestai soudain mon vieux chapeau où ma natte enroulée faisait bosse, mon pantalon de gavache. Un de mes gants était troué.

Mes bottes et mon cheval, c'était ce que j'avais de mieux.

— Méchante Marie, je te confisque ta cravache. Tu avais l'intention de m'en donner un coup.

— Tu m'as fait peur. On ne se lance pas comme ça au travers d'un galop.

— Peur ? Ne me fais pas rire, Marie Breuillet. J'aimerais bien que tu aies peur.

Il riait mais son regard détaillait tout ce qui m'humiliait.

— Marie, tu es devenue un joli garçon.

Il avait le ton moqueur mais la bouche grave.

— Marie, embrassons-nous.

Je tendis une joue raide, mais il empoigna mon cou et baisa ma joue tout près des lèvres.

Gênée, j'enfourchai à nouveau Diamant. Lui-même était remonté en selle.

— Marie, allons au bois des abeilles. Si tu savais comme il m'a manqué quand j'étais en mer...

Son regard, son geste enveloppaient mon visage, ma silhouette, la terre, les vignes, au loin, le fleuve.

\*
\* \*

À l'orée du bois des abeilles, nous sautâmes à bas de nos montures. Les habitudes revenaient. Les cyclamens sauvages, le mouron nacré embaumaient. Les parfums ravivaient dans notre mémoire le goût de nos enfances, de notre amitié qui, en moi, brûlait d'un feu plus rouge. Le chemin allait sous une fraîche voûte de verdure bleue. Le petit étang était bordé de gentenilles ovales, aux pétales minuscules entourés d'un trait de velours noir. Des glaux maritimes rampaient, en fils délicats. Le ruisseau, cerné de jacinthes, chantait sous des noisetiers et des poiriers sauvages.

Le goût du silence, le repos hors de toute menace, une tendresse originelle baignaient les ombres désaltérantes. Nos montures broutaient.

Nous étions assis sur la mousse épaisse, devant l'eau. Nous écoutions le bois, ses frémissements. Une libellule en gaze mauve traversa l'étang de l'élan irréel d'un elfe. Théophile lançait des cailloux dans l'eau.

— Six ronds. Marie, fais un vœu.

Je lançai à mon tour un caillou blanc qui agrandit le cercle.

— Tu es revenu à Cherves ? Tante Céleste ne nous a rien dit. Vas-tu encore naviguer ? Où est ton commandant Pierre Loti ?

— Il achève un grand voyage en terre sainte, il reviendra à Rochefort en septembre. Je suis en vacances, Marie. Nous étions à La Tremblade, à Graine au vent. Je retourne naviguer dans une semaine. J'ai appris tes succès. Bravo.

Le profil en coup de serpe, le nez aquilin, l'œil adouci de cils sombres. Sa voix était plus grave, avec un léger bémol moqueur qui peut-être traduisait de la pudeur.

— J'ai su… dit-il.

La pudeur, la sienne, la mienne. Il n'acheva pas sa phrase. Il avait appris la fuite de ma mère, ma maladie. Une question brûlait ma gorge : Catherine Sornin.

Il continuait à lancer des cailloux dans l'eau.

— En mai les grenouilles chantent le plus fort, pas en août. Quel concert ! En mer, c'est ce qui me manquait le plus.

— Les grenouilles ?

— Oui, méchante. Les grenouilles me manquaient.

Une bourrasque dans la poitrine, l'impression d'étouffer.

— Qui te manque aujourd'hui ?

— La mer.

Il a dit « la mer » de la même douceur râpeuse qu'il a dit « Marie ».

Le silence revint.

— On a guillotiné Caserio hier matin, le 16 août. Il paraît qu'il a crié : « Vive l'anarchie ! » en montant à l'échafaud. Il était plus jeune que moi. Personne n'avait voulu assurer sa défense.

Cette image du malheur entraîna la question qui me brûlait les lèvres.

— Ta fiancée n'est pas là ?

— Quelle fiancée ?

Il me toisa, l'œil si dur que je portai la main à mes yeux. Un souvenir se précisait. J'avais surpris cette même dureté dans le regard de Vivien Lelindron quand il croisait Léonora. Mais aussi aux prunelles de mon père quand il regardait la nuque, les mains, la bouche de Léonora. La dureté du désir d'amour.

— Quelle fiancée ? répéta-t-il marchant vers moi.

J'étais appuyée contre le tronc d'un peuplier blanc. Le parfum de l'androsace septentrionale à grand calice denté, à gorge jaune, se mêlait à l'odeur de cuir, de sueur, de velours, de ce garçon au violent regard violet.

Il posa sa main sur mon front trop chaud. Ma natte se déroula, vive couleuvre sombre, une flamme dansa dans les yeux de Théophile. Je n'y lus ni tendresse, ni bonté, mais l'éclat micacé, sans recours, du désir. Il pencha sur ma bouche close des lèvres fraîches, élastiques, exigeantes. Il avait dans sa fougue, la patience du vendangeur qui s'émerveille de la promesse du raisin vert. Une patience de marin qui traverse lucidement la tempête, son assaut des vagues salées. Une certitude aveugle guida sa main vers mon corsage élimé. Mais, d'un élan plus vif que ma volonté, je m'enfuis vers Diamant. J'avais quinze ans depuis deux jours.

*
* *

Je vivais par bourrasques. Une agréable, l'autre intolérable. Théophile. Je vivais par révoltes successives. J'en voulais à la terre entière et je m'en voulais. Le baiser de Théophile au bois des abeilles. Théophile, la trahison d'aimer. L'absence de Théophile. Pas un seul signe de lui lors de la fuite de Léonora, la rude fièvre qui s'ensuivit. Ma chambre rouge ne m'égayait plus (ai-je jamais été gaie ?), mes nuits étaient un long éveil. J'écoutais d'une oreille distraite l'enseignement de Mr. Fox, impassible.

Analyse d'une phrase de Platon : *« Personne n'a peur de la mort, si on la prend pour ce qu'elle est ou alors, il faut être incapable de faire le moindre raisonnement et ne pas être vraiment un homme. Non, ce qui fait peur, c'est l'idée qu'on n'a pas été juste. »* Qui avait été juste envers moi ? Mon père ? Léonora ? Bonne-Maman ? Passerose ? Rose ? Théophile ? Avais-je été juste ? Il me semblait que la seule juste, c'était La Fourve. Celle qui ne craignait pas la mort, qui ne craignait pas l'Amour. Celle qui disait : « Nous demeurons ce que nous sommes et nous sommes le corps du Christ. »

Théophile était revenu le lendemain. Il était entré, comme autrefois, à La Burgandière. Il avait cogné au carreau, Rose avait ouvert. On entendait dans la buanderie la trépidation de Passerose sur le linge. Une charrette menait dans la cour un lot de bouteilles neuves. Mon père se trouvait au chai. Rose s'avança vers ce garçon de toujours devenu un homme hâlé, aux yeux couleur de mer. Dans l'encoignure de l'âtre, Maria-la-bègue, repliée sur un escabeau, fixait le feu absent. Le battoir de Passerose s'arrêta. On eût dit qu'elle devinait ma palpitation cachée. On déchargeait les bouteilles neuves. Ne pas manquer la mise en bouteilles, cette cérémonie silencieuse partagée avec mon père. J'étais vêtue d'une jupe en toile blanche frôlant le gravier, d'un chemisier en soie orange ceinturé de daim blanc. Ma natte était serrée dans un velours noir.

— Marie, tu n'es pas prête avec ce beau temps ? dit Théophile.

Il salua mon père. Son ombre longue m'enveloppa d'une fraîcheur de source. Mon père regarda Théophile, son sourire, la vague épaisse de sa chevelure. Son regard revint vers moi, un rose véhément colora mes joues. Il fit un geste qui me bénissait et me bannissait. Il s'en alla vers le chai, courbé. Dans la buanderie, il y eut la reprise agitée des pieds de Passerose sur le linge fumant.

*
* *

Grimper quatre à quatre l'escalier qui tourne, enfiler la veste, le pantalon, dégringoler à nouveau l'escalier d'un bruit de poulain mal ferré. Assise sur la dernière marche, enfiler les bottes de cavalière. Ne pas oublier la chaussette tricotée dont le fil de laine dépasse au bout. Enrouler ma chevelure trop longue dans le chapeau. Pester contre mes cheveux, ah ceux-là, quatre coups de ciseaux et adieu ! saisir la cravache, courir vers la porte, bondir vers mes chances de joie, mon leurre et ma vie : courir vers Théophile. Rose Delageon pelait, pensive, des oignons doux. Elle avait remarqué, tous avaient remarqué que j'étais devenue soudain jolie, colorée du fard indicible des filles amoureuses.

## 47

Nous étions revenus au bois des abeilles. Nous ne parlions pas. Nous ne faisions pas des ronds dans l'eau. On entendait les pétrelles annonçant la fin de l'été. Nous étions adossés côte à côte contre un arbre. Théophile prit ma main.

— Marie, je t'ai rapporté ton gant.

Mon gant troué, perdu en m'enfuyant. Je le regardai ainsi une chose précieuse. Théophile n'avait plus cet air dur qui avait suscité en moi un affolement inconnu, si suave. Il avait repris le ton ordinaire de l'ami d'enfance mais je n'en croyais rien. Tout racontait une mutation. Les fleurs penchées vers la source, la poudre cendrée sur les feuilles qui déjà, décrivaient la saison abolie. L'ami d'enfance avait disparu, remplacé par cet homme qui embaumait la sueur, le cuir, la sève du bois. Avais-je honte de mes paupières baissées à la manière des femmes que je croisais ? Était-ce cela avoir aimé, avoir été désirée, rejetée, les mains implorant l'amour ? Retient-on l'amour, si fort, cette conque prodigieuse celant un trésor de coquillages, de fleurs, de fruits, et de perles de lumière ? Toutes ces femmes, tant de femmes, y compris La Fourve, vouée à l'amour pur, n'avaient-elles pas été, une fois, une fois seulement, des tourterelles prisonnières du regard de l'homme ? Marthe Breuillet, tuée du désir d'amour. Cet amour qui n'avait ménagé ni Léonora ni Jean Breuillet. Vivien Lelindron avait brûlé sa vie à attendre Léonora, avant de l'entraîner dans son sillage. Il vivait pour elle et avec elle, en exclu, en exil et en réprouvé. Elle-même était devenue, plus que jamais, l'exclue, l'exilée, la réprouvée. J'en avais été blessée jusqu'au sang de l'âme. L'amour, sous toutes ses formes. Maria-la-bègue, implorant jusqu'au cri, fuyant, par amour, jusqu'à l'image du ciel. Passerose, Rose, leur dévouement magnifiant peut-être l'absence de l'amour dont rêvent et pleurent toutes les filles du monde. L'absence à jamais du moment prodigieux, où l'amour embrase et anéantit un tendre corps de femme.

*

* *

Nous avions été invités à Cherves, chez le pasteur, peu de jours après l'arrivée de Théophile. Le supplice d'aimer en silence me torturait. Je quêtais au-delà de la rassurante tante Céleste, l'autre image cachée : la femme Céleste. Céleste nous recevait bien, elle allait des uns aux autres. Elle offrait la galette chaude, le pineau doux, la limonade fraîche. Le pasteur acceptait de ses mains et de celles de ses filles ces simples offrandes. Ses filles souriaient, interchangeables, vêtues de chastes robes blanches, coiffées de sobres chignons retenus par des épingles. Ses filles, mariées, mères de jeunes enfants. Je ne déchiffrais rien à leurs visages non poudrés, sinon une paisible résignation. Dans leurs propos adoucis revenaient des mots éternels : naissance, confiance, confitures, enfant, vendanges. Rien ne racontait un émoi, un désordre. Rien ne se payait aussi cher qu'un émoi, un désordre. Le pasteur et sa famille ne l'avaient que trop su.

En ce chaud après-midi, à Cherves, les hommes s'en étaient allés de leur côté jouer au billard. Les femmes étaient là, parquées ensemble, les petits accrochés à leurs jupes longues. Céleste, la chevelure grisonnante, mouchait un bambin en pleurs, le soulevait dans ses bras. Elle l'apaisait de son calme regard où le bleu outrecuidant des yeux de Théophile se fondait en une tendre lumière sans éclat. Céleste et ses filles semblaient figées dans une douce attente active. Pour toujours, les tâches ménagères, la prière en commun, les après-midi de couture et de bonnes œuvres. Pour toujours, sans se plaindre, les fiançailles, le mariage, les naissances, le cortège des maladies, des deuils, la mort. Ne pas oser perdre ce clair regard qui jamais ne tournerait à la tempête d'une encre agitée. Elles étaient la terre que l'homme ouvre, offense, honore, ensemence et piétine. Que restait-il, en leur mémoire, de l'outrage voluptueux, saccageur, de l'homme ? L'enfant justifiait tout. Il convenait d'oublier le reste. Mes interrogations – et ma demande – les eussent horrifiées. Je ne voulais pas, si tôt, si vite, de l'établissement convenu, de la maternité convenable. Au bleu terrible des yeux de Théophile, je quêtais un rude bonheur enflammé. Céleste, ses filles, me choquaient de cet air d'éternelle virginité. J'étais bien la fille de Léonora la glaneuse, cette passionnée, tremblant d'intimes désordres. Jean Breuillet avait aussi rompu toutes les promesses pour Léonora. J'étais également reliée au sang impulsif de madame Eugénie, à sa passion absolue du cognac. Le temps, pour moi, était venu, d'un seul coup et si lent pourtant où je tâtonnais vers l'abîme, son effroi et son éblouissement.

— Marie, tu trembles, Marie chérie.

Théophile serrait mes épaules, serrait ma taille. Le bois des abeilles devenait la couche des noces secrètes, des noces de lait, de miel, de déchirure soyeuse.

— Marie, Marie chérie.

À Cherves, je portais aussi une robe blanche. Passe-rose avait lavé mes cheveux d'un mélange de cognac et de jaunes d'œufs. Je penchais la tête en arrière, assise sur un escabeau et elle déversait doucement le broc d'eau tiède. L'opération avait lieu dans la buanderie, en hiver, près du feu de souche, en été, la porte ouverte sur la lumière. Après le dernier rinçage où elle mêlait à l'eau un filet de vinaigre de vin, Passerose frictionnait ma tête avec des serviettes chaudes. Je fermais les yeux pendant qu'elle démêlait doucement ma chevelure. Elle fredonnait à bouche close la chanson des glaneurs. La mélodie montait de son torse puissant. Une voix douce, des mains douces quand il s'agissait de moi. La mélodie m'assoupissait, la chaleur endormait mes blessures. Tout devenait une allégresse sans nom. La terre m'était redonnée, les vignes, le ciel, le monde – l'amour. Passe-rose avait soigné ma coiffure le jour où nous allâmes à Cherves. Des nattes enroulées sur la nuque, des nœuds en velours noir, des petits peignes en écaille. À Cherves, j'étais déguisée en jeune fille. Céleste s'était exclamée : « Marie devient charmante. » On ne parlait pas de mon brevet élémentaire. Il convenait aux femmes de ne jamais se vanter. Il était bienséant de considérer cette réussite en « aimable accident ». Madame Eugénie fulminait contre « cette engeance, les femmes du pasteur ». À Cherves, on ignorait qu'Amélie Delageon m'avait appris, en cachette de Passerose, à rouler mes cheveux en papillotes et à manier le fer à friser. À Cherves, comme dans toute la France, on parlait du capitaine Dreyfus, du conseil de guerre, de sa condamnation à finir ses jours à l'île du Diable.

— C'est écœurant, disait Théophile.

Le pasteur s'insurgeait.

— Attention, mon garçon. Bien des officiers dans la Marine sont antisémites.

— C'est écœurant, disait-il plus fort, durcissant le bleu de ses yeux.

Théophile, de dos, du côté des hommes. Les femmes, chez le pasteur, ne parlaient pas du capitaine Dreyfus. La plus jeune des filles s'était mise au piano droit. Elle jouait une mélodie de Frédéric Boissière, *La France immortelle*. Le piano était un peu faux. Les enfants riaient et battaient des mains. Théophile défendait la musique de Debussy. Quelqu'un vantait *Thaïs* de Massenet.

— Marie, j'aimerais que tu écoutes *L'Après-midi d'un faune*.

Où donc, avec qui, Théophile avait-il eu l'occasion d'écouter *L'Après-midi d'un faune* ? La jalousie me serrait la gorge. Il me souriait de loin. Céleste baissait les yeux, mal à l'aise. Pierre Loti invitait des artistes dans sa demeure étrange. Probablement avait-on joué là, dans le salon gothique, *L'Après-midi d'un faune* ? À moins que ce ne fût lors d'une escale, dans quelque port flanqué d'une ville et d'un théâtre ?

Le pasteur évoqua le projet dont parlait le journal : la construction de la première voiture automobile Peugeot. Théophile se tourna vers moi.

— Je suis sûr que Marie aimerait conduire une voiture automobile.

— Le plus grave serait qu'elle lise M. Zola, s'exclama un cousin du pasteur. En charentais, un « zola » c'est un pot de chambre. Il paraît que ce monsieur prépare un article pour défendre Dreyfus dans le journal *L'Aurore* !

J'avais lu d'Émile Zola *Le Docteur Pascal* sur lequel Mr. Fox m'avait demandé de rédiger un compte rendu.

— Il n'y a pas de mauvais livres, il y a des mauvais styles, des idées plates. Lisez tout, Miss Breuillet. Faites-vous votre propre opinion.

La conversation tournait encore. Les hommes évoquaient la création de l'armée coloniale. Soudain un grand feu de joie se mit à flamber dans mon cœur.

— Théophile a rompu ses fiançailles avec Catherine Sornin parce que la famille est antidreyfusarde, disait le pasteur.

— Je n'ai jamais aimé cette grande dinde. C'est vous qui avez rêvé de fiançailles. J'ai bien aimé envoyer un coup de poing à son frère Léonce : il avait injurié Marie.

Il y eut un grand silence. Mon père sourit. Théophile riait. Le pasteur ne cachait pas son mécontentement.

— Les Sornin ne nous adresseront plus jamais la parole, ni aucun de leurs alliés ou parents. Tu es seul responsable de tes actes.

Je sus que j'étais prête à dépasser l'aurore et ses nuages, le crépuscule et ses menaces de nuit, la nuit elle-même pour Théophile.

*
* *

Dans le bois des abeilles, le garçon au regard si bleu respirait mes cheveux.

— Marie, Marie chérie.

Une bourrasque, une autre. Il chantonnait un air lointain, il ouvrait mon corsage. Était-ce cela, *L'Après-midi d'un faune ?*

Il embrassait un sein, puis l'autre. Il devenait d'une extrême gravité. Il lisait dans mes yeux l'ombre des branches, le velours d'un morceau de ciel et le brasier minuscule, cette ferveur que rien ni personne ne détourneraient. Il eut un moment de doute, de peur. « Non, Marie, il ne faut pas ». Je me souviendrai jusqu'à mon dernier souffle que c'est moi, moi seule qui l'entraînai, exigeai la chute et ses ors.

Tout s'était modifié. Une voix de femme, non d'enfant, qui chavirait. Une voix mâle qui disait qu'il m'aimait du même ton dont il parlait de sa passion de la mer.

— Marie, Marie.

Ô ses yeux, nos yeux, dans l'amour.

Il faisait doux dans le bois des abeilles. Il faisait doux et dur contre le corps de l'homme qui ravissait mes baisers. Il y eut une blessure de miel et tout au bout du voyage, un seul mot unique aux lèvres jointes.

— Marie, disait-il, le blessé, c'est moi.

## 48

J'avais quitté Théophile au crépuscule, le temps ne comptait plus. Il m'avait accompagnée à l'orée des trois chemins. J'avais brusquement éperonné mon cheval, sans me retourner. Théophile embarquait le lendemain à bord du *Friedland.* Destination : Madagascar. Ferait-il escale à l'île de La Réunion ?

Il n'y avait personne quand j'entrai dans la cour pavée. La chambre rouge, son silence replié sur le secret irradiant. Le besoin de la solitude heureuse, la saveur douce amère d'une séparation. Point d'adieu et la certitude d'un amour. Je m'assoupissais, mais une grande ombre assombrit mon lit. Passerose.

— Tu es malade ?

Elle scruta mes joues trop chaudes, la palpitation de mon souffle. Elle huma dans l'invisible, les signes de ma natte à demi défaite.

Elle se tenait debout, à la manière des paysans qui conversent et attendent sans jamais s'asseoir. Elle détailla mon chemisier froissé, ma bouche, mon front, la petite feuille dans les cheveux, au-dessus de la tempe.

— C'est de la bourdaine, dit-elle. On en trouve près des étangs et des ruisseaux.

Elle parla rude, crispant ses poings dans ses poches en tissu noir à fleurettes blanches. Elle avait, autrefois, eu le même geste quand Léonora était revenue par le chemin des cerisiers, tremblant de sa faute et de son amour.

Que retenait-elle ainsi ? L'envie de me gifler, celle de me protéger à jamais dans ses bras chauds, repoussant tout ravisseur de ma route ?

— Il n'est pas bon de dormir le ventre vide. Viens dîner. Rose a fait du pot-au-feu et une tarte aux prunes. Ne descends pas faite comme tu es. Mets une robe, coiffe-toi.

La veille encore, elle eût dit : « Viens que je te coiffe, mets cette robe, prends une laine. »

Elle évita de me toucher, de m'approcher. Elle n'osa plus ses gestes de nourrice. Elle se détourna, j'étais son enfant, son orpheline, son trésor, son tourment. La petite feuille glissa de mes cheveux. Elle sortit de ses poches ses grandes mains rougies par le labeur et les porta brusquement à ses yeux en larmes.

Elle les essuya du coin du tablier. Elle alla vers la porte. Avant de la claquer – ce qui n'était pas dans ses habitudes –, Passerose cria :

— À pouliche des bois, poulain dans les flancs ! Prions que tu voies ton sang le mois prochain.

Je la détestai de froisser ce qui avait été mon choix le plus noble.

Je ramassai la petite feuille et la gardai longtemps au creux de mes mains.

Je ne descendis pas dîner. Personne ne monta me voir.

## 49

Je vis mon sang les jours suivants, je vis l'automne et ses flammes, je vis les vendanges et le ciel orangé. Je vis mon père chaque jour au chai. C'était la cérémonie de la mise en bouteilles. Sur une grande table en bois, la machine en fer enfonçait d'un bruit sec le bouchon en liège. Nous en aurions pour la journée.

Il avait son visage un peu gris des insomnies. Il était las, sa voix était douce, il semblait soulagé que je fusse près de lui. Nous aimions le silence de la mise en bouteilles. Le collage, à la main, de chaque étiquette. Ces heures passaient doucement, avec bonheur, sans beaucoup de mots. Le résultat esthétique du cognac scellé dans son flacon définitif.

Je m'assis en face de lui, sur le banc. La pénombre était traversée d'un clair rayon poudré. Les bouteilles à fût élégant, au flanc légèrement évasé, créaient un rayon de lumière. Les étiquettes étaient dans leurs boîtes.

— Marie, écris « Cognac Jean Breuillet » de ta main, s'il te plaît.

Le fagot de plumes dans le pot en grès, l'encre noire, le buvard. Je m'appliquais. La colle chauffait sur un réchaud. Enfoncer dans un petit « clac » le bouchon, coucher le flacon, étendre d'un coup de pinceau la colle, y fixer l'étiquette où j'avais écrit dans son cadre noir, « Cognac Jean Breuillet ». Les heures passaient, tout s'apaisait. J'étais bien, liée à une place authentique, austère, face à un homme patient et bon.

Le bouilleur, en silence, aidait à verser le cognac, et contrôlait le bon fonctionnement de la machine mécanique. À mesure, il rangeait les bouteilles. Nos mains allaient, nos silences se comprenaient. Le roulement assourdi d'un tonneau remis sur son socle, le tintinnabulement des bouteilles, le claquement du bouchon, le crissement d'insecte de la plume sur l'étiquette. L'économie de nos souffles et, au loin, quelque ritournelle des vendangeurs.

— Marie, dit doucement Jean Breuillet, Théophile est un marin, je crains que tu ne souffres d'être séparée souvent, trop souvent.

Un immense soulagement. Les larmes dans mes yeux. Mon père m'accordait le droit d'avoir grandi, d'avoir aimé, et franchi ma première mue. J'écrivais une étiquette, coup de buvard, pinceau, colle. Je m'étais appliquée, les lettres s'enracinaient. Le bouilleur se fondait dans l'ombre et Jean Breuillet racontait une histoire, à petites phrases modérées :

— J'ai eu autrefois un grand-oncle qui était marin. Par amour pour sa femme, il est revenu à Cognac. Il avait donné sa démission au ministère de la Marine.

Une bouteille, le bouchon, l'arôme du rancio. Le claquement du bouchon. Force et délicatesse, ne rien briser.

— Il est mort. Non pas mort de maladie brutale mais doucement, implacablement. Il est mort d'ennui et d'un excès de digitaline. La campagne, les vignes le tuaient. Il avait cru que l'amour remplaçait tout. Il souriait beaucoup, je me souviens. Il souriait en déjeunant à La Burgandière, il souriait à sa femme, il souriait en visitant le chai. Il ne les voyait pas. Sa femme disait qu'il était charmant, tout à fait à son aise, mais c'était faux. Son sourire, sa douceur d'automate, allaient à sa frégate et à la mer disparues. On ne comprenait pas ses rares colères quand on lui proposait une promenade à Royan ou à l'île d'Oléron. Il ne voulait plus voir la mer. On l'a trouvé mort dans sa chambre, vêtu de son ancien costume de capitaine. « Le cœur », a-t-on dit.

— Je ne quitterai jamais ces vignes et je ne disputerai jamais la mer à un marin. Théophile...

Jean Breuillet avait cessé d'aligner les bouteilles. Il souffrait pour moi. Il savait ce qu'était l'amour déchiré.

— L'amour est la seule marée, la seule vigne qui impose ses lois. Cette histoire de mon grand-oncle est absurde. Je te l'ai racontée parce que j'ai bêtement eu peur que tu souffres.

Les mains de mon père. Les étiquettes. Un pâté d'encre. Une étiquette ratée, une bouteille trop secouée. Le dos du bouilleur est une ombre attentive.

— L'amour est une contradiction, Marie. On peut aimer jusqu'au fond de l'absence. On peut renier ses promesses. Tout est fermé, tout est ouvert.

— J'ai l'amour de cette terre et de ses vignes.

— L'amour est tenace. Aie confiance, Marie.

C'est lui, Jean Breuillet, qui avait failli mourir d'aimer, lui pour qui un être était mort d'aimer qui parlait de confiance, de retour.

— Marie, j'ai un cadeau pour toi.

Il s'en était allé à son paradis et disparut un moment derrière la grille. Il revint, tenant dans ses bras celle que je reconnus entre toutes : sa meilleure bouteille, son plus ancien cru, sa valeur qui ne se comptait ni en écus, ni en aucune espèce de monnaie. Cette bouteille dont on disait : « Elle vaut un trésor ».

— C'est un cadeau que je réservais pour tes quinze ans, Marie.

Sur l'étiquette, il avait écrit de sa main : « Cognac Marie Breuillet ». Il glissa à mon cou une chaîne lotie d'une clef ouvragée.

Il m'adoubait une troisième fois.

— Porte-la toi-même au paradis dont voici le double de la clef. Ta collection est commencée, Marie. J'irai en Angleterre cet hiver, veux-tu m'accompagner ?

Porter la bouteille telle une châsse, mais auparavant poser mes mains dans celles, ouvertes, de mon père.

Le jour s'avançait, nous avions achevé notre besogne.

— J'ai faim et soif, dit-il gaiement. Qu'en penses-tu ?

Je souris. Une femme chantonnait assise sur le banc en pierre devant la maison, près de la cuisine.

— C'est Maria-la-bègue. Sa peur du ciel l'a quittée, figure-toi. Rose dit que c'est un miracle, Mr. Fox penche pour un ramollissement du cerveau.

Le ciel, le soir ; les raisins enflammaient les paniers en bois et les hottes dures. Le sourire de Maria-la-bègue. Un peu de ciel, de miel, de vin, de terre. À nouveau, un jour, les bras de l'homme et le feu des baisers. À moins que ce ne fût la flamme du cognac, celui qui portait mon nom.

Moi non plus, je n'avais plus peur.

Dieppe, août 2001 – Paris, avril 2002